講談社文庫

ハサミ男

殊能将之

講談社

目次

長電話につきあってくれた
藍上雄さんに捧げる

ハサミ男

チョキ、チョキ、チョキとハサミ男が行く
悪い子たちの遊びをやめさせるんだ
チョキ、チョキ、チョキとハサミ男が行く
きみも彼の名簿に載ってるかもしれないよ
きみも彼の名簿に載ってるかもしれないよ

——XTC〈シザー・マン〉

Snipping, snipping, snipping goes the scissor man
Putting end to evil doers games
Snipping, snipping, snipping goes the scissor man
Maybe you are in his book of names
Maybe you are in his book of names

——XTC 〈SCISSOR MAN〉

1

ハサミ男の三番目の犠牲者は、目黒区鷹番に住んでいた。

ところで、わたしはこれまで鷹番という町名を見たことも聞いたこともなかったので、いったい目黒区のどのあたりにあるのか、最寄りの駅は何線のどこなのか、まったく見当がつかなかった。

第一、この町名は「たかつがい」と読むとばかり思い込んでいた。もちろん「蝶番《ちょうつがい》」からの連想で、二羽の鷹が仲むつまじく青空を飛んでいく、江戸時代の屛風絵《びょうぶえ》のような光景が頭に浮かんだ。

十月十日金曜日、わたしはアルバイトを休んで、鷹番に行ってみることにした。まだ樽宮《たるみや》由紀子《ゆきこ》の顔は知らなかった。今日のところは、彼女が住んでいる場所を確認するだけでいい、と判断した。

トーストとターンオーバーの目玉焼、昨夜ゆでておいたブロッコリー、それにミルクたっぷりのコーヒーという朝食を食べながら、愛用している文庫判の東京二十三区地図を丸テーブルの上にひろげ、目黒区のページを繰《く》った。

鷹番は目黒区のほぼ中央に位置している。駒沢《こまざわ》通りと目黒通りにはさまれ、東急東横《とうよこ》線が南北に縦断し、最寄りの駅は学芸大学駅だった。ということは、わたしの部屋から行くとなると、地下鉄丸《まる》ノ内《うち》線から日比谷《ひびや》線に乗りかえ、そのまま中目黒《なかめぐろ》駅経由で東横線に乗り入れて、学芸大学駅で降りる、という順路になる。けっこうな距離があるから、時間もかかるだろう。どうやら丸一日つぶさなければならないようだ。

昨日帰宅したときから床に置きっぱなしのショルダーバッグを拾いあげた。なかからアルバイト先でとったコピーを取りだし、地図の横にひろげる。

氏名　樽宮　由紀子（たるみや・ゆきこ）
住所　目黒区鷹番4—13デゼール碑文谷《ひもんや》503号室　電話番号　03—……

コピーに書かれた住所と地図を見比べた。鷹番四丁目は目黒通りに面した一角だった。とすると、日比谷線を中目黒で降りて、目黒通りを路線バスで移動するという手もある。そのほうが近道なのだろうか。

バターをたっぷり塗ったトーストをかじりながら、地図に目をこらした。文庫判の地図は持ち歩くには便利だが、小さなページに目が痛くなるほど細かく印刷してあるので、学芸大学駅から目黒通りまでの距離感がいまひとつ、つかめない。

しばらく考えたすえ、どれほどの時間の節約になるか予想できない近道より、乗りかえの便利さを選択し、東横線の学芸大学駅に向かうことに決めた。

食べ終えた皿とマグカップを流しに重ねて置き、セーターとジーンズに着がえて、腕時計をはめた。午前七時。少し早すぎるような気もしたが、初めての場所に行くのだから、時間は十分みておいたほうがいいだろう。

スニーカーを履《は》いて、部屋を出た。今日はまだ下見の段階なので、ショルダーバッグは必要ない。ドアに鍵《かぎ》をかけ、アパートの薄暗い階段を降りた。

契約した不動産会社はワンルームマンションと強硬に言いはっていたが、わたしが住んでいる建物は、要するに鉄筋アパートだ。築何年になるかは知らないし、不動産会社の営業マンも話題にすることを慎重に避けていた。とにかく、そうとう昔に建てられた建築物に違いない。

階段のコンクリート壁は薄汚い黄色に焼けていたし、天井の照明は何階分か点灯しなかった。蛍光灯を取りかえていないせいばかりでなく、電気配線そのものに、がたが来ているのだ。

このアパートのとりえは、住人が他の住人に対して完璧に無関心なことと、地下鉄の駅に近いことだった。前者は引っ越してきてからわかったことで、わたしが部屋を決めた最大の理由は、移動に便利だったからだ。

アパートの出入口から街路に出ると、押しボタン式信号の横断歩道を渡った。目の前はもう地下鉄の駅だった。不動産屋が「駅から徒歩一分」と広告していたのは、詐欺《さぎ》まがいの誇大宣伝どころか、じつに謙虚で控え目なもの言いだったのだ。全力疾走すれば、たぶん一分かからないだろう。

このあたりでは、丸ノ内線は地上に出て、高架線の上を行き来している。いつものこととはいえ、地下鉄に乗るのに階段を昇るというのは、ちょっと奇妙な気分だった。

都心へ向かう地下鉄の車両は、出勤や通学の客で混みあっていた。

わたしの視線は自然と少女たちに向かった。

東京で暮らしはじめたころには、髪を赤茶色に染め、眉《まゆ》を剃《そ》り、目元に鋭角的なメイクをほどこし、ルーズソックスを履いた、たとえていえば両足首に皮膚病をわずらったオランウータンのような子をよく目にしたものだが、十代の少女たちの最新流行は髪を完全脱色することらしい。

まるで〈医師〉のようにみごとな銀髪にセーラー服というのは、なんだか老境のストリッパーが舞台でコスプレしているようで、かなり無気味だったが、本人たちは、これがいまいちばんカッコイイという確信をいだいているに違いない。どの子を見ても、胸を張り、自信にみちた表情を他の乗客に見せつけていた。

しかし、彼女たちは学校に着いたあと、いったいどうするのだろう。銀髪をなびかせながらの学校生活を黙認する高校は、まず存在しないだろう。

もしかして、駅のトイレかどこかで、母親の白髪染めを使うのでは？

わたしは吊り革につかまって、まだ見ぬ樽宮由紀子のことを考えていた。彼女も髪を真っ白に脱色しているのだろうか。いや、まがいものの銀髪など、彼女にはふさわしくない。そんな姿を目にしたら、幻滅してしまうだろう。彼女が麗《うるわ》しの黒髪の持ち主であることを願った。

長い地下道を抜けて、地下鉄日比谷線に乗りかえた。プラットホームのベンチに腰を下ろし、東横線直通の電車を待つことにした。

いつもの癖で、駅の壁に貼ってある雑誌の広告をひと通りながめた。週刊誌や月刊誌の見出しが、種々雑多な情報を伝えてきた。

アフリカのある共和国で内戦勃発、先ごろの冷夏のせいで米の値段が高騰中、もう六十歳近い年配の時代劇俳優が養女と性的関係を持っているとの噂《うわさ》、今年の冬はフェイクファーがオシャレ、大流行の脱色ヘアを女子高生はシロケ（白毛だろう）と呼ぶ、などなど。

いずれも誰かにとっては有意義なのだろうが、わたしには無関係な情報ばかりだった。まず、舌を嚙《か》みそうな名前のアフリカの国がどうなろうと、知ったことではない。わたしはごはんよりパンのほうが好きだ。男優が愛する養女と交接しようが、愛犬と交接しようが、愛用のパソコンと交接しようが、好きにさせたらいいではないか。わたしは毛皮のコートなんか着ない。そして、シロケの女子高生にはまったく興味がない。

わたしが興味を持っているのは、ハサミ男のことだった。

だが、いまや彼は一時期のようなマスコミの寵児《ちょうじ》、タブロイド紙のアイドル、ワイドショーの定番の話題ではなくなってしまったようだ。なにしろ、最後に犠牲者が殺されたのは半年以上前のことだから、いいかげん報道する内容がつきてしまったのだろう。そして、ハサミ男がなりをひそめているあいだも、広く大衆に伝えるべき事件や事故やスキャンダルには事欠かない。

ハサミ男の人気低落を残念がっているのではない。マスコミが関心を失ったのは、むしろ、ありがたいことだった。

小西美菜《こにしみな》が埼玉県で殺害されたときもそうだったし、松原雅世《まつばらまさよ》が江戸川《えどがわ》区の湾岸で殺害されたときもそうだった。犠牲者さえ出れば、いやでもマスコミは騒ぎだす。それまでハサミ男の話題はなるべく目立たないほうがいい。できれば、ハサミ男の名は忘れてもらいたかった。

東横線直通、菊名《きくな》行きのオレンジ色の電車が日比谷駅に到着した。都心から外へ向かう電車のせいか、車両は比較的空《す》いていて、三人がけの座席をひとりじめすることができた。

電車は中目黒駅で暗いトンネルを抜け、地表に出た。丸ノ内線の高架線から地下にもぐり、今度は東横線の高架線へ。わたしはまるで高層ビル嫌いのもぐらのように、都心の地下を北から南へ通り抜けたわけだ。

窓の外には、どんよりと曇《くも》った空がひろがっていた。秋雨《あきさめ》前線が停滞していて、ここ数日間、晴れ間を見たことがない。もうすぐ体育の日だというのに、このままでは運動会はだいなしだ。樽宮由紀子が通う葉桜《はざくら》学園高校の運動会はだいじょうぶだろうか。

学芸大学駅で電車を降り、自動精算機で乗り越し料金を精算して、外に出た。

高架の駅を横切って、こぢんまりとした商店街がのびていた。書店、食堂、雑貨品店、電器店、立ち食いそば屋。どこの私鉄沿線にもありそうな、ありふれた店が並んでいた。電柱から電柱にわたされた紐《ひも》に安っぽいプラスチック製の造花が吊され、ラウドスピーカーから電子音のクラシック音楽が小さく流れていた。

ジーンズの尻ポケットに入れてきた地図を確認し、目黒通りめざして歩きはじめた。地図によると、このあたりはもう目黒区鷹番であるらしい。わたしは樽宮由紀子の暮らすマンションに接近していた。

商店街の終端を告げるアーケイドを抜け、細い舗道を進んだ。右手に高い金網が見えはじめ、その向こうに、ずんぐりむっくりしたビルが建っていた。屋上には、めでたくも紅白に塗りわけられた巨大な鉄塔をのせている。ＮＴＴ目黒支局。どうやら道を間違えずにすんだらしい。

ＮＴＴの横を抜けると、広い通りに行きあたった。目黒通りだ。歩道に立った青い標識にも、日本語とローマ字でそう表示されていた。

信号のある交差点で立ち止まり、ふたたび地図を確認した。地図と現実の光景を比較して、ＮＴＴと郵便局の位置関係を確かめる。デゼール碑文谷を見つけるには、右の方向に行けばいいらしい。

地図をポケットにしまい、歩道を進んだ。電柱に巻かれた青いビニールの住居表示に「鷹番4丁目」とあるのを見つけ、目黒通りから脇道にそれた。ここから先は、片端からマンションの名称を調べるしかないだろう。わたしは入りくんだ路地を探索していった。

東京にはマンションが多すぎる、と痛感させられた。

二十分ほど路地をうろついたあげく、ようやく赤褐色のマンションを発見した。なんという建築様式なのかは知らないが、砂岩でこしらえた巨大なひな壇を横倒しにしたような建物だった。道に面した壁が蛇腹《じゃばら》にえぐられ、くぼんだ直角の長い辺がベランダ、短い辺には小窓が開いている。たぶん浴室か洗面所の窓だろう。

全面ガラス張りの入口の上に、アルファベットのカリグラフィを真似《まね》た書体で「デゼール碑文谷」と彫ってあった。

前の道路沿いにある金網小屋は「デゼール碑文谷専用収集所」である。たかがゴミ捨て場にまで、こんな凝った書体を使わなくてもいいだろうに。

自動ドアを抜けると、玄関には淡いパステルカラーのタイルが敷きつめられていた。構内へつづく自動ドアの脇に、流線形をしたオートロックのコンソールが突っ立っている。プッシュボタンで部屋番号を入力し、インターホンで住人を呼び出して許可を得ないと、なかに入れない仕組みだった。こののっぺらぼうの金属こけしが、住人たちを守る不眠不休の門番というわけだ。

今日のところは、マンション内に入る必要はなかった。わたしは玄関奥の壁にはめ込まれた郵便受けの列に近づき、503と書かれたボックスの表示を確認した。

503　樽宮　一弘

樽宮由紀子の父親は、カズヒロというらしい。

わたしは満足し、門番のメタリックなスキンヘッドを撫《な》でてやると、デゼール碑文谷をあとにした。

道順を頭に刻み込みながら、目黒通りに戻った。帰りはバスで中目黒駅に行くコースを試してみるつもりだった。

バス停留所はすぐに見つかった。次の到着時刻を調べようと見上げたとき、わたしはやっと自分の誤りに気づいた。

円形の金属プレートには、大きく「たかばん」と表示されていた。「たかつがい」ではなかった。長い羽根をひろげて、悠々と青空を飛ぶ鷹の夫婦の幻影は、どこかに消え去ってしまった。

2

樽宮由紀子の容貌や外見を知るためには、もう一度、平日にデゼール碑文谷に出かける必要があるだろう。

翌日の午前九時、わたしはアルバイト先に向かった。

目下のバイト先である氷室川《ひむろかわ》出版は、神田《かんだ》小川町《おがわまち》にあり、交通機関を乗りかえずに出勤できる。これまでの最長不倒記録を更新して、二年以上も勤務している理由のひとつは、そこにあった。

丸ノ内線を淡路町駅で降り、地上に出て、大通りから少し奥まった路地に入ると、すぐ目の前が氷室川出版のある五階建てのビルだった。といっても、自社ビルではない。雑居ビルの三階と四階のフロアを間借りしているだけだ。出版社は出版社でも、正社員十数名の小さな会社である。

エレベーターに乗り込むと、いまどき珍しい丸く出っぱったボタンを操作盤に押しいれて、四階に上がった。

三階は営業部、四階は編集部と、一応はフロアが分けられていたが、実際はきちんと縦割りの組織になっているはずもなく、月後半の最も忙しい時期になれば、わたしを含めて三人いるアルバイトは、両方の部署で限界ぎりぎりまで(もしかしたら限界をこえて)酷使された。

四階でコピーを五十枚以上もとったあと、三階に降りて教材の仕分けや梱包《こんぽう》や発送を手伝い、ふたたび四階に戻って、赤鉛筆片手に校正の真似事をしたり、薄手のビニール手袋をはめて写真のポジを封筒に整理していると、岡島《おかじま》部長から命令がくだり、ナントカ大学のナントカ先生の住所を教えられて、彫心鏤骨《ちょうしんるこつ》の玉稿《ぎょっこう》をいただきに馳せ参じるが、たいていはまだできあがっていないので、数時間もえんえんと待たされ、その間ナントカ先生はコーヒーはおろか水道水の一杯も出そうとしない、といった状態におちいった。

ひと言でいえば、てんてこまいだった。

磨《す》りガラスのはめ込まれたドアを開くと、月上旬の編集部には、まだ余裕すら感じられた。狂乱の月末の十日以上前、しかも今日は土曜日だ。のんびりした雰囲気がただよっていても当然だろう。ほうじ茶をすする者、ひさしぶりに机の上を整理する者、パソコンのスクリーンセーバー画面をぼんやり見つめる者。いつもはきびしい岡島部長でさえ、デスクに頬《ほお》づえをついて、窓の外をながめていた。

もちろん、のんびりできないたちの人間もなかにはいる。

「あ、ちょうどよかった」

わたしがデスクにつくなり、佐々塚《ささづか》が声をかけてきた。きょろきょろと銀縁眼鏡《ぎんぶちめがね》の下の目

を泳がせながら、せっかちな早口で、

「バイク便ね、バイク便」

と連呼した。どうしてこの男はいつも相手の目を見てしゃべらないのだろうか。

「ここから発送するんですか」

わたしは佐々塚に訊《き》き返した。

「そうそう。デザイナーの和田《わだ》さん、住所わかるだろ」

「ええ、わかります」

わたしがデスクの上の住所録を取りあげたとき、佐々塚がそばに近づいてきて、

「これね」

と、三枚の光磁気ディスクを手渡した。

わかりました、と受けとると、佐々塚は自分の席に戻って、ボールペンでメモ用紙にいたずら書きを始めた。そんなに暇なら、バイク便くらい自分で呼べばいいのに。

この三十代半ばの小男は、アルバイトはこき使わなければ損だ、という信条の持ち主であるらしく、編集部で働きはじめた当初から、何かというと、こまごまとした用事を言いつけてきた。今日のように土曜日で、明らかに処理すべき業務の絶対量が少ないときでさえ、何かしら仕事を見つけ、ときにはむりやり捏造《ねつぞう》して、アルバイトに命令した。

「あいつは、おれたちのことを奴隷か何かだと思ってるんじゃないか」

と、給湯室で同僚の山岸《やまぎし》が憤然と言いはなったことがある。山岸はもう三十歳すぎで、どこかのメーカーを退職して、半年前に氷室川出版にアルバイト採用された。ささやかな歓迎会の席で、クリエイティブな仕事をしたくなったから辞めたんだ、と酎《ちゅう》ハイで顔を赤くしながら退職の理由を説明していたが、本当のところは知らない。度の強そうな黒縁眼鏡をかけ、神経質で自尊心の強そうな男だから、上司と喧嘩《けんか》したのかもしれない。

一、二ヵ月で正社員になり、念願のクリエイティブな仕事にいそしむ予定が、まさか半年すぎてまで、お茶くみや掃除をさせられるとは、想像もしていなかったのだろう。そう年齢も変わらない佐々塚に命令されることに、耐えられない様子だった。

わたしには山岸のような向上心がまったくないので、黙って佐々塚の命令に従った。デスクの上の受話器を取り、暗記してしまったバイク便の電話番号をそらで押した。

はい、スピードキングです、と威勢のいい若い男の声が返ってきた。妙な社名だが、料金は安い。わたしは氷室川出版の名前と電話番号を告げ、送り先の住所を伝えた。はでなロック音楽を鼓膜が痛くなるまで聞かされながら、しばらく待つと、二十分ほどでライダーがおうかがいします、と返事があった。

雨が降ったときの用心に、光磁気ディスクをビニール袋でくるんでから茶封筒に入れ、粘着テープで封をした。デスクのひきだしからバイク便の送付用紙を取り出し、和田の住所と電話番号を書きうつして、茶封筒の表に貼りつけた。

準備のできた茶封筒をデスクに置いた瞬間、佐々塚が次の用事を命じようと口を開きかけた。わたしは気がつかないふりをして立ちあがり、岡島部長のデスクに向かった。

岡島部長はあいかわらず頬づえをついて、窓の外の曇り空をながめていた。わたしが近づくと、視線はそのまま、

「このうっとうしい天気はいつまでつづくんだろうねえ」

と、つぶやくように言った。

岡島部長は五十代の女性だった。白髪まじりのおかっぱ頭の下に化粧気のない馬面をのばし、いつも地味だが品のいいスーツを身につけていた。

初めて会ったときは、フェミニストでキャリアウーマンのなれの果て、という印象を持ったものだが、編集部をひとりでとりしきっているのだから、有能な人物であることは間違いない。そのことは仕事を通じて、思い知らされていた。わたしの乏しい人生経験では、こんなに頭の切れる人物は、ほかに〈医師〉くらいしか思い浮かばない。

「なにかな」

わたしのほうを向いて、岡島部長はにこやかに訊いた。

「火曜日にまた休ませてほしいんですが」

「火曜日というと、十四日か」

岡島部長は卓上カレンダーをちらりと見て、

「いいけど、なにか用事でもあるの」

「ええ、ちょっと」

「どんな用事、と訊いても教えてくれないんだろうね」

わたしは黙っていた。女子高生を尾行しに行きます、とは言えない。

「いいよ。まだそんなに忙しくないから」

岡島部長はそう言うと、冗談めかした口調でつけ加えた。

「でも、あんまり休みばかりとってると、正社員にはなれませんよ」

「正社員になる気はありません」

と、わたしは答えた。岡島部長は、ふう、とおおげさなため息をつき、デスクに両ひじをついて、顎《あご》をのせた。いたずら好きな子供のような笑顔で、わたしの顔を見上げて、

「きみね、そういう突きはなすような言い方はやめたほうがいいよ。会話が終わっちゃうでしょう」

「すみません」

「謝ることはないですよ」

岡島部長はふたたび窓の外に視線を向けた。休みをもらう許可が得られたので、わたしは席に戻った。

佐々塚がさっそく近づいてきて、することがないなら倉庫の整理をしろ、と言った。わた

しも倉庫に行きたいと思っていたので、これはありがたい命令だった。

倉庫といっても、特別な建物があるわけではなく、たんに編集部の隣室をそう呼んでいるだけだ。編集部と同じ間取りの部屋いっぱいに、組立式のスチール棚がすえつけられ、さまざまな資料が乱雑にほうり込まれていた。

棚を横からながめると、氷室川出版の歴史が地層をなして堆積《たいせき》しているかのようだった。たとえば、過去の出版物に使用した原稿の保存場所を見ると、いちばん下は手書きの原稿用紙の束が詰めこまれたビニールの手下げ袋、それからワープロのプリントアウトをはさんだ書類とじが積み重なり、つづいてフロッピーディスクでいっぱいの段ボール箱が押し込まれている。

その次に到来したのは、すばらしき電子メールの黄金時代で、物体としての原稿はいったん絶滅し、地層も空白のまま残されるはずだった。ところが、いまだ明らかにされていない理由から、インターネットに接続した大容量ハードディスクが一夜にしてクラッシュするという不慮の大惨事が起き、Eメールで受信した原稿もすべてプリントアウトして保存すべし、との神託がくだった。おかげで、フロッピーディスクの段ボール箱の上には、昔なつかしい紙束がふたたび山積みにされている。

スチール棚のあいだを通り抜けて、倉庫の奥に向かった。そこには真新しいファイルキャビネットが設置されていた。

氷室川出版はもともと、教育関係の出版物を中心に手がけていたらしい。中学高校の卒業アルバム、大学の入学案内やパンフレットなどが主力商品だった。しかし、学童人口の減少はこの業界を先細りにやせおとろえさせていった。そこで数年前から、新しいビジネスに参入した。

わたしはファイルキャビネットの前にかがみこんだ。キャビネットは地域ごとに、名前の五十音順で整理されている。

東京都目黒区のひきだしを抜いた。

樽宮由紀子の記録はすぐに見つかった。

さて、彼女の最新の成績はどうだったのだろうか。

英語　84点
数学　94点
物理・化学　79点
……　……

理科の点数が前回よりも少し落ちていたが、全体としては好成績を維持していた。特に数学の94点がすばらしい。彼女がこれまでにとった最高点数だ。

樽宮由紀子から送られてきた感想カードを読んだ。ボールペンで書かれた端正な文字がつらなっていた。

今回は物理・化学の問題がちょっと難しくて、わかる範囲で解答しました。もともと理科は苦手。もうちょっとがんばって勉強しなくちゃいけないな、って思いました。……

なぜ数学が得意なのに、理科は苦手なのか。わたしのような頭の悪い人間にとっては、どちらも似たような教科にしか思えないのだが。

ますます樽宮由紀子に興味がわいてきた。

わたしは彼女の成績記録をキャビネットに戻した。

氷室川出版は数年前から、ある企業と共同で、中高生対象の添削《てんさく》式通信教育を始めていた。広く浅く全国に会員を求めるのではなく、首都圏中心の英才教育をめざしたものだ。パンフレットの宣伝文句によれば、「優秀な子供たちに充実した教育をお届けする」というわけだ。中高生の子供を持つ親の八割は、息子や娘がどこかしら優秀だと思い込んでいるから、会員には不自由しなかった。

宣伝や勧誘は協力企業にまかせて、氷室川出版側は会員に送付する教材の制作や、送り返されてきた答案の採点と添削を担当していた。教育業界に長年たずさわり、学校とつながりがあることが強みで、問題を作成したり、チェックしてくれる中学高校の教師や、添削のアルバイトをする大学院生には事欠かなかった。

ファイルキャビネットには、関東地方各地にいる会員の入会申込用紙と、これまでの成績や感想カードなどの資料が収納されていた。わたしが小西美菜や松原雅世と出会うことができたのも、この記録のおかげだ。そして、まだ見ぬ樽宮由紀子を発見したのも、このファイルキャビネットのなかからだった。

倉庫を適当に整理していると、ドアが開いて、佐々塚がなかをのぞき込んだ。

「バイク便が来たよ」

顔も見ずにそう告げて、すぐに顔を引っ込める。自分でライダーと応対する気はまったくないらしい。

わたしは編集部に戻り、手の甲にタトゥーをしたライダーに茶封筒を渡して、料金を支払った。よりによってバッグズ・バニーの彫り物を入れるとは、いかなる心境からなのか気になったが、口に出して訊《たず》ねるのは思いとどまった。

土曜日は午後四時が終業時刻だ。わたしはショルダーバッグを肩にかつぎ、お先に失礼します、とだけ言って、四時きっかりに編集部をあとにした。

地下鉄を降りると、わたしは少し遠回りして、通り沿いにあるドラッグストアに立ちよった。今日は土曜日なので、買い物をしなければならない。

ここ数年来増えてきたアメリカ型のドラッグストアで、薬や医療品だけでなく、洗剤、台所用品、清涼飲料水、食品などが棚に並んでいた。要するに、薬も売っているスーパーマーケットだ。

だが、わたしが買いに来たのは、医薬品のほうだった。

棚を順に見ていきながら、しばらく考えたすえ、クレゾール石鹸液を買うことにした。

もちろん、自殺するためだ。

3

　胸に焼けつくような痛みを感じながら、ベッドの上で目を覚ました。ひりひりした疼痛《とうつう》が、胃の上側から口のあたりまで広く分布していた。胃液がせりあがってくる感覚があった。

　わたしは右肩を起こし、ベッド脇に吊しておいたドラッグストアの買物袋をつかんだ。ベッドに横たわったまま、袋のなかに、こみあげてきた黄色い液体を吐《は》いた。口の粘膜がひりひりし、鼻の奥まで疼痛がひろがった。

　胃のなかのクレゾール石鹸液をすべて吐き終えても、まだ吐き気はおさまらなかった。腹筋や肩の筋肉が嘔吐《おうと》しようと硬く張りつめたが、もう吐くものはなにも残っていない。出てくるのは涙とよだれだけだ。

　ようやく痙攣《けいれん》が終わったあとも、不快な胸やけが残った。なんとかベッドから起きあがり、ふらつく足どりで洗面所に向かった。部屋のなかは暗く、窓から差し込む街灯の光だけが頼りだった。

　洗面所の蛍光灯を点けて、鏡を見た。唇《くちびる》の端が黄色く変色し、無気味に腫《は》れあがっていた。指でさわると、鈍い痛みをともなって、ぷっくり押しもどしてくる。

頬もぷっくりふくらんでいたが、これはクレゾールのせいではない。見なれたわたしの頬だ。

顔を洗い、うがいをしたあと、椅子に腰を下ろした。

丸テーブルの上のグラスには、刺激臭をはなつ黄色くねばつく液体が半分ほど残っていた。とてもではないが、全部は飲みほせなかったのだ。かといって、飲みなおす気にはなれなかったので、ビニール袋の吐物といっしょに洋式便器に空けた。

頭が鈍くしびれていた。わたしはベッドに戻り、あおむけに倒れこんだ。

手探りでサイドテーブルの目覚まし時計をつかみ、目の前に持ってきた。午前二時。クレゾール石鹸液を飲んだのが午後七時すぎだから、七時間ほど昏倒していたことになる。

全身を不快感につつまれ、足元もおぼつかないとはいえ、それでもわたしはまだ生きていた。

目の前にほのかに浮かぶ天井が、だんだんぼやけてきた。これからなにが起こるのか、わたしは承知していた。死にそこなうたびに起こることだった。

また〈医師〉と面談しなければならないのだ。

医師は自分の部屋のスチール製のデスクに向かって、いつものように読書の真っ最中だった。たぶん、名前も聞いたことがない著者の小難しい本を読んでいるのだろう。

「おや、やってきたね。また自殺に失敗したみたいだな」

そう言うと、医師は読みさしのページにしおりをはさんで本を置き、キャスター付きの丸椅子をくるりと回転させた。

年齢は六十歳くらいだろうか。純白の短髪は、一応真ん中で分けてあったが、櫛《くし》を入れた気配はなく、頭のてっぺんが逆立っていた。折り目がまっすぐついた白衣は、おそらく新品だろう。

医師は痩身《そうしん》で、丸い黒眼鏡をかけていて、しわのよった鋭角的な顎《あご》を横切る薄い唇には、人を馬鹿にしたようなにやにや笑いを始終浮かべていた。

わたしはこの男が大嫌いだった。

「さあ、話してごらん。どうしたいのかね」

わたしが死にたがっていることは、医師がいちばんよく知っているはずだ。自殺しそこなうたびに、彼と面談しているのだから。

「また言い方を間違ってるな」

医師は背筋をのばして、わたしの目を真正面から見すえた。

「死にたいなら、もうとっくに死んでるはずだろう。そうじゃないかね」

しかし、わたしは本当に死にたいと思っている。死を心から願っている。狂言自殺や自殺ごっこではない。クレゾール石鹼液も致死量を確かめて飲んだ。

「だが、きみはまだ死んでいない。したがって、きみの死の願望はまったく証明されないわけだ。いくら口で死にたいと言っても、何度自殺未遂を繰り返しても、むだだね。誰も信用してくれないよ。もちろんぼくもね」

確かに、念のため致死量以上のクレゾール石鹸液をそそいだグラスを飲みほすことはできなかった。口のなかが焼けただれるように痛んだし、こめかみのあいだがしびれてきて、昏倒しそうになったからだ。意思とはうらはらに、体が受けつけなかったのだ。

しかしこれでは、無意識裡に死にたくないと思っている、と言われてもしかたないかもしれない。

「そんな馬鹿げたことを言うつもりはない。いいかね、無意識なんてものは存在しないんだよ。存在するのは事実だけさ」

医師は教え諭すような口調になって、

「きみはまだ死んでいない。だから、死にたくなかったと判断される。きみが首尾よく自殺に成功したら、死にたかったと判断される。それだけのことさ。単純明快だろ？　したがって、自分が死にたがっているということを証明するには、自殺を成功させるしかない」

心の底から死にたいと願えば、首尾よく自殺することができるのだろうか。

「違う、違う。まったく逆だ。きみは本当に頭が悪いね」

医師は途方にくれた顔つきを装《よそお》ってみせた。本当にいやな性格のやつだ。

「いいかね。死んだ人間は死にたがっていたんだよ。逆に、死ななかった人間は死にたくなかったんだ。要するに、その人物が内面でなにを望んでいようが、何を求めていようが、そんなことはどうでもいいのだ。確かなのは、その人物が死んだという事実だけだよ。したがって、老衰で死のうが、癌《がん》で死のうが、交通事故に遭《あ》おうが、きみが望んでやまないように自殺しようが、死んだ人間は死にたがっていたと判断される。ほら、アルピニストが山で遭難死したり、F1ドライバーが事故死すると、必ず、無意識の死の衝動がどうとかこうとか、インチキ精神分析をする連中がいるだろう」

医師は大きく口をあけて、あざ笑った。

わたしは少し考えた。また医師の詭弁《きべん》にだまされているような気がしたからだ。

老衰で死ぬ老人は死にたがっているだって？　もしそうなら、死にたいと願わないかぎり、人間はいくらでも長生きできることになる。

「そのとおり。人間は死にたいと思わないかぎり、二百年でも三百年でも生きられるんだよ。あるいは一万年でも一億年でも」

医師はあっさり答えた。いつものことだが、わたしをからかっているにちがいない。絶対そうだ。

「高齢者が天寿をまっとうするのは、もう生きていたくない、死んでしまいたい、とついつい思ってしまうからさ。そんなこと思わなければ、もっと長生きできるのにねえ。したがって、結論はこうだ。あらゆる死は自殺である」

口を歪《ゆが》めてせせら笑い、

「本当にこんな馬鹿げた説を唱えてるやつがいるんだぜ。アメリカのユング派の心理学者だ。それにしても、ユング派というのは、どうしてこう馬鹿が多いのかね」

もうたくさんだ。これ以上、医師のたわごとを聞かされるのは、がまんできなかった。わたしは面談を切りあげると、ベッドに戻った。

窓から陽光が差し込み、部屋はすでに明るくなっていた。

首をねじ曲げて、目覚まし時計を見ると、日曜日の正午が近づいていた。胸やけと疼痛はだいぶ楽になっていた。わたしは回復しつつあった。

立ち上がると、足がまだふらふらしていた。今日は一日、まともに動けそうにない。だから、自殺するのは土曜日の夜と決めていたのだ。

以前、平日の夜に液体洗剤を飲んだときのことだ。やはり胸が焼けるように痛み、吐き気を催した。医師の説明によると、界面活性剤の作用らしい。

這《は》いながらトイレに行き、洋式便器に吐いた。すると、口と鼻から泡が吹き出し、シャボン玉になって、便器のまわりをきらきら光りながら飛びかった。息苦しさに耐えながら、思わず笑ってしまったことをよく覚えている。

その翌日の朝になっても、まともに歩くことができなかった。結局、アルバイト先に電話をかけて、急遽《きゅうきょ》休みをとるはめになった。電話を受けた佐々塚が、だいじょうぶか、と心配そうな声で訊いてきた。

そのまま死んでしまう分にはいっこうにかまわないのだが、生きのびたうえに他人に迷惑をかけるのはいやだった。

こんなことを言えば、医師はまた、本当に死ぬ気があるのか、とからかうだろう。まったく頭の悪いやつだな、と。

わたしはベッドにあおむけになったまま、天井を見上げた。医師はいつも、わたしの鈍さにいらだち、嘲笑《ちょうしょう》する。わたしも自分が頭脳明晰でないことはよくわかっているので、反発はしても、反論することはできない。いくら口答えしても、言いまかされることはわかりきっていた。

もう一年以上前のことだ。わたしは氷室川出版にアルバイトに出かけ、例によって佐々塚に命じられて、パソコンに記録してある通信教育会員のリストを整理していた。コンピュータのことはさっぱりわからないが、言われたとおりに操作することはできる。

モニタ画面に表示されたリストをぼんやり見ているうちに、ひとりの会員に目がとまった。これまでの成績の履歴がすばらしかった。全教科で満点近い点数をとったことも、何度もあった。

わたしは頭のいい女の子にずっとあこがれていた。

そのときは、小西美菜というすてきな名前が記憶に残っただけだった。数日後、倉庫で仕事をしていたとき、奥のファイルキャビネットに会員の資料が保管されていることに気がついた。なんの気なしに、キャビネットに近づき、小西美菜の資料を読んだ。

彼女は埼玉県に住む高校一年生だった。入会申込用紙には名前、住所、電話番号が記され、彼女の成績履歴と自筆の感想カードがいっしょにファイルされていた。ブルーの水性ボールペンで書かれた丸っこい文字がほほえましかった。

わたしはますます興味を持ち、日曜日を一日つぶして、小西美菜の住む小都市に出かけた。そのうちに顔や声も知りたくなり、彼女の家を張り込み、間違い電話を装って電話をかけた。

小西美菜はわたしが想像していたとおりの少女だった。けっして美人ではないが、若々しく愛らしい顔だちをしていた。ショートヘアで、銀縁眼鏡をかけ、普段はちょっと地味な私服を身につけていた。利発そうだが、引っ込み思案な性格らしく、友達といっしょに外出するときも、控え目で、自分からしゃべるより相手の話に聞き入るほうを好むようだった。

一ヵ月ほど、そうやって機会を見つけては、小西美菜を観察した。そのうちに、どうしても彼女に近づいてみたくなった。遠くからではなく、すぐそばから彼女を見たかった。

ある日、わたしはショルダーバッグを持って、埼玉県の小都市へ何度目かの遠出をすることになった。

バッグに入れていったのは、氷室川出版から無断で持ち出してきた薄手のビニール手袋と、太く結《ゆ》わえたビニール紐。
そして、銀色に鈍く輝くハサミ。

4

十月の第二月曜日は体育の日で、世間では学校の運動会が開かれたり、日ごろ運動不足の人間がジョギングを思いたったりしているのだろうが、わたしは一日じゅうベッドに横になっていた。クレゾール石鹸液の味が舌に残って、食欲がわかなかった。

十四日の火曜日になると、ようやく体調が回復した。わたしはトーストとオレンジジュースの朝食をとると、丸テーブルに東京二十三区の地図を開き、今日の行動予定を考えた。

樽宮由紀子は私立葉桜学園高等学校に通う高校二年生だ。どこで待っていれば、帰宅する彼女に会えるだろうか。

わたしは、あらかじめ図書館に行って、東京都公共施設一覧で調べておいた葉桜高校の住所を確認し、地図のページ上で、高校からデゼール碑文谷までを指でなぞってみた。

考えられる交通手段は、東横線と、目黒通りを走る路線バスだった。おそらく樽宮由紀子は、東横線の学芸大学駅か、あるいは地名の正しい読み方を教えてくれた鷹番のバス停留所で降り、徒歩でマンションに向かうと考えていいだろう。そのどちらなのか、いまの時点では判然としなかった。

やはりデゼール碑文谷で待つのが最善と思われた。しかし、入口で待ちぶせしていたのでは、帰ってきた女子高生が本当に樽宮由紀子なのかどうかわからない。デゼール碑文谷に暮らす他の家庭に高校生の娘がいることは十分ありうるし、樽宮由紀子と同じ葉桜高校の生徒という可能性もあった。

まず、葉桜高校の制服を知っておく必要がある。

腕時計を見た。午前八時。これから出かければ、高校の昼休みに十分間に合うだろう。

わたしはアパートをあとにした。秋雨前線は今日も停滞していて、太陽は顔を出していなかった。

四日前と同じく、丸ノ内線から日比谷線、東横線と乗り継ぎ、学芸大学駅を通りすぎて、葉桜高校のある駅に到着した。

私立葉桜学園高等学校は、駅前から南に徒歩で数分ほど、ゆるやかな坂道を昇りつめた先にあった。

近隣は静かな住宅街で、学童教育に最適の環境と宣伝しても、嘘にはならないだろう。きれいに刈り込まれた立木の垣根がつづき、ある家の半分開いた窓の隙間には、白いレースのカーテンがはためいている。隣人が車のドアを音をたてて閉めただけで眉をひそめかねない、お上品な人たちの暮らす通りだった。

もっとも、駅前に出れば、ファストフード店も居酒屋もカラオケボックスもあるし、東横線を使えば渋谷まで直通だから、学校の周辺だけ環境良好でも、たいして健全な学童教育の役には立たないのだが。

校舎と校庭にはさまれて、正門から裏門へと広い赤煉瓦《あかれんが》の道がのび、道沿いにポプラの木が並んでいた。純白の校舎の真ん中に埋め込まれた大時計の針は、午前十時すぎをさしている。まだ授業中で、煉瓦道に生徒の姿はない。どこかにある音楽室ではクラシック鑑賞の最中らしく、かろやかな管弦楽曲がかすかに聞こえた。

昼まで時間をつぶせる場所を探し、ようやく小さな公園を見つけた。ベンチに腰を下ろし、雨が降りださないことを祈りながら、若い母親が幼児を遊ばせているのをながめた。五歳くらいの幼児が木製の大型遊具に昇り、太いロープで編まれた網の上で飛びはねている。母親は大きなおなかをさすりながら、息子を見上げていた。

教会の鐘の音のようなチャイムが遠く響き、正午を告げた。わたしは公園を離れ、葉桜高校に戻った。

生徒たちが煉瓦道に出てきていた。男女おそろいの裏葉色のブレザー。男子のズボン、女子のスカートも同じ色合いだ。校庭では、ブレザーを脱ぎ、シャツを腕まくりした男子生徒たちがサッカーに興じていた。

制服を確認できたので、建売住宅の立ちならぶ坂道を戻った。

駅前のファストフード店に入って、昼食をとることにした。メニューは、チーズバーガーと煮つまったホットコーヒー。

ファストフードのコーヒーは濃すぎるし、ファミリーレストランのコーヒーは薄すぎる。これが外食産業の第一法則である。

トレイを持って、二階席に上がると、平日昼間の店内に客はほとんどいなかった。子供を野放しにして、おしゃべりに夢中になっている主婦のグループが一角に陣どっているだけだ。幼稚園児くらいの年ごろの子供が、意味のない音声を発しながら、大きな紙箱に入ったフライドポテトをわしづかみにして、むさぼり食っていた。

外食産業の第二法則はこうだ。ファストフードのフライドポテトはたいていしなびている。

フライドポテトは、外側がかりかりで、内側はほくほくしていなければならない。それなのに、ファストフード店のフライドポテトのほとんどは全体がぐにゃぐにゃで、端を持って立てると、だらしないクエスチョンマークのような形に折れまがる。つくりおきして、赤外線ランプのともるラックに放置してあるせいだ。

ところが、その子はよれよれのフライドポテトを、いかにもうまそうに、口いっぱいにほおばっていた。

人間の味覚は幼児期に決まるという話を思い出した。この子が大人になったころには、しなびたフライドポテトが世の常識になっているかもしれない。

わたしはファストフード店でひと休みしたあと、東横線で学芸大学駅に向かった。

学芸大学駅前の商店街も人通りはまばらだった。

今回は迷わずに、デゼール碑文谷にたどり着いた。

玄関には、あいかわらず電子じかけの門番ががんばっていた。わたしはその横を素通りし、奥の郵便受けに近づいた。

ボックスをひとつずつ見ていった。都心への交通の便がいい、こんなしゃれたマンションなら、入居していてもおかしくないはずだ。

707　㈲ＨＹＰＥＲＰＲＩＳＭ

レーザープリンタで印字したらしい郵便受けのラベルには、漫画風に星形のきらめきをそえた結晶のロゴマークがついていた。３Ｄソフトで作成したコンピュータグラフィックスだろう。グラフィックデザイナーか、編集プロダクションの事務所に違いなかった。

わたしはオートロックのコンソールに近づき、７０７を入力して、呼出ボタンを押した。

「はい？」

コンソールの埋め込みスピーカーから、若い男の声が流れた。

「バイク便のスピードキングです」

マイクに口を寄せ、なるべく元気な声で返事をした。

「お届け物にあがりました」

ありがたいことに、若い男は、どこからの荷物か、とは訊き返さなかった。予想したとおり、毎日のようにバイク便を利用していて、こんなやりとりには慣れきっているのだろう。

「ごくろうさん。いま開けるよ」

玄関に低いブザー音が響きわたった。自動ドアに近づくと、ガラスの扉が両側に開いた。

わたしは玄関と同じタイル張りのロビーに足を踏み入れ、エレベーターで五階をめざした。

エレベーターを降りると、落ちついた乳白色の廊下がのび、北側に外に面した大きなガラス窓、南側に黒褐色の扉が並んでいた。

表札のプレートを頼りに、五〇三号室を探した。

ドアチャイムの上に、家族の名前が一覧されていた。

503

樽宮　一弘
　　　とし恵
　　　由紀子
　　　健三郎

まるで詩の一節のようだ。カズヒロ、トシエ、ユキコ、ケンザブロウ、と口のなかでつぶやいてみた。樽宮家は四人家族らしい。そして、樽宮由紀子には弟がひとりいる。

わたしは四人家族の肖像を思い描いた。樽宮由紀子は十六歳だから、両親はおそらく四十代だ。有限会社が入居しているということは賃貸なのだろうが、都心にほど近い、これほど立派なマンションに住居をかまえているのは、それなりに裕福である証拠と見てよさそうだった。私立高校に娘を通わせていることからも、中流の上の家庭、少なくとも家族はそう自認しているにちがいない。

たぶん父親は、都心のどこかの高層ビルにオフィスをかまえる大手企業のサラリーマン。四十代ということは、管理職への道を歩みはじめたばかり、課長代理とか課長補佐といった役職についたころだろう。

アルマーニか何かのスーツを着て、銀縁眼鏡をかけた男性が頭に浮かんだ。もしかしたら、それはテレビのホームドラマで見た俳優の姿だったかもしれない。

母親と弟に関しては、データが皆無なので、まるでイメージがわかなかった。それでも母親のほうは、やはりホームドラマの母親役の誰かをむりやり持ってこられたが、弟は見当もつかなかった。だいたい、年齢がわからない。中学生？　小学生？　それとも、はいはい歩きを始めたばかりの赤ん坊だろうか。家族の肖像の弟の部分は空白のまま残った。

樽宮由紀子の姿を空想する必要はなかった。ここで待っていれば、すぐに会えるのだから。

わたしは扉から離れ、身を隠せる場所を探した。

エレベーターの反対側、廊下を行きあたったところに階段があった。わたしのアパートとは大ちがいの清潔な階段で、照明も明るく、影や暗がりは根こそぎ追放されていた。

誰にでも住むところはある。泥小屋に住む者もいれば、イグルーに住む者もいるし、荒廃した鉄筋アパートに暮らす人間もいれば、電子門番が守る高級マンションに暮らす人間もいて、当然だ。

ただし、階段の外装にはまったく気を使っておらず、壁はむきだしのコンクリートのまま、塗装すらされていなかった。おそらく非常時の避難用なのだろう。ダイエット中ならともかく、立派なエレベーターがあるのに、わざわざ五階まで歩いて昇る住人がいるとは考えにくい。

人目につく心配はなさそうだった。

わたしは踊り場の床に坐り、腕時計で時刻を確認した。午後二時。いまどきの高校が何時に授業を終えるかは知らないが、最低でも三時間は待たなければならないだろう。

わたしの予想は少し甘かったようだ。

午後六時をすぎても、樽宮由紀子は帰宅しなかった。エレベーターが停まる音を聞きつけるたび、階段を上がって、廊下をうかがったが、降りてくるのはスーツ姿のサラリーマンや主婦らしき女性ばかりで、裏葉色のブレザーはひとりも見かけなかった。

もうそろそろ午後八時をすぎようとしていた。樽宮由紀子は学校からまっすぐ家に帰るほど、真面目な高校生ではないらしい。それとも、なにか部活動に励んでいるのだろうか。昼食をジャンクフードですませたせいだろう、わたしは空腹を感じはじめていた。

あきらめて立ち去るかどうかを考えあぐねていたとき、エレベーターの到着音が聞こえた。

階段を昇り、壁の陰から廊下をのぞき見た。エレベーターのケージから、裏葉色のブレザーを着た少女が降りてきた。

うれしいことに、背中までのびた髪はつややかな漆黒に輝いていた。身長は百六十五センチくらい。ほっそりとしていて、制服のスカートからすらりとした両脚がのびている。

少女は大きな布のバッグを持って、廊下を歩いてきた。

きれいな子だ、というのが第一印象だった。顎が尖《とが》り、濃い眉と両目が心もちつり上がって、面だちを猫に似せていた。それも塀の上をこそこそ歩く野良猫ではなく、血統書つきのアメリカンショートヘアだ。

遠目では判断しきれなかったが、耳にも眉にも鼻にもピアスはしていないようだった。道草や夜遊びではなく、部活動の練習で遅くなったのだろう。

少女は五〇三号室の扉に歩みより、インターホンを押した。やりとりする声は聞こえなかったが、すぐに扉が開き、少女は室内に消えた。

彼女が樽宮由紀子に間違いなかった。

5

つづけさまにアルバイトを休むわけにはいかず、それから三日間、真面目に働いた。

十月十七日金曜日、わたしは午後三時すぎに早退を申し出た。岡島部長は、来週からはこうはいかないよ、と言いながらも、許可してくれた。

そろそろ猛烈に忙しくなることは、わたしも承知していた。今日は調査をする今月最後のチャンスだろう。

一時間後、わたしは葉桜高校近くの例の公園で時間をつぶしていた。空はひさしぶりに晴れあがり、気持ちのいい風が吹いていた。外出日和《びより》だというのに、このあいだ見かけた親子連れは来ていない。大型遊具のネットがさびしそうに揺れていた。

時間を見はからって、葉桜高校に向かった。すでに校舎の玄関から高校生たちがあふれ出てきていた。わたしは正門前のバス停留所に立って、ブレザーの集団に目をやった。

東京都有数の名門校といっては言いすぎだが、葉桜高校は東横線沿線の住民たちにとっては、良家の子女が通う学校でとおっていた。言いかえれば、一戸建ての邸宅には住めないが、3LDKのマンションには暮らしている家庭の子供たちだ。抗菌グッズを使い、有機栽培野菜を大型冷蔵庫の鮮度保持機能で大量保存して、週末には一家そろってイタリアンレストランで会食、幼稚園に通う子供はアニメのビデオカセットに子守りさせている。

赤い煉瓦道を堂々と歩く、この若々しく、生気に満ちあふれた顔つきの生徒たちも、きっと、シンデレラやアラジンの幻想を信じ、トトロで自然保護の精神を養う充実した子供時代をすごしたのだろう。

二十分ほど待ったとき、樽宮由紀子が同級生らしき小柄な少女と話しながら、煉瓦道にあらわれた。

連れの少女は、下ぶくれの顔に銀縁眼鏡をかけ、前歯が少し突き出していた。歯列矯正《しれつきょうせい》の必要あり。たぶん幼いころ、親が指しゃぶりをやめさせなかったのだろう。彼女はまるで、ひと昔前の日本人のカリカチュアのように見えた。

樽宮由紀子と友人は正門を出ると、停留所を素通りし、だんだら坂をくだりはじめた。

わたしは慎重に距離をおいて、あとを追った。

話し声は聞こえなかったが、もっぱらしゃべっているのが小柄な少女のほうであることは見てとれた。樽宮由紀子はほほえみながら、黙って耳を傾けている。背中の長い髪が秋風に揺れて、黒い翼のようにはためいた。

ふたりは駅前で別れた。樽宮由紀子は東急東横線で通学しているわけだ。

わたしは足を速め、友達に手を振る樽宮由紀子を残して、駅に先回りした。

券売機で学芸大学までの切符を買い、自動改札を抜けたところで待ちうけた。伝言板を読むふりをしながら立っていると、樽宮由紀子はすぐにやってきた。上着の内ポケットから財布を取りだし、定期券で自動改札を通り抜ける。

わたしは彼女のあとについて、プラットホームに通じる階段を昇った。

午後五時、東横線は帰宅客で混雑しはじめていた。体を密着させて押し込まれるほどではないが、立っている乗客が多く、車内での見通しは利《き》きそうにない。わたしは樽宮由紀子と同じ扉から車両に乗り込むことにした。

わたしは扉のすぐ脇の取っ手に背中をもたれ、気づかれないように、横目で観察した。

樽宮由紀子は少し離れたところに立って、吊り革につかまっていた。心もち顎を上向けて、天井のあたりをぼんやり見上げている。何かもの思いに耽《ふけ》っているのか、それとも車内吊りの女性週刊誌の広告に心ひかれているのだろうか。

見れば見るほど、きれいな子だった。

わたしから見ても美人だと思えるくらいだから、同世代の男子生徒には、さぞかしもてることだろう。才色兼備、という古めかしい言いまわしを思い出した。朝の満員電車に変質者が出没しないことを、彼女のために願ってやまない。

学芸大学駅が近づくと、樽宮由紀子は網棚《あみだな》にのせたバッグを手に取った。わたしは先に電車を降りた。

高架線下の売店のあたりに立っていると、すぐに樽宮由紀子がやってきた。

樽宮由紀子は自動改札を抜けて、駅前の小さな花壇の前に向かった。まっすぐ帰宅するのではないらしい。左手に巻いた細い腕時計を見つめ、顔を上げて、駅のデジタル時計と見比べている。

おそらく、誰かを待っているのだろう。学校帰りにデート。うらやましいかぎり。しかし、高校のボーイフレンドなら、わざわざ学芸大学駅で待ちあわせる必要はない。学校から直接、渋谷なりどこかなりへ向かえばいい。ということは、別の高校に通う彼氏だろうか。いや、大学生か、社会人か、とにかく年上の男という可能性も十分考えられる。

約束の時刻は午後五時半だったようだ。天井からぶら下がるデジタル時計の分表示が32から33に変わったとき、ひとりの男が自動改札を通り、小走りに近づいてきた。ブランド品らしきスーツを着た四十歳前後の男性だった。

わたしはときおり横目でうかがいながら、ふたりの会話に耳をすました。

悪い、遅くなった。謝罪の表情。二分しかたってないじゃない。微笑。そうか。微笑を返す。どこにする？　考え込む。ハンバーガーか何かでいいよ。おごってくれるでしょ？

樽宮由紀子と男性は、駅の北側へ歩き出した。たぶんファストフード店に向かうのだろう。

あとを追いながら、わたしは考えた。恋に歳の差はないとはいえ、彼氏にしては年齢が離れすぎているような気がする。援助交際という、いやな言葉を思い出したが、すぐに打ち消した。毎日、家と学校とを往復している駅の前で、売春相手と待ちあわせる娘はいないだろう。それに、おごってもらうものがハンバーガーとは、いくらなんでも安すぎる。

わたしはファストフード店に入った。樽宮由紀子と男性はすでに注文をすませ、トレイを持って二階席に上がっていくところだった。ホットコーヒーを注文し、発泡スチロールのカップ片手に階段を昇った。

二階席は混んでいた。わたしは窓ぎわのカウンター席に坐り、濃すぎるコーヒーに閉口しながら、観察を始めた。

ふたりは奥のテーブル席に向かいあって腰かけていた。

男性がおだやかな笑顔を浮かべて、何か話していた。店内は騒がしく、何を言っているかはわからなかった。

そのとき、明るい笑い声がかすかに響いた。それまで黙って聞き入っていた樽宮由紀子が、いかにも楽しそうに目尻を下げ、口元に手をあてていた。

彼女が声をあげて笑うところを初めて見た。男性も珍しく思ったのか、一瞬とまどったような奇妙な表情を浮かべたが、すぐに静かな微笑を返した。何者であれ、樽宮由紀子とかなり親しい間柄らしい。

ふたりは三十分ほどで店を出た。

わたしは樽宮由紀子をかなり長時間尾行している。これ以上あとを追うのは危険と判断し、二階席の窓から見送った。ふたりは仲よく並んで、目黒通りの方角へ歩いていった。

そんな心なごませる光景を見て、わたしは彼が父親の一弘だろうと思った。デゼール碑文谷で空想した姿とは多少違っていたが、温厚でやさしそうな男性だった。いつまでも若々しく、ファッションにも気を使う、すてきなお父さん。

学校の帰りに父親を駅で出迎え、ファストフードをおごってもらう。もちろん家に帰れば、母親のとし恵がおいしい夕食をつくって待っているから、いまはハンバーガーにコーラの軽食程度にとどめよう。

これもまた、たぶん、いつか見たホームドラマの一場面だ。

岡島部長は来週からと言っていたが、狂乱の月末は翌十八日の土曜日から始まった。

この喧噪《けんそう》と混乱にみちた日々を無事にやりすごすには、身を清め、私事を忘れて、知恵と勇気のすべてを捧げなければならない。さもなくば、荒ぶる菅原道真《すがわらのみちざね》公の御霊が想像を絶する恐るべきたたりをもたらすであろう。

最初のトラブルは、某大学の某教授に依頼していた情報誌の巻頭エッセイの原稿がいつまでたっても完成しない、というものだった。若手編集部員ではらちがあかず、総大将の岡島部長自らが出陣し、連日、催促電話の攻撃をしかけた。今日が何月何日なのかというカレンダーの確認から始まり、進捗《しんちょく》状況の問い合わせ、懇願、泣き落とし、そして最後には隠し味程度の恫喝《どうかつ》と、岡島部長は持てるテクニックをすべて駆使して攻めたてた。もう十歳若かったら、色じかけも使ったと思う。

ようやく某教授は降参し、足軽のわたしが手間暇かかった珠玉の原稿をいただきに、大学の研究室に参上した。大学院生らしき若い女性が入れてくれたぬるい緑茶をすすり、二時間ほど待たされながら、どうして数学科の教授がEメールを使えないのか、という謎の解明につとめた。

岡島部長はつづけさまに怠け者の添削指導員の攻略（あからさまな恫喝と脅迫）にも成功し、氷室川出版に戦利品の添削済み答案が続々と送られてきた。答案といっしょに送付する、新しい教材や月刊情報誌の制作も順調に進行した。

各戦線にてわが軍大勝利、と歓喜のおたけびがあがったのもつかのま、ここで後方の支援部隊に異変が起こった。レイアウトした教材の一部が、印刷所で製版出力できないというのだ。

生身の人間との押したり引いたりの交渉には熟達した岡島部長も、DTPテクノロジーの反乱にはお手上げだった。テクノロジーには気をつけたほうがいい。動物に逆らうものだから。

長髪を無造作に後ろで束ね、無精にしか見えない口ひげをたくわえた印刷所の担当者が、岡島部長に事態を説明した。二種類のアウトラインフォントを混用すると何かがどうかして、フォントの番号がこれこれだから、わたしには発音もできないカタカナ名前のハイテク機械がどうにかなった、ということだった。彼の口ぶりでは、それは塩を入れすぎると料理が塩辛くなるのと同じくらい、ごく単純な自明の理であるらしい。

「彼がなにを言っていたかわかる?」

担当者が立ち去ると、岡島部長が訊ねた。わたしは黙って肩をすくめた。岡島部長はこめかみのあたりをかき、

「昔は印刷所の人間といえば、太った中年のおっちゃんがにこにこしながらやってきたものだけど、最近はヨガの行者みたいなやつが来て、わけのわからないことをしゃべる。通訳が必要だね」

と、ぶつぶつ言った。古き良き電算写植の時代をなつかしむ顔つきになっていた。グーテンベルクの印刷機がひろまった時代、手書き写本の筆耕《ひっこう》職人たちも似たような表情を浮かべたのだろう。

そのほか細かいトラブルをあげたら、きりがない。わたしは都内のあちこちを飛びまわり、雑用を次から次へとこなし、連日遅くまで編集部に残って、ごくごく薄給の残業手当を積みあげた。

文字どおり死ぬ暇もないほど忙しく、二回めぐってきた土曜日にも、ドラッグストアに立ちよることはなかった。予定が狂うのは嫌いだが、医師の顔を見ずにすむのは、ありがたかった。

もうひとつ、いいことがあった。編集部も営業部も毎日働きづめに働いていたので、備品のひとつやふたつが消えても誰も気づくはずがなかった。

わたしは真新しいハサミを手に入れた。

6

ハサミは以前の二丁と同じ品で、刃先から持ち手まで一枚板のステンレススチールを二枚、真ん中でネジ止めしたものだった。

刃はそれほど鋭くない。指の腹をこすりつけると、かすかな溝が残るだけで、血が出たりはしなかった。先端は安全のため丸められており、やはり指の腹をついても、ほんの少しくぼみができるだけだ。

紙を切るためのハサミだった。人の皮膚を切り裂いたり、肉に突き立てる凶器ではない。

わたしはアルバイトから帰ると、毎晩、時間をさいて、ハサミの先端を棒やすりで研《と》いだ。

数日たつと、ハサミの先端はアイスピックのように尖《とが》り、鋭くなった。これで十分だろうか。指の腹か、二の腕か、なんならのどで試してみてもいいのだが、ハサミにわたしの血液が付着するのは避けなければならない。

道ばたで拾ってきた木箱を持ち出し、ハサミを突き刺してみた。そんなに力を入れなくても、たやすく木の板に食い込んだ。これならだいじょうぶだろう。鈍《にぶ》いハサミがどれほど使いにくいものか、わたしは小西美菜で思い知らされていた。

先端が仕上がったので、ドラッグストアで購入した柔らかい布を取り出し、ハサミを磨きはじめた。編集部から持ちだしたときも、やすりをかけているときも、ハンカチやビニール手袋を使い、できるかぎり慎重に扱ったつもりだったが、どこに指紋がついているかわかったものではない。

編集部で使っている薄手のビニール手袋を両手にはめ、ハサミを十字に開いて、持ち手の内側からネジの頭まで、入念に拭《ふ》きとっていった。

指紋といっしょに皮脂やほこりもすべて取りのぞかれ、スタンドの電球にかざすと、ハサミは銀色にきらめいた。

手袋をしたまま、太いビニール紐を五巻き分ほど引き出し、ハサミで切断した。ハサミと紐をいっしょにビニール袋でくるみ、ショルダーバッグの底にしまった。新しいビニール手袋を包装ごと、ハサミと紐のわきに押し込んだ。手にはめていた手袋はゴミ箱に捨てた。

準備は整った。あとは機会を待つだけだ。

十月が終わりに近づき、セーターやコートが恋しくなる季節が訪れると、氷室川出版編集部の戦争は終幕を迎えた。残るのは戦後処理の数々、つまり書類上の手続きがいくつかと、苛酷な戦闘で荒れはてた編集部の整理だけだった。前者は岡島部長の担当、後者はわたしたちアルバイトの担当だ。

十一月一日土曜日、疲れきった編集部員のほとんどが休日をとるなか、三人のアルバイトは定時に出勤し、半日かけて編集部をかたづけた。

いずれも掃除や整理整頓など大の苦手という連中ばかりで、のっぽの大学生（高橋《たかはし》）はバケツから上げただけのびしょ濡れの雑巾《ぞうきん》でデスクを拭き、黒縁眼鏡の脱サラ中年（山岸）は掃除機の使い方をいまだに理解できず、でぶのフリーター（わたし）は日ごろの運動不足がたたって資料の束で腰骨を折りかけた。

毎度のことながら、見るに見かねた岡島部長が号令をかけ、ふたりほど出勤していた編集部員をひきいて手伝ってくれた。これまた毎度のことだったが、岡島部長が最も手際《てぎわ》がよかった。

「雑巾ってのは絞《しぼ》って使うもんなんだよ。ほら、絞って。もっときつく絞るの。だから、水がしたたってちゃだめなんだって」

「掃除機の使い方くらい、いいかげん覚えなさいよ。掃除も仕事のうちなんだよ。家でやったことないって？　たまには奥さんの手伝いくらいしたらどう？」

「きみね、雑誌をこんなにたくさん、いっぺんに縛《しば》っちゃだめだよ。持ちあげられるわけないだろ。紙束ってのは、この世でいちばん重いものなの。この半分でいい。ほら、縛りなおして」

「おーい、燃えるゴミと燃えないゴミはちゃんと分別《ぶんべつ》しなよ。そんなこと常識だよ、常識」

わたしは岡島家の嫁に深い同情の念をいだいた。そんな人が実在するかどうか知らないけれど。

　ようやく編集部は秩序を回復し、わたしは他のふたりと手分けして、大型ゴミ袋十袋分のゴミを外の収集所に捨てに行った。ゴミの大半は紙くずで、ペーパーレス社会は当分到来しそうにない。

　編集部に戻ると、帰り支度をして、岡島部長のデスクに向かった。

　来週になったら、三日間ほど早退させてほしい、と告げた。

「いいよ。一段落したからね」

　岡島部長は快く許してくれた。たぶん、きれいに拭き掃除され、上にのった備品もきちんと整頓されたデスクに、満足していたからだろう。

「たぶん教えてくれないだろうけど、なんの用事なの。恋人とデートかな」

　微笑を浮かべて、そう訊いてきた。わたしは少し考えてから、

「そうです」

と答えた。

　よほど意外な返事だったのだろう。岡島部長はびっくりした顔になった。わたしは一礼して、編集部をあとにした。

　アパートに帰る途中、ドラッグストアに立ちよった。殺虫剤と害虫駆除剤の棚を順に見ていき、殺鼠《さっそ》剤の箱を手に取った。「キルモア」という商品名が気に入ったからだ。もっと殺

せ。

箱の前面には、両目をバッテンにして、頭の上に天使の輪をのせた鼠《ねずみ》のイラストが描かれていた。哀れなるネズ公、主イエス・キリストのみもとへ昇天の図である。

部屋に帰り、殺鼠剤を皿にあけた。赤くごつごつした、小さな塊《かたまり》が箱から流れ出した。こうして皿に盛ると、毒々しい赤色に着色されていることをのぞけば、ひなあられか金平糖《こんぺいとう》のようだ。

試しにひとつ口に入れてみると、ひなあられほど固くはなく、金平糖のような甘みはまったくなかった。こんな無味無臭の代物《しろもの》を、鼠は喜んで食べるのだろうか。それとも、わたしには味が感じられないだけで、鼠にとっては、これが極上の珍味なのか。

玄米茶でひと箱分の殺鼠剤を飲みくだした。

嘔吐したときの用心にビニール袋を持って、ベッドに行った。あおむけに寝ころんで、殺鼠剤が効きはじめるのを待った。

しかし、三十分たっても、一時間たっても、なにも起こらなかった。吐き気もなく、苦しみもなく、痛みもない。ただ、左胸のあたりを重く押されるような感覚があるだけだった。

「馬鹿だな、きみは。殺鼠剤を飲んで、胸に圧迫感を感じるわけないじゃないか。そんなのはきみの錯覚、プラシーボ効果だよ」

医師があきれ顔で言った。手にしたボールペンを鞭《むち》のように振り、講義口調になって、

「いいかね。石見《いわみ》銀山鼠捕り、というのは大昔の話であって、現在の殺鼠剤には、砒素《ひそ》などという危険な成分は含まれていない。箱の裏の成分表をちゃんと読んだか？　主成分はワーファリンだよ、ワーファリン。抗凝血剤、つまり血が固まるのを妨げる薬だ。いまどきの鼠は砒素中毒じゃなくて、眼底出血でくたばるのさ」

しかし、鼠を殺す薬が人間に無害なはずはない。それに、ひと箱を全部飲んだのだ。

「そりゃ大量に摂取すれば、人間だって死ぬだろうさ。そんなのはあたりまえのことだ。どんな薬にだって致死量はある。いや、薬に限った話じゃない。食品だってそうだ。塩を茶碗一杯、しょうゆを一升、たんなる水道水だって五升も飲めば、死んじまうよ。ただ、個人的な意見を言わせてもらえば、水を十リットル近く飲むくらいなら、バケツに注いで顔をつけたほうが、ずっと楽に死ねると思うがね」

医師は唇の片端をつり上げて笑った。

「ワーファリンの致死量がどのくらいか知らないが、まあ、ひと箱じゃ無理だろうな。ひと箱で人間が死ぬほどの猛毒なら、ドラッグストアで簡単に入手できるはずがない」

わたしはまた医師にやりこめられたようだ。いくら死にたいと念じても、いつも死ぬことはかなわず、医師に嘲笑されるだけだ。

もしかしたら、この自殺願望が消え失せ、わたしが生きる希望を取りもどしたときに初めて、死が訪れるのかもしれない。

「きみはロマン主義者なのかね」

医師は眉をひそめて、あからさまな嫌悪の表情になった。

「何回繰り返せば、ぼくの話を理解していただけるのかな。きみが死を望もうが、生を願おうが、そんなことはきみの実際の生死とはまったく関係がない。死はきみの内面とは無関係にやってくる。それが〈現実〉だ。きみの意思に従って、あるいは意思を裏切って、何かが起こるというのは、たんなる幻想だよ」

しかし、わたしは心の底から死を望んでいるし、現に自殺しようとしている。これも現実ではないのか。

「きみの行動を見ていると、あるジョークを思い出すよ。知ってるか？　こんなワンライナーだ。自殺しようと思って睡眠薬を飲んだが、念のため部屋のドアは開けておいた」

医師は忍び笑いを漏らし、

「あのね、自殺未遂者が嫌われる理由はふたつある。ひとつは、自殺未遂によって他人を支配しようとするからだ。別れるくらいなら死んでやる、とか叫んで、剃刀《かみそり》で手首を切ってみせるやつが典型的な例だね。わたしは自殺という普通の人間にはできない行為を試みた。ゆえに他人はわたしの言うことを聞かなければならない。そんな馬鹿げた論理を押しつけようとする」

医師は椅子の上で背中を反り返らせ、効果を狙って、しばらく間をおいた。

「もうひとつの理由は、自分を特別な存在だと勘違いしているからだ。わたしは自殺という普通の人間にはできない行為を試みたうえに、なんたる天の配剤か、苦痛と死から無事に生還した。何かがわたしに生きろと告げている。ゆえに、わたしは特別な存在なのだ、というわけだ。だから、表情だけは暗く装って、自慢したい気持ちをにじませながら、喜んで自殺未遂体験を語ったりする。頭が悪いとしか言いようがないな。そんなのは天の意思でもなければ、彼ないしは彼女の意思とも無関係、たんなる統計的な偶然にすぎない。たまたま生き残ったから、偶然を必然に取り違えてしまうんだ。熊に出くわしたときの対処法みたいなものだね」

自殺未遂者と熊になんの関係があるのか、わたしには見当もつかなかった。

「ほら、山のなかで熊に会ったら死んだふりをしろ、とよく言うだろう。昔からそう伝えられている、実際死んだふりをして生きのびた人も数多くいる、とね。そんなのは当然のことだ。だって、死んだふりをして失敗したら、熊に食われちまうじゃないか。わたしは熊の前で死んだふりをしましたが、助かりませんでした、と証言する者はいない。成功例しか報告されないのは当然だよ。自殺の場合も同じさ。自殺に成功した人間は、自分は特別な存在ではありませんでした、とは語らない。なにしろ、もう死んでるんだから」

そこまで話すと、医師はうれしそうな表情になって、

「もうひとつジョークを思い出したよ。もし聞いたことがあったら、途中で止めてくれ。こ

ういうんだ――」

ある日本人観光客がロッキー山脈をトレッキング中、一匹の獰猛《どうもう》な灰色熊に出くわした。

観光客はとっさに日本古来の熊対処法を思いだし、死んだふりをすることにした。地面にあおむけに寝そべり、両手を胸の上に組んで、両目をつぶり、息を殺した。

すると、灰色熊が言った。

"Is it Zen?"

医師は声をあげて笑ったが、わたしにはどこがおもしろいのか、さっぱりわからなかった。

くだらないアメリカンジョークをこれ以上聞かされないうちに面談を終了しようと思ったとき、医師が珍しく真顔になって、こう訊いてきた。

「最近、またハサミを研いでいたようだね。新しい女の子を見つけたのかい」

「そうだ」

と、わたしは簡潔に答えた。

医師は視線をそらして、こうつぶやいた。

「チョキ、チョキ、チョキとハサミ男が行く。三人目の犠牲者が出る。血が流れ、苦痛がみちあふれる。人々は恐怖し、激怒し、おびえ、あるいはおもしろがる……」

「やめろと言いたいのか」

「いや、そんなことを言うつもりはないね」

医師はすぐに、いつものからかうような口調に戻って、

「きみの好きにするがいい。きみのやりたいようにすればいい。ただ、きみには自分が何をしたいのか、まったくわかっていないだろうけどね」

7

翌朝、ベッドで目覚めたときも、なにひとつ苦痛や不快感は感じなかった。日曜日にこんな快適な朝を迎えるのは、ひさしぶりだ。たいていは、前日の自殺未遂のせいで、ベッドから起きあがれないことが多かった。

だが、殺鼠剤の効き目は思わぬところにあらわれた。

トイレで用を足したあと、立ちあがったわたしは、洋式便器をのぞきこんで仰天した。便器が真っ赤に染まっていたからだ。一瞬、出血したのかとあわてたが、そうではなかった。殺鼠剤を着色していた赤い色素が代謝され、尿となって排泄《はいせつ》されたのだ。

それ以外、体調は普段と変わりなく、きわめて快調だった。これなら今日と明日、つまり日曜日と文化の日の二日間を費やして、樽宮由紀子の休日の行動を調査できる。

午前十時、わたしはショルダーバッグを肩から下げて、学芸大学駅に降りたった。

もしも樽宮由紀子が休日に遊びに行くとしたら、渋谷経由で都心に出るにしても、あるいは横浜まで足をのばすにしても、東横線を利用するだろう。

わたしは駅のすぐそばの喫茶店に入り、窓ぎわの席に陣どって、改札口を見張ることにした。

〈おふらんど〉という変わった名前のその店は、まずまずのコーヒーを飲ませた。

　コーヒー一杯でねばる客にうんざりしたのだろう。五十代に見える店主が近づいてきて、顔だけはにこにこ笑いながら、ぜひともわが店自慢の自家製ミートパイをお試しください、と提案した。

　わたしはこの手の誘いには抵抗できないので、即座に同意した。やがて運ばれてきたパイは、トマトソースがたっぷりかかっていて、店主自ら推奨するだけのことはあった。

　最後のひときれをほおばっているとき、改札口から見覚えのある少女が出てくるのが見えた。樽宮由紀子といっしょに下校していた女の子だ。わたしの見込みはどうやら当たっていたようだ。

　わたしは席を立ち、代金を払いながら、トマトソースをほめた。店主は、秘伝のソースなんですよ、とうれしそうに言った。ほうっておいたら、製法や秘訣まで事こまかく伝授していただけそうな口ぶりだったので、わたしは早々に退散した。

　喫茶店の脇の書店で、雑誌を立ち読みするふりをしながら待っていると、樽宮由紀子がゆったりした足どりで駅にやってきた。

　彼女の今日のテーマは『不思議の国のアリス』らしい。セーラーカラーのついた空色のブラウスにカーディガンジャケットをはおり、プリーツスカートを穿《は》いて、髪をアリスバンドで止めていた。

手を振って迎えた友人も、もこもこしたオフタートルのモヘアのセーターでおしゃれしていたが、樽宮由紀子と並ぶと、案内役の白兎《しろうさぎ》にしか見えなかった。

ふたりが立ち話をしているあいだに、わたしは駅に行き、券売機でとりあえず渋谷までの切符を買った。先に改札口を抜けて、プラットホームにつづく階段を上がった。

学芸大学駅では、ひとつのプラットホームの両側に上りと下りの電車が発着するから、少女たちがどの方面に向かうにしても対応できる。

プラットホームに立っていると、アリスと白兎がおしゃべりしながらやってきた。なにを話しているのか興味はあったが、近づくのはさしひかえた。

少女たちは渋谷行きの電車に乗り込んだ。さほど混雑していなかったので、わたしは別の扉から乗車し、ふたりを遠く見守った。座席が空いているにもかかわらず、少女たちは扉の近くに立って、会話に夢中になっていた。友人の少女が話す量が圧倒的に多い。

電車は終点の渋谷駅に到着し、櫛状に並ぶプラットホームのひとつにすべり込んだ。扉が開き、乗客が奥の改札口へと流れ出していく。わたしは人ごみにのみ込まれ、ときおり背をのばして前をのぞきながら、ふたりの後ろ姿を追った。

ふたりはハチ公側の階段をくだって、スクランブル交差点を渡り、人であふれかえった休日の渋谷の街を進んでいった。

わたしは見失わない程度の距離をおいて、観察をつづけた。

少女たちのごく普通の休日のお出かけだった。

まずはお洋服の観察と研究。ウィンドウごしや店内で洋服をながめ、あれがいい、これがすてき、と品定めする。

「アヤコにはあれがいいわよ」

そんな声が空気を伝わって届いた。見ると、樽宮由紀子が指さす先には、ひどく地味なワンピースがかかっていて、アヤコという名の少女がちょっと気の毒になった。もうちょっと可愛い服を選んであげてもいいだろう。樽宮由紀子と並ぶから目立たないだけで、モヘアのセーターもなかなかお似合いだった。

洋服はおこづかいでは手が出ないから、両親におねだりすることにして、つづいては雑貨屋でお買い物。店内は十代の女の子の楽園だった。わたしはこの桃源郷とは縁のない、まったく場違いな人間なので、店の外で待っていた。

少女たちはキャラクター入りの鉛筆や、可愛い柄がプリントされた合成繊維のハンカチや、ビー玉がいっぱい詰まった広口のガラス瓶で夢を見ることができる。千円札でお釣りがくる幸福。だが、あと五年もしたら、彼女たちはティファニーやエルメスでしか夢を見られなくなるだろう。同世代のなかでさえ、クレジットカードを使わないと幸福を買えない女の子は少なくないに違いない。

小一時間ほど待つと、ふたりは茶色の紙袋をかかえて雑貨屋から出てきた。

そのあと、ふたりはおいしいと評判の屋台のスコーンを行列して買い、歩きながら食べた。書店で絵本やタレント本を立ち読みし、レコードショップでJロックやJポップのCDを試聴した。

渋谷駅に戻ったのは午後四時すぎだった。

わたしは少女たちの可愛い世界にあてられ、微熱が出そうになっていた。わたしは境界侵犯していた。女の子たちはまるで異星人のように奇妙に見えた。

すっかり疲れ果てていたので、それ以上あとを追うことなく、渋谷から自宅に帰った。

明くる文化の日、わたしはまた学芸大学駅そばの〈おふらんど〉にいた。今度は最初からコーヒーとミートパイを注文し、窓ぎわの席に陣どった。二日つづけて樽宮由紀子が外出するかどうかはわからなかったが、むだ足でも、おいしいミートパイは食べられる。

正午近く、樽宮由紀子が商店街の通りを歩いてくるのが見えた。昨日がおしとやかなヴィクトリア朝の少女なら、今日のテーマは『ハックルベリー・フィンの冒険』だろうか。ニットパーカーにジーンズという活動的な服装で、足にはスニーカー、髪も後ろで結わえている。

豊富なワードローブがうらやましかった。見覚えられる可能性をできるだけ低くするため、調査のたびに服装は変えているのだが、何しろ持っている洋服の絶対量が少ないので、やりくりが大変だった。このまま調査が長びいたら、そのうち、ほとんど着たことのない黒のスーツを引っぱり出さなければならないだろう。

今日はひとりでお出かけだった。樽宮由紀子は東横線の自由が丘駅で降り、駅周辺の華やかな街並を素通りして、住宅街のほうへ歩いていった。

いったいどこへ行くのだろう、と思っていたら、住宅街の真ん中に映画館があった。ハリウッド映画の封切館ではなく、ちょっと通好みの映画を単館上映するミニシアターらしい。樽宮由紀子は映画マニアなのだろうか。

樽宮由紀子は入口につづく階段を昇り、赤褐色の煉瓦づくり風の外壁で飾られた建物のなかに入っていった。

わたしは映画にはまったく関心がなかったが、調査の一環として、階段下に貼ってあるポスターだけは確認することにした。

上映中の映画は「地下鉄のザジ」という題名だった。見たことも聞いたこともないのも当然で、説明書きを読むと、わたしが生まれる前につくられたフランス映画だ。原作者の生誕百年を記念してリバイバル上映。ポスターに添えられた写真に写る、丸い眼鏡の下に鋭い目つきを隠した小太りの外国人がその原作者なのだろうか。もしかしたら監督か主演俳優かもしれない。

どう考えても、医師ならともかく、わたしには無縁の小難しい映画に思えた。入館しても、いびきをかいて他の観客からにらまれるのがおちだろう。

しかし、映画館の近くには、ほかに時間をつぶせそうな場所はないし、休日で人出の多い自由が丘駅前で待っていても、樽宮由紀子を見つけ出せるとは思えなかった。

わたしはあっさり降参し、そのまま家に帰ることにした。

十一月四日火曜日、わたしは二日ぶりに氷室川出版に出勤した。

といっても、佐々塚が命じる雑用以外、たいした仕事はなかった。十日余りの騒乱は終わり、編集部はじっと息をひそめていた。仕事といえば、情報誌のための原稿依頼や取材くらいで、どちらもアルバイトには関係ない。

午後三時すぎ、わたしはショルダーバッグをかかえ、岡島部長にひと言断って、早退しようとした。そのとき、背後から声がかかった。

「楽しいデートだといいね」

振り返ると、佐々塚は視線をそらして、皮肉な笑みを浮かべていた。まったくいやなやつだ。佐々塚は土曜日にはいなかったから、岡島部長か誰かから聞いたのだろう。きっと、わたしが早退の理由はデートだと答えたものだから、おもしろがって、しゃべらずにはいられなかったにちがいない。

べつに怒りはしなかったが、他人からからかわれるのは、やはり不愉快だった。編集部員のあいだでは、わたしはデートなんかするはずのない人間と思われているのだろう。そう思われても無理はないし、また、事実だから否定のしようがなかった。

わたしは体重に不自由な人、いいかえれば、でぶである。体重は言いたくないし、最近計測していないから知らないいし、考えたくもない。

肥満の原因が食べすぎにあることは間違いなかった。自宅でも外出先でもついついたっぷり食べてしまうし（たとえばミートパイ）、さんざん悪口を言いながら、ジャンクフードも大好きだ。

これまで、主に土曜日ごとにさまざまな自殺手段を試してきたが、唯一実行せず、これからも実行するつもりがないのは、餓死だった。何かを口にして死ぬことはできても、何も口にせずに死ぬのは、たぶん、わたしには不可能だろう。

午後四時前には学芸大学に到着したが、〈おふらんど〉で待つのは自粛した。佐々塚の皮肉に怒って、ダイエットを決意したわけではない。三日連続で訪れて、店主に顔を覚えられるのを心配したからだ。

わたしは駅前近くの書店に入り、駅をうかがった。樽宮由紀子が午後五時ごろに駅に着くのか、それとも最初待ちぶせしたときのように八時すぎまで遅くなるのかは、まったくわからなかった。できれば数日かけて、彼女の帰宅時刻を正確に把握したかった。

火曜日は早く帰れる日らしい。ブレザー姿の樽宮由紀子は、午後五時すぎに改札口から出てきた。

今日は父親を待つことなく、まっすぐ商店街へと歩きだした。きっと一弘は残業で遅くなるのだろう。

わたしは樽宮由紀子のあとを追った。

わたしのようなよそ者とはちがい、地元住民である樽宮由紀子は、この近辺の道を熟知していた。商店街を通り抜けるのではなく、途中で角を曲がり、デゼール碑文谷までの近道を進んだ。わたしは十メートルほど距離をおいて、ゆっくりついていった。

十一月ともなると、日没は早かった。住宅やマンションのあいだを縫《ぬ》うように走る狭い路地に、薄闇と静寂が舞い下りてきた。街灯が点灯し、少女の影をうっすらとのばす。いまはまだ通行人の姿があったが、さらに夜がふければ、人通りは絶えて、野良猫くらいしか目撃者はいなくなるだろう。

わたしはショルダーバッグをそっと握りしめた。布地ごしに、底に隠したハサミの感触がつたわってきた。

もちろん、今日これを使うことはまずないだろう。だが、時間をかければ、チャンスは必ずやってくる。明日、一週間後、あるいは一ヵ月後。わたしはこれまでの二度の経験から、そのことをよく知っていた。

樽宮由紀子の後ろ姿が薄闇に溶け込もうとしていた。しかし、わたしは足を速めることなく、周囲の風景をながめながら、のんびり歩いていった。

高いコンクリート塀の陰に空間があった。

マンション一階の駐車場は照明が暗く、奥の太い柱の陰は真っ暗だった。

そして、ジャングルジムやシーソーがほのかな影となってたたずむ、小さな公園があった。

やがて、見知ったデゼール碑文谷前の路地に出た。樽宮由紀子は玄関の自動ドアを抜けるところだった。

わたしは彼女の帰宅の道順を知ったことで満足し、デゼール碑文谷を通りすぎて、帰路についた。

その後も、時間を見つけては、樽宮由紀子の観察をつづけた。

あるときは葉桜高校からの帰り道を尾行し、彼女が部活動か何かで遅く下校した夜には、この坂道周辺がどんなふうに見えるかを想像した。

またあるときは学芸大学駅から先回りして、公園の奥の茂みから通りを見つめた。樽宮由紀子が通りすぎたあとも、わたしはその場にとどまり、闇につつまれた公園を楽しんだ。

いつもショルダーバッグを携帯していたが、ハサミがビニール袋から取り出されることはなかった。

何ひとつ行動を起こすことができない日々がすぎたが、わたしは少しもあせらなかった。わたしには時間だけはたっぷりある。それに、樽宮由紀子の行動を観察し、さまざまな情報を得るだけで、十分楽しかった。

土曜日がやってきたが、ドラッグストアには立ちよらなかった。編集部で忙しく働いていたときと同じく、やるべきことがあるときは、体調を整えておかなければならない。

そして、十一月十一日がやってきた。

8

十一月十一日、火曜日。

わたしは寒さで目を覚ました。布団にくるまったまま、首をねじ曲げて、窓の外を見ると、濃い紺色の空がひろがっていた。時計の針は午前五時半をさしていた。もう一度眠ると定時に起きられそうもなかったので、ベッドの誘惑を断ちきり、パジャマのまま起きだした。

部屋のなかは冷えきっていた。窓を開けると、凍りつくような突風が吹き込んできて、カーテンがあおられた。木枯らし。わたしはすぐに窓を閉め、誰もいない街の上にうずくまる巨大な節足動物のような高架線をガラスごしにながめながら、押し入れから冬物を出しておいたかどうかを考えていた。

パジャマの上からカーディガンをはおり、朝食をつくった。オーブントースターに八枚切りの食パンを入れ、銅製のポットに水をはってガスレンジにかける。冷蔵庫からバターと卵をとりだし、スクランブルエッグができあがったときには、オーブントースターが鈴を鳴らし、ポットの口から盛大に蒸気が吹き出していた。

トースト、コーヒー、ケチャップをかけたスクランブルエッグ、昨日の夕食の残りの冷めた煮物。ひとり暮らしの人間にとっては、こんな程度でも豪華な朝食といえた。

わたしはこんがり焼けたトーストにバターをたっぷり塗って、口いっぱいにかじりついた。トーストとは、薄く切った食パンを狐色になるまでよく焼いたものを指す。わたしは四枚切りの食パンなるものをほとんど憎悪していた。

テレビを点けて、各局の早朝のニュース情報番組をかわるがわる見た。昨日はたいした事件が起こらなかったらしく、どの番組も寒波の到来をトップニュースで伝えていた。よくは知らないが、太平洋高気圧がどうにかなると、日本列島に寒気が押しよせて、本格的な冬がやってくるらしい。今年の冬は例年に比べてかなり気温が低くなるでしょう、と眼鏡をかけた気象予報士が長期予報を解説していた。

体格のいい初老の司会者が、珍しく声を荒らげて、総務省の光ファイバー汚職を非難しているとき、出社時刻になった。わたしはニュースに少し未練を残しながら、テレビのスイッチを切った。汚職事件に興味はないが、普段は温厚で知られるこの司会者が顔を真っ赤にして怒るのを見るのはおもしろかった。

氷室川出版編集部は鬱《うつ》状態の最終期に突入していた。臨時の仕事が入らないかぎり、ほとんど何ひとつすることがない。無為と退屈にがまんしきれず、ここでエネルギーを使ってしまうと、やがて来る狂躁の時期を乗りきれない。そのことは編集部員全員が知っていて、できるだけだらだらと時間をつぶしていた。忙しそうにしているのは、正社員めざして点数を稼ぎたい山岸と、じっとしていられない性格の佐々塚くらいだった。

わたしは佐々塚の命じる雑用を黙々とこなして、午前中をすごした。岡島部長は頬づえをついて、窓の外の雲ひとつない青空を見上げていた。部長のデスクの後ろの壁には、暖かそうな紺《こん》色のコートがかかっていた。

本当に何もすることがない日だった。まだ午後二時すぎだというのに、佐々塚は思いつく雑用をすべて言いつくしてしまった。腕を組んで考え込む佐々塚の横で、わたしは椅子に坐って、ほうじ茶を味わいながら飲んでいた。

山岸はなんとか自分の熱心さをアピールしたいようだったが、肝心の仕事がないため、編集部のなかをうろうろ歩きまわるだけだった。大学生の高橋にいたっては、編集部のパソコンを使って、課題のレポートを仕上げようとしていた。

「バイトの人は、今日はもう帰っていいよ」

そんな様子を見ていた岡島部長が、笑いながら言った。

午後三時前に退社できたので、その足で学芸大学駅に向かった。

店主がわたしの顔を覚えているかどうか確かめるため、というのは口実で、実際には夕方以降の食事メニューを試すため、わたしは〈おふらんど〉の扉をくぐった。

店名入りの木製プレートについた鈴がかろやかに鳴り、店主がわたしを見て、にっこりほほえんだ。悪い前兆。おいしいものが食べられる店に通うのを断念しなければならないのは残念だった。

「夕食のメニューに切りかえるのは午後五時からなんですが、まあ、いいでしょう」

店主は満面に笑みをたたえて、薄墨色のざらざらしたメニューを手渡してくれた。たった二回来店しただけなのに、親切なことだ。ミートパイをほめられたのが、よほどうれしかったのだろう。

個性的な手書き文字を解読し、ボルシチとガーリックトースト、食後にコーヒーを注文した。

ボルシチは喫茶店でなら上等という程度の味だったが、ガーリックトーストがおいしかった。たっぷりのバターに、たっぷりのガーリック、それもすり下ろしたものと、みじん切りにしたものの両方を斜めに切ったバゲットにのせ、じっくり焼いてある。こうした料理ともいえない単純な食べ物は、どれだけ下準備に手間をかけるかで味が決まるものだ。

時間をかけて食べ終えると、午後五時が近づいていた。わたしは砂糖とクリームをたっぷり入れたコーヒーをすすりながら、窓の下の改札口をうかがった。

午後六時をすぎても、樽宮由紀子はあらわれなかった。

あまり長居して、店主にさらに印象づけるのはまずいと判断し、わたしは席を立った。いかがでしたか、と店主が訊いてきたが、ガーリックトーストを称賛するのはやめた。

改札口前をうろついて、さらに三十分間をつぶしたが、あいかわらず樽宮由紀子は帰ってこなかった。

　わたしは彼女を最初に見た夜のことを思い出していた。今日はたぶん、部活動の練習日なのだろう。この時刻まで帰らないということは、あの夜と同様、午後八時すぎに帰宅する可能性があった。

　高架線を支える太いコンクリート柱によりかかって、今後の行動について考えた。午後八時すぎ、樽宮由紀子が駅からデゼール碑文谷へ向かう住宅地の道は、人通りが絶えているだろう。駅からあとをつけたら、気づかれるだろうか。それとも暗闇が、尾行者の姿を覆いかくしてくれるのか。確率は半々くらいだろう。半々なら、おりるべきだ。わたしは用心深かった。

　わたしはデゼール碑文谷に先回りして待つことにした。運よく早退できたこともあって、待ちのぞんでいた機会が訪れたのかもしれない、と感じていた。だが、あせるのは禁物だ。今夜がチャンスかもしれないが、最後のチャンスではない。そして、その瞬間はわたしが意図してつくりだすのではなく、向こうから不意を突いてやってくるものだ。

　夜が舞い下りてきた。それでも商店街の通りは、両側に立ちならぶ店々の灯《あか》りに明るく照らされていたが、アーケイドをくぐって、NTT目黒支局横の狭い舗道に出ると、暗がりがつづいた。電話ボックスが闇に四角く輝き、ラーメンの屋台の赤い提灯が揺れていた。風が冷たく、わたしはジャケットの前を閉じた。

目黒通りに出ると、ふたたび人工の光があふれた。その大半は車道を走る車のヘッドライトだった。歩道を歩いていくときも、何人もの人間とすれ違った。

だが、目黒通りから脇道に入ると、思ったとおり、通行人はほとんどなかった。わたしは街灯や家の窓灯りを頼りに、デゼール碑文谷めざして、薄暗い路地を歩いていった。

視覚が半ばさえぎられている分、そのほかの感覚が過敏になっていた。煮込んだカレーの匂い、焦げかけた焼き魚の匂い、路上に放置された空き瓶からただよう甘ったるい腐敗臭。ニュースキャスターの無表情な語り、赤ん坊の泣き声、女性の明るい笑い声。わたしの感覚は時間超過で働いていた。自分の履くスニーカーのゴム底がアスファルトに吸いつく音さえ聞こえそうだった。

デゼール碑文谷の前にたどり着いた。

わたしはゴミ収集所の金網小屋の陰で待つことにした。あそこに腰かけていれば、マンションをとり囲む葉むらの多い低木に姿が隠れるだろう。

冷たい煉瓦の囲いに腰を下ろし、腕時計を見た。バックライト付きの液晶が午後六時五十分を表示していた。あと一時間。わたしは両腕で自分の体を抱きしめて寒さをしのいだ。

路地の彼方にある角ばったビルの上に月が昇りはじめた。やがて、凸形の月はビルの屋上の給水タンクを通りこし、アスファルトの上に青白い燐光を流した。風はさらに冷たくなっていた。

午後八時になっても、樽宮由紀子は帰ってこなかった。

わたしは煉瓦の囲いから立ちあがり、デゼール碑文谷を見上げた。マンションは闇のなかに立ちつくす百眼の巨人のようで、ほとんどすべての窓に灯りがともっていた。マンション構内を頭に思い描きつつ、五〇三号室の窓を探した。ベランダから灯りが漏れているのが見えた。家族そろって旅行中というわけではないようだ。

もう一時間待ったが、あいかわらず樽宮由紀子はあらわれなかった。

こんなに遅くなっても、家族は心配しないのだろうか。わたしは、顔のわからない母親とし恵があちこちに電話をかける様子を想像し、駅前のファストフード店で見かけた父親の一弘があわてふためいてマンションの玄関から駆け出してくることを期待した。

しかし、誰も出てこなかった。

午後九時をまわったところで、わたしはあきらめることにした。たぶん、なんらかの理由で、樽宮由紀子はわたしが学芸大学に着く前に帰宅していたのだろう。これ以上遅くなると、明日のアルバイトにさしつかえる。

わたしは両腕を振りまわして冷えきった体を暖めると、学芸大学駅に戻ることにした。念のため、ショルダーバッグからゴム手袋を取り出し、包装をといて、両手にはめた。駅に行く途中、暗い路地の上で、帰宅する樽宮由紀子とすれ違うかもしれないと思ったからだ。それは絶好のチャンスとなるだろう。

樽宮由紀子の帰り道に沿って、ゆっくり歩いていった。人通りはなく、路地の両側の家の窓は半数以上が暗くなっていた。わたしを見ているのは、夜空に斜めにかかる凸形の月だけだ。

地下駐車場のあるマンション、古くなってちらつく街灯の蛍光灯、耳が半分欠けた野良猫のいる塀を通りすぎ、公園の前にさしかかった。

なぜ公園で立ち止まったのか、自分でもよくわからない。

入口から奥をのぞき込むと、以前夜に訪れたときと、まったく変わらないように見えた。暗闇のなか、ジャングルジムやシーソーが得体の知れない獣のようにうずくまっている。

いや、以前に来たときとは違うものがある。芝生の奥、茂みに半ば隠れて。

わたしは公園に入り、それが何かを確かめるため、奥へと足を進めた。黒い油を一面にそそいだように見える夜の芝生を横ぎり、木々が密集して生える茂みに向かった。

茂みの陰から芝生へと、両脚がのびていた。すらりとした細い脚だった。

その脚とスカートには見覚えがあった。そして、猫のような美しい容貌にも。

樽宮由紀子が茂みのなかで、あおむけになって死んでいた。

首にはビニール紐が食い込み、両目を見ひらいて、頬が鬱血《うっけつ》していた。わたしがよく知っている、絞殺された者の表情だった。裏葉色のブレザーはまったく乱れておらず、両手と両脚も投げ出されているだけで、首から下は眠っているように見えた。

もうひとつ、わたしにはとても見慣れたものがあった。

ハサミだ。

ハサミ男の象徴、テレビや雑誌がセンセーショナルに報道した、あのハサミだった。

樽宮由紀子の首には、遠い街灯の光に鈍く輝く銀色のハサミが突き立っていた。わたしはハサミがどこに刺さっているかをよく知っていた。のどの硬いところのすぐ脇、柔らかく、深々と突き刺すことができる部分だ。

樽宮由紀子はハサミ男に殺されたとしか思えなかった。ほかならぬこのわたしがそう思ったのだから、間違いない。

わたしはすっかり混乱していた。わたしは樽宮由紀子を殺していない。しかし、樽宮由紀子はハサミ男に殺されている。これはいったい、どういうことだろうか。

わたしはショルダーバッグからハサミを取り出し、ビニール袋を破って、目の前に持ってきた。見比べると、樽宮由紀子ののどに刺さったハサミはまったく同一種類に思えた。完璧だ。

樽宮由紀子はハサミ男の三番目の犠牲者となったのだ。

しかし、このハサミ男はわたしではなかった。ハサミ男とそっくり同じやり方で樽宮由紀子を殺した者がいる。わたしは先をこされてしまったわけだ。

おそろしく長い時間が経過したように感じたが、実際にはせいぜい五分くらいだろう。

わたしは我に返り、この場から立ち去らなければならない、と思った。実際に樽宮由紀子を殺したのならまだいいが、殺してもいないのに捕まるのは、あまりにも理不尽だ。

だが、もう間に合わなかった。振り返り、急いで逃げ出そうとしたとき、公園の入口から人が近づいてくるのが見えた。

「どうかしたんですか……」

という、かぼそく、少し不安がこもった声が聞こえた。わたしは即時の決断をせまられていた。逃げるか、とどまるか。

わたしは樽宮由紀子を殺していない。したがって、逃げなければならない理由はまったくない。これが結論だった。

「人が死んでいる」

と、大声で叫んだ。

「警察を呼んでください」

人影が驚いたように立ちつくし、公園の入口のほうにとって返すのを見送ると、背中を向け、急いでショルダーバッグからハサミをつかみ出した。

警察は遺体発見者の持ち物を調べたりはしないだろう。だが、わたしはあまりにも危険なものを持ち歩いていた。

わたしは自分のハサミを茂みのなかにほうり捨てた。

そのときだった。樽宮由紀子の死体の足元に、小さく光るものを見つけたのは——。

第一章

ハサミ男の第三の犠牲者と見られる女性の変死体が発見されたのは、平成十五年十一月十一日午後九時四十分頃、場所は東京都目黒区鷹番四丁目の西公園だった。

目黒西署刑事課の磯部《いそべ》龍彦《たつひこ》と下川《しもかわ》宗夫《むねお》は現場に着くまで、ハサミ男の名前を頭の片隅にも浮かべることはなかった。一昨日《おととい》起きたコンビニ強盗の捜査に出かけていた二人に無線連絡されたのは、西公園で十代の女性の変死体が発見されたこと、どうやら殺人事件であるらしいこと、この二点だけだった。

「いやな事件だな」目黒通りを走る車の後部座席で下川がつぶやいた。「子供殺しは好きじゃない」

「高校生はもう子供じゃないですよ」磯部は運転席から答えた。

「子供だよ、俺にとってはな」下川は声を大にして強調した。「背丈はでかいかもしれんが、まだまだよちよち歩きの赤ん坊みたいなもんだ」

下川は身長百六十センチの小男だった。中学二年生の一人息子にはとっくに背を抜かれていた。

目黒通りから脇道に入り、現場に到着したとき、すでに公園入口には立入禁止と書かれた黄色いビニール・テープが張られ、制服警官が数人の見物人の前に立ちはだかっていた。公園の芝生には数本の照明灯が設置され、紺色の制服を着た鑑識係員たちが手持ち無沙汰に立っていた。

そのさらに奥には、現場を見物人の目から隠すための青いビニール・シートが張りめぐらされていた。

照明灯の強い光線に照らし出されたシートは、まるで街にやってきたサーカスの天幕のように見えた。入口のすぐそばまで近づいて、奥を指さしながらざわつく見物人は、チケットを買えなかった子供たちのようだ。

芝生の上には見慣れた顔があった。上井田《うえいだ》警部の姿は見当たらないが、磯部たちが合流すれば、刑事課員が勢ぞろいするようだった。

公園脇に縦列駐車されたパトカーや鑑識のワゴン車の最後尾に車を停め、磯部と下川は舗道に降り立った。ドアを開けたとたん、冷たい突風が吹き込み、磯部は身震いした。

「やけに冷えるな」

下川がコートの前をあわてて閉じながらそう言った。あまりにも控え目な表現だった。大陸からの寒気が日本列島に吹き込んだせいで、気温は真冬並に下がっていた。パジャマの上にコートを羽織っただけの見物人が歯を鳴らしていた。

制服警官に軽く敬礼し、磯部と下川は公園の中に入った。

入口近くにある藤棚《ふじだな》の下の休憩場所から、松元順三郎《まつもとじゅんざぶろう》が軽く右手を上げて二人を迎えた。手には手帳が握られていた。

どうやら隣に立っている男性が遺体の発見者で、証言を聞いている最中らしい。

休憩場所には進藤誠斗《しんどうまこと》もいたが、こちらはベンチの隣に坐る女性を慰めるのに一所懸命で、磯部たちに気づきさえしなかった。

若い女性には若手の進藤、偏屈そうな男性にはベテランの松元か、と磯部は感心した。最適の人選だった。たぶん上井田警部が命じたのだろう。進藤はおとなしく優しい（悪く言えば気弱な）性格だから、死体を見て気分が悪くなったらしく、真っ青な顔でうつむいている女性の相手をするにはうってつけだった。

松元のほうはどうだろう？　松元はどんな相手からでも必要な情報を聞き出す技を身につけていた。だが、さすがの彼も今夜は少し手こずっているように見受けられた。

ダウン・ジャケットを着たその男は、質問に答えている最中も松元のほうを一度も向かず、吹きすさぶ寒風の中にじっと立って、青いビニール・シートを凝視していた。

色白の太った青年だった。頬はぷっくりと丸みを帯び、ダウン・ジャケットもジーンズも目一杯ふくらんでいる。だが、肥満した人にありがちな、周囲の目を気にする卑屈な雰囲気は感じられなかった。

肥満を気にしていないのだろうか。いや違う、と磯部は直感した。他人にまったく無関心なのだ。あの目はそういう目だ。櫛《くし》を入れた気配のない、ぼさぼさの薄くなりかけた髪もそのことを物語っていた。

年齢は磯部と同じくらいと思われたが、確実ではない。どことなく年齢不詳というか、他人に正体をつかませない希薄な印象を与える男だった。視線をそらしたら、すぐに顔を忘れてしまうだろう。最も似顔絵を描きにくいタイプ、目撃者も「色白で太っていました」としか答えられないたぐいの人物だった。

気がつくと、下川は芝生のずっと先を歩いていた。磯部はあわてて後を追った。

ビニール・シートのすぐ脇で、村木《むらき》晴彦《はるひこ》が白い息を吐《は》いていた。髪は天然パーマで手足のひょろ長い村木が、暖かそうな厚手のオーバーコートを着込んださまは、まるで南極越冬隊の慰問に訪れたソウル・シンガーのようだった。

「よお」下川が片手を上げて挨拶《あいさつ》した。

「よお、長さん」村木はポケットに両手を突っ込んだまま答えた。

下川はあからさまに嫌な顔をした。彼はこのあだ名を二つの理由から気に入っていなかった。

まず第一に、下川は好き好んで巡査部長に留《とど》まっているのではない。現場を愛してやまないわけでも、刑事一筋に生きているわけでもなく、単に昇任試験に合格しないだけだ。磯部も下川がショート・アンサー試験の問題に読《よ》み耽《ふけ》っているのを目撃したことがある。決して昇進に無関心なタイプではなかった。

第二の理由はもっと単純だった。有名な刑事ドラマで同じ苗字の俳優が長さんというあだ名の刑事を演じていたのは、下川が中学生の頃の話だ。磯部のようにＤＶＤボックス・セットを通じてではなく、少年時代にリアルタイムで放送を見ていた下川にとって、自分をあの初老の刑事と同一視されるのは我慢がならないようだった。長さんと呼ばれるたびに、苦虫を嚙《か》み潰《つぶ》し、自分はまだ若い、と大声で主張したそうな表情になった。

「遅かったじゃないか。この寒い中、ビニール・シートを張るの、大変だったんだぜ」村木は下川の表情など完全に無視して、そう続けた。

「悪いな。サボったんじゃなくて、仕事でね。例のコンビニ強盗の件だ」

「そりゃ幸運だね。俺なんか家でのんびりレコードを聴いているところを呼び出された。まだ仕事モードに切り替わってないよ」

村木はクラシック音楽マニア、オーディオ・マニアとして刑事課内では有名だった。決して高給とはいえない警察官の給与のほとんどをオーディオ機器につぎ込んでいるという噂だった。

　磯部も一度、真空管アンプのすばらしさについて延々と説明されたことがある。普段の冷笑的な村木とはうって変わった熱心な話しぶりに驚き、シリコン・チップでさえ時代遅れになろうかという時代に真空管とは、とあきれながら聞いていた。たぶん今の子供たちなら「真空管ってなあに？」と真顔で訊き返すところだろう。

「何を聴いていたんですか？」ふと興味を感じて、磯部は村木に訊いた。

「ショスタコーヴィッチのピアノ三重奏曲第二番」

　村木はすました顔で答えた。作曲者の名前は耳にしたことがあるが、まったく知らない曲名だった。いったいどんな曲か見当もつかない。

「それ以上訊くのはやめとけ。長くなるに決まってるからな」

　下川はそう言って、青いビニール・シートに近づいた。村木がにやにや笑いながら、両手を広げて制した。

「だめだよ。本庁のお許しがあるまでは入れない。試験問題集にそう書いてなかったかい、長さん？」

　警視庁の指示がないかぎり、たとえ所轄署の刑事課員といえども、勝手に現場を探し回ることはできない。あくまで現場の保存が優先される。

　しかし、すでに鑑識係員が到着しているのに代行検視が始まらないのは、異例のことだった。

「まだ本庁から指示が来ないのか」下川は不思議そうにあたりを見回した。「そういえば、捜査一課の連中もまだだな」

「わけありでね」村木は意味ありげに笑った。「本庁も慎重にならざるを得ないのさ。課長が早く見分《けんぶん》をさせろとせっついてるところだ」

すると、上井田警部は公園脇に停まったパトカーの中で本庁と無線連絡しているのか、と磯部は思った。

「ちょっとのぞくくらい、いいだろう?」下川は下手に出た。

「それならいいだろう」村木は偉そうに答え、「ただし、見なきゃよかったと思うよ、きっと」

村木はビニール・シートをめくり上げた。下川と磯部がのぞき込むと、村木は手にした懐中電灯で遺体を照らした。

芝生を取り囲むように植えられた低木の茂みの下、まだ十代と思われる少女が仰向けに横たわっていた。灰色がかった薄いグリーンのブレザーに見覚えがあったが、どこの高校の制服だったか、磯部には思い出せなかった。

光の円が少女の上半身に移動した。首に太い紐状のものが巻きついているのがわかった。そのすぐ下、懐中電灯の光線にきらめくものがあった。

ハサミだ。磯部は息を呑んだ。ハサミが遺体の首に突き刺さっている。

銀色のハサミはまるでメタル・カラーの新種の植物のように、少女ののどから突き出していた。少女に寄生し、死に至らしめる有毒の花。これまで二人が死に、彼女が三人目だ。

磯部のほうを振り向いた下川の頬が紅潮していた。

「どう思う?」

「厄介《やっかい》な事件が管内で起こったな、と思いますね」磯部は正直に答えた。

「張り合いのない坊やだな」下川は顔をしかめた。「こんな大事件に取り組めて幸運だとは思えないのかね」

下川が長さんと呼ばれるのを好かないように、磯部も下川から坊やと呼ばれるのを好んでいなかった。僕はもう二十七歳だ、と磯部は思った。どう考えても坊やではない。高校生に対する見解もそうだったが、下川は年下の人間をひとしなみに子供扱いする傾向にある。これは本人の自己認識とは裏腹に、彼が中年から初老に近づいている証拠ではないだろうか。

「こんな大事件なら、本庁の連中が大挙してやってくるよ」

村木がビニール・シートを元に戻しながら、警察機構の真実を冷静に指摘した。

「捜査の指揮をとるのは本庁の仕事、頭を働かせるのも本庁の仕事。俺たちがやらせてもらえるのは、例によって下働きだよ」

「マルサイもお出ましになるか」

下川が吐き捨てるように言った。

マルサイとは三年前に警視庁科学捜査研究所内に新設された犯罪心理分析官職を意味する内輪の呼び名だった。サイはサイコアナリシス（精神分析）あるいはサイコメトリックス（心理測定法）の略だ。二十世紀末から急激に増加した無動機殺人や快楽殺人に対応するため、警視庁が重い腰を上げたのだ。

犯罪心理分析官に任命されたのはいずれも三十代の警視以上で、ＦＢＩでの一年間以上の研修が必須だった。キャリア組の中でも、さらにエリート・クラスの人間である。

エリートやキャリアの話を聞くと、下川は怨念のような感情を剝《む》き出しにする。なんてわかりやすい人なんだろう、と磯部は思った。

磯部はこの単純素朴な先輩刑事に深い好意を持っていた。たぶん村木も同じ思いだろう。下川は刑事課全員から好かれていた。

「出向してきたときは気をつけなよ、長さん」村木がほほえみながら注意した。「面と向かってマルサイなんて呼んだら、どやされるぜ」

「マルサイはマルサイだ」

下川が偉大なるキャリア組に挑戦するかのように言い放ったとき、芝生を横切って、われらが刑事課長、上井田嘉暁《よしあき》警部が小走りに近づいてきた。

「本庁から代行検視の指示が出ました」上井田警部はビニール・シートの前で部下に告げ

た。「よって、これから現場の実況見分を始めます」

　上井田警部はみごとな禿頭《とくとう》と顎ひげの持ち主で、まるで頭を上下逆《さか》さまにつけたように見えた。温厚な性格で知られ、誰に対しても礼儀正しい話し方をした。それを処世術ととる者もいたが、相手が磯部一人だけのときでも丁寧《ていねい》語でしゃべるのだから、根っからフェアな人間なのだろう。本庁の人間の前でも、親子ほど年の離れた若い部下の前でもまったく同じ態度をとるのは、なかなかできることではない。

　ただし、礼儀正しさも善し悪しで、ときどき校長先生の訓示のような口調になるのは困ったものだった。警部の話を聞いていると、いつも最後に「では皆さん、病気と怪我《けが》に気をつけて、楽しい夏休みを過ごしてください」と言われそうな気がする。

　上井田警部を先頭に、刑事と鑑識係員はビニール・シートで囲われた区域に入っていった。

　磯部は発見者の証言を聞き終えた松元と進藤が来るのを待った。

「やっと見分できるらしいな」松元が黄色くなった前歯を見せて笑った。彼は刑事課唯一の喫煙者だった。

「ええ」磯部は松元のためにシートを持ち上げながら、「発見者はどうしました?」

「もちろん連絡先を聞いて帰したよ」松元は不審そうに磯部の顔を見て、「もう十一時近いからね。女性のほうは制服警官に車で送らせた」

「男のほうは？」

「車で送ると言ったが、断られた」松元は顔をしかめて、「あの男のことが気になるのか？　確かに妙な奴だったな。オタクってやつかね」

磯部は心の中で思わず笑ってしまった。今どきオタクなんて死語を使う人はめったにいない。それにあの青年はオタクではなかった。何かに熱中したり、執着したり、依存したりするタイプではない。たぶん、彼が関心を持つ対象は自分自身だけだろう。

「気にするのもわかるよ」と、松元は続けた。「被害者が殺された直後だとしたら、私もあの男を疑ったかもしれないね。でも、被害者が殺されたのは発見時刻のずいぶん前だ」

「まだ監察医には診《み》てもらってませんよ」

「先生にお願いしなくても、その程度のことはわかるよ。あの男は事件とは無関係だな」

松元は磯部の肩を叩いて、ビニール・シートをくぐっていった。

「その程度のこと、ね」進藤がすぐ後に続いて、つぶやくように言った。「僕も遺体は見ましたけど、そんなことさっぱりわからなかったなあ。先輩はどうでした？」

「僕は来たばかりで、まだ見てないからな」磯部は嘘をついた。「おい、なんで僕がおまえのためにシートを持たなくちゃいけないんだ？　おまえが持てよ」

進藤にシートの端を持たせて、磯部は中に入った。内部には照明灯が立てられ、ドラマ撮影のロケ現場のように明るくなっていた。強烈な光線の中、遺体のそばにかがみ込む上井田警部と下川の姿がくっきりと浮き上がっていた。

「ひどいことしやがる。見ろよ、これ」

磯部が近づくと、下川は顔も上げずにそう言って、白手袋をつけた右手で遺体の首を指した。

顎のすぐ下に太いビニール紐が食い込んで、くぼんだ皮膚が紫色に変色していた。その下に、ハサミが支点のネジのあたりまで刺さっていた。死後に突き刺したものだろう。これだけ深い傷にしては、出血が少なく、茂みの下生えにほんの少し血がしたたっているだけだった。これまでの二人の被害者と同じく、心臓が停まった後に刺したに違いない。

「ハサミ男のしわざだな。間違いない」下川がつぶやいた。

「広域連続殺人犯エ十二号ですよ、正式には」

磯部は青ざめた顔で訂正した。警察官になって四年たつが、いまだに死体に慣れることができない。正直言って、慣れたいとも思っていなかった。

「ハサミ男というのはマスコミのつけた通称です」

「よくできました。花丸のハンコを捺《お》してやろう」下川は磯部の顔色をながめ、晴れ晴れと笑いながら、「知識はピカイチだが、実地は赤点だな、坊や。俺とは正反対だ。ゲロを吐いて現場を汚さないうちに外に出てろ」

「大丈夫です」磯部はむっとして、無理して遺体の顔をのぞき込んだ。「きれいな娘さんですね。まったくひどいことをする」

少女はもうまばたきすることのない瞳《ひとみ》で宙を見つめていた。苦悶に歪んではいたが、それでも美貌ははっきり見てとれた。

上井田警部が手をのばして、ブレザーの内ポケットから生徒手帳を抜き出した。

「樽宮由紀子。私立葉桜学園高等学校二年」生徒手帳の写真と遺体の顔を見比べながら、「住所は……このすぐ近くですね。デゼール碑文谷五〇三号室」

「学校からの帰り道に襲われたんでしょうか」と下川。

「たぶんそうでしょうね。制服姿ですから」

上井田警部は住所と電話番号をメモすると、生徒手帳をビニール袋に収め、近くの鑑識員に手渡した。

「下川さんは被害者の持ち物を調べてください。磯部くんは他の皆さんと一緒に、周辺の遺留品を探してください。私はちょっと外に出ています」

そう言うと、上井田警部は立ち上がって、ズボンの膝についた汚れを払い、ビニール・シートの外に出ていった。

「課長、どこへ行くんでしょう?」警部とすれ違った進藤が不思議そうに訊いてきた。

「いちばん嫌な仕事をしに行くのさ」下川が遺体の着衣を調べながら答えた。「被害者の家族への連絡だ」

連絡した後のことを想像して、磯部は沈痛な気持ちになった。信じられないと叫ぶ電話口の声、遺体安置所で泣き崩れる両親の姿。できれば立ち会いたくない光景だった。

磯部は進藤とともに、遺体の後方の茂みを重点的に調べている村木と松元に近づいた。上井田警部から手伝えと命令されたと告げると、

「じゃあ、磯部は遺体の右手、進藤は左手の芝生と茂みを調べてくれ」村木が指示した。「いいか、鑑識の連中はそれこそ埃《ほこり》のかけらまで総ざらえしてくれる。だから、細かい点に気をとられすぎるな。現場の全体的なイメージを把握するほうが大事だ。それから、何か興味をそそられるものを発見しても、絶対にさわるな。そのままにして、俺か松元さんを呼べ。わかったな？」

磯部はまず茂みから調べることにした。木の幹にハサミ男の手形が残っていたり、指紋のついた謎の物品や暗号を記した紙きれが落ちているとは期待していなかった。そんなことは下川や松元のように経験を積まなくてもわかりきっていること、警察官の常識だ。犯罪捜査とは九十九パーセントの努力と一パーセントの霊感である。そして、磯部の担当は霊感ではなく、大抵は無駄骨に終わる努力のほうだった。

だが、若くして達観しつつある哀れな刑事にも、時には天啓が訪れることがある。

密集した低木の枝をかき分けたとき、磯部は思わぬものを発見した。

枝の間を通って、ハサミが地面に突き刺さっていた。磯部の目には、つい先ほど見た凶器

のハサミとまったく同一種類に見えた。まるで被害者の首に咲いた邪悪な花の種子が、ここまで飛んで芽吹いたかのようだった。

間違いなくハサミ男の遺留品だ。磯部は顔を上げて、村木を大声で呼んだ。

9

息苦しさに耐えかねて、わたしは顔のあたりをかきむしった。指がゴミ袋に食いこみ、ビニールを突きやぶった。その穴から冷たい空気が入り、わたしはのどを鳴らして、激しく吸いこんだ。

呼吸が平常に戻り、信じられないほど速くなっていた心臓の鼓動がおさまると、首を縛っていたタオルをほどき、ゴミ袋を頭から引きはがした。

息が水滴になって、袋の内側にたまっていた。生温かく、ぬるぬるした水滴は、顔や髪にも付着して、気味が悪かった。あとでシャワーを浴びよう。

引きさかれたゴミ袋を床にほうり投げると、わたしは天井を見上げた。ビニール袋をかぶって窒息死できる人間が実在するとは、信じられなかった。苦しくないのだろうか。それとも、この苦しさをがまんできるほど、死に取り憑かれているのか。

「そういう人は、睡眠薬を併用してるんだよ」

と、医師があっさり答えた。

「そうすれば、眠っているあいだに窒息できる。さらに最近の研究によれば、二酸化炭素にも人間を昏睡させる効果はあるらしい。火山性の炭酸ガスを吸って倒れたり、ドライアイスを車で運搬中に昏倒したという事例もあるそうだ。ディクスン・カーの有名な長編ミステリは、いまや科学的にも正しいというわけさ。でも、呼気に含まれている程度の二酸化炭素では、よほど息苦しいのをがまんしないかぎり、眠くなったりはしないだろうな」

ディクスン・カーとは誰なのか少し気になったが、医師の言葉を無視して、天井を見つめつづけた。医師の軽口につきあう気にはなれなかった。わたしは樽宮由紀子のことを考えていた。

樽宮由紀子の死体を見つけてから、二日が経過していた。

あの夜は午後十一時近くまで引きとめられ、刑事に証言を求められた。わたしはほとんど真実を語った。道を歩いていたら、公園に妙なものが見えたので、近づいてみると、女性の死体だった、という話だ。しゃべらなかったのは、樽宮由紀子を知っていること、そしてハサミを捨てたことだけだった。

翌日、無理をして、アルバイトに出かけた。できるだけ普段どおり、仕事に集中した。言われた仕事はいつものようにこなしたつもりだったが、やがて佐々塚は命令するのをやめ、心配そうに顔をのぞき込んだ。そして岡島部長がやってきた。

「どうかしたのかい。なんだか、思いつめたような顔をしてるけど」

「なんでもありません」

「心配事があるのなら、今日は帰っていいよ。まだそんなに忙しくないからね」

岡島部長の好意に甘えて、わたしは昼すぎに帰宅した。

すると、待ちうけていたのは、新聞や雑誌やテレビからの取材依頼の電話だった。いったい、どこからわたしが遺体発見者だと探りあてたのだろう。警察の誰かが漏らしたのか。ハサミ男の八ヵ月ぶりの凶行ということで、マスコミはおそろしいほどの興奮状態にあった。次から次から電話が殺到した。

わたしは取材依頼を全部断った。もちろん名前は出さないから、とある週刊誌の記者だという男は電話口で懇願した。顔にモザイクをかけて、音声は変えるからかまわないでしょう、とワイドショーのディレクターと称する男は横柄に言った。あなたは発見者なんだから、われわれにその話をする義務がある、と尊大な口調で説教しはじめたのは、大手新聞社の記者と自慢げに名のった男だった。

わたしは彼らのインタビューに答える義務があるとはまったく思わないし、地球を侵略しにきた火星人のような、へんてこな声でテレビ出演するのもごめんだった。直接おうかがいしてお話ししたい、という相手には、そんなことをしたらプライバシー侵害で訴えてやる、と答えた。

あまりにも立てつづけに電話が鳴るので、とうとう電話のモジュラーを壁から引き抜いた。

「まあ、せいぜい二、三日の辛抱だよ」

医師はのんきな口ぶりだった。どうせ他人事《ひとごと》だと思っているに違いない。

「あいつらは発見者にはさほど興味はないはずだ。被害者とハサミ男のほうに、圧倒的な関心を持っている。いまはまだ情報が足りないから、きみのところにむらがってきてるだけさ」

やっと静かになった部屋に坐り、テレビを点けた。各局はいずれも通常の編成をとりやめ、特別報道番組を放映していた。見慣れた鷹番四丁目の街並や公園が液晶画面に映り、マイクを持った記者やレポーターがヘリコプターの飛行音に負けじとばかり、大声でまくしたてていた。

「私立葉桜学園高校二年生の樽宮由紀子さんがこの公園で……」

「首にハサミが突きたてられ……」

「樽宮由紀子さんの遺体が発見されたのは昨夜の……」

「由紀子さんは十六歳、都内の私立葉桜学園高校に通い……」

「警察からの公式発表はまだですが、ハサミ男の犯行とほぼ断定して間違いないと……」

手元のリモコンでいくらチャンネルを変えても、似たような光景を背中に、似たような言葉が連呼されているだけだった。目新しい情報は皆無だった。

テレビが伝えているのは、たったひとつのことだけ。ハサミ男あらわる、である。

特別報道番組のなかには、これまでの事件の経緯と題して、過去のふたつの事件をまとめたVTRを放映しているものもあった。昨夜遅くに事件が起こったのに、手際がいいことだ。職員が徹夜で編集したのか、それとも、新しく被害者が出ることを期待して、あらかじめ用意してあったのだろうか。

「過去の報道VTRの流用だろうね」

と、医師がコメントした。

「そこまでマスコミは興味本位じゃないさ。きみの見方はいささか冷笑的すぎるよ」

わたしはうんざりしてテレビを切り、早々にベッドに入った。

翌朝届いた十一月十三日付の朝刊は、第一面に信じられないほど大きな活字の見出しが躍っていた。

〈東京都目黒区で女子高校生殺害〉

小見出しはこうだ。

〈絞殺後、首にハサミ〉〈連続少女殺害事件との関連も〉

さすがに新聞は憶測で記事を書かないし、ハサミ男という呼称も使わないらしい。

アルバイトに行くと、編集部内もハサミ男の話題でもちきりだった。ハサミ男がまた出たらしいね。今度は目黒区だってさ。いやな事件だなあ。警察は何やってんだろう。この前、女の子が殺されてから、半年近くたってるじゃないか。頭のおかしいやつが最近多いから。

若い編集部員は軽い口調で、被害者と同じ年ごろの子供を持つ編集部員は吐きすてるように、ハサミ男について自分の見解を述べた。これまでのふたつの事件のときと同じだった。ただ、以前の事件のときは、聞きながしていられたが、今回は無性《むしょう》にいらいらした。ちがう、と叫び出しそうになった。わたしはハサミ男だが、このハサミ男はわたしではない、と。

前日よりはずいぶんましな顔つきをしていたらしく、佐々塚はわたしに雑用を申しわたした。どんな仕事であれ、手を動かしていれば、気はまぎれた。

だが、憂鬱な気分は抜けなかった。死の誘惑がわたしをいつも以上に手招きしていた。わたしは禁をやぶって、まだ木曜日なのにドラッグストアに寄り、大型ゴミ袋を買い込んだ。部屋に帰ると、頭からかぶって首をタオルで縛った。

「そして、やはり死にそこなったわけだ」

と、医師が言った。面談を早く打ち切りたいのに、医師は許してくれない。こんなことは珍しかった。

「ぼくも興味津々なんだよ、この事件にね」

医師はにやにや笑いながら、ボールペンのキャップの先で頭をかいた。

「きみは気にならないのかね。つまり、誰が樽宮由紀子を殺したかについて」

もちろん気になっていた。

いったい誰がわたしの先をこして、樽宮由紀子を殺したのか。

しかも、ハサミ男の手口をそっくり真似て。

そんな疑問が、この二日間、ずっと頭のなかに渦巻いていた。

だが、わたしはその問いを押し殺した。そんなことは警察が考えればいい。

「馬鹿だな、きみは。警察はハサミ男の犯行と思うに決まってるじゃないか」

と、医師があざ笑った。

「全部きみに罪をかぶせて、真犯人はまんまと逃げおおせるね。賭けてもいいよ。きみが行動を起こさないかぎり、そうなる」

行動だって？　わたしに何をしろと言うのだろう。

「決まってるじゃないか。真犯人を見つけ出すのさ。悪い子の遊びを終わらせるんだ」

「冗談だろ」

わたしは思わず大声をあげた。樽宮由紀子を殺した真犯人を探す？　そんなことができるはずがなかった。医師の出来の悪いジョークとしか思えない。

「冗談を言ってるつもりはない」

医師は神妙に言ったが、にやにや笑いが口調を裏切っていた。

「きみは今回の事件が本物のハサミ男の犯行ではないと知っている、この世でたったふたりの人間のうちのひとりなんだよ。きみが探さなければ、誰が探すのかね」

「たったふたりの人間？　もうひとりは誰だ」

「真犯人さ」

医師は足を組んで、わたしにボールペンの先を向け、

「いいかね。きみはじつは真犯人を知っている。ぼくも知っている。ただ、彼がどこの誰かはわからない。それを探り出すんだ」

「どういう意味だ」

「文字どおりの意味だよ。まず、樽宮由紀子の葬儀に顔を出すことをお勧めするね。そうすれば、ぼくの言葉の意味がわかるかもしれない」

医師は椅子の背にもたれて、視線を上げると、

「それにきみは有力な手がかりを持ってるじゃないか。公園で拾ったものをね」

そうだった。医師との面談を終えたわたしは、ベッドから起きあがると、灯りを点けて、丸テーブルに歩みよった。

樽宮由紀子の死体を発見した夜、公園の芝生の上で拾ったものがそこにあった。

ハサミを茂みに向かってほうったとき、死体の足元に見つけた小さく光るもの。

それは金属製のガスライターだった。

煙草を吸わないわたしにはわからないが、重厚なつくりで、かなり高価そうなものに思えた。

銀色の外箱には、Kというイニシャルが彫り込まれていた。

第二章

　十一月十四日金曜日、目黒西署で目黒区女子高校生殺害事件の第一回捜査会議が開かれた。事件発生から四日目、警視庁捜査一課と目黒西署刑事課の刑事たちが出席して、基礎捜査の結果を報告した後、今後の捜査の方針が発表される予定だった。

「捜査一課長と地検の検事も来てるらしいよ」

　廊下の壁際にすりよるようにして会議室へ向かいながら、下川が言った。目黒西署の廊下には大勢の人間が行き来していた。その大半は知らない顔だ。警視庁から刑事課の人員に倍する捜査員が出向してきていた。

「マルサイも来てますかね」

　磯部がなんの気なしにそう答えると、下川はあわてて周囲を見回し、磯部をにらみつけた。

「マルサイなんて呼ぶな。犯罪心理分析官殿だ」

自分だってそう呼んでいたじゃないか、と磯部は思った。そんな不満な気持ちが顔に出たのだろう。下川はにやりと笑って、

「いいか、俺は目上の人間にはいつも敬意を払ってるんだ。特に本人がすぐ近くにいるかもしれないときはな」

「マルサイでかまいませんよ。べつに気にしませんから」

二人の背後から明るい声がかかった。下川は文字どおり飛び上がり、あわてて振り向いた。

磯部が後ろを向くと、ひとりの男性がにこにこ笑いながら立っていた。これが犯罪心理分析官殿か、と磯部は少し驚いた。想像していたのとは全然違う。

男は縁なし眼鏡をかけていなかったし、連続殺人犯の心の暗闇を見抜く鋭い眼光を投げかけてもいなかった。唇をきっと結んでいないし、感情をあらわにしない無表情でもないし、白衣も着ていなかった。

磯部の目の前に立っている男は、警視庁のエリートというよりは、学生に人気抜群の大学講師のように見えた。

髪は一応真ん中で分けているが、洗いざらしで整髪料を使った気配はない。温和な笑みを浮かべた丸顔は笑っていないときを思い浮かべるのが難しいほどだ。

タートルネックのセーターにジャケット、チノパンを身に着け、足にはナイキのスニーカーを履いていた。もちろんネクタイはしていない。署から支給されたスーツをいやいや着ている磯部とは大違いだった。

「科捜研の堀之内《ほりのうち》靖治《やすはる》です。よろしく」

男はそう名のって、右手を差し出した。アメリカ流の挨拶。

磯部はその手を握って、

「刑事課の磯部です。こちらこそよろしく」

堀之内は下川にも右手を出したが、下川は指一本触れようとせず、背筋をぴんと伸ばして、

「目黒西署刑事課の下川宗夫巡査部長であります」

さすがに敬礼まではしなかった。自分で言ったとおり敬意を払った挨拶だが、口調は堅苦しかった。

「今日付で目黒西署に出向になりました」堀之内は二人の顔を交互に見ながら、「しばらくうろうろしてますが、皆さんの邪魔はしないようにしますから、よろしくお願いします」

堀之内は軽く頭を下げると、二人を残して、先に会議室へ歩いていった。

「ふう、焦ったぜ」下川は磯部の顔を見上げて、「おまえ、軽々しく手なんか握るな」

「でも、向こうから差し出してきたんですよ」磯部は反論した。「握らないほうが失礼じゃ

ありませんか」

「おまえ、署長と握手して、どうぞよろしくって言えるか？　あの犯罪心理分析官殿は警視正だぞ。署長より階級が上だ」

そうだった、と磯部は下川が正しいことを認めた。キャリア組と会うと、いつも階級のことを忘れてしまう。まだ四十前と思われる堀之内が、白髪で太った署長よりお偉方だというのは、頭では理解できても実感できなかった。

「まあいいさ。向こうも腹を立ててなかったようだから」

「気さくそうな人でしたよ」

「そんなの初対面でわかるもんか。相手はキャリアだぞ」

下川は自分の偏見を主張した。

磯部と下川は階段を昇り、二階の会議室に入った。

五十名ほど収容できる会議室はすでに人であふれていた。四列に並べられた折り畳み式の机とパイプ椅子に刑事たちが坐り、配られた資料を広げて、会議の開始を待っていた。

「おい、ここだよ」すでに来ていた村木が手を振って、磯部と下川を迎えた。「俺たちの席はここだ」

並んだ机の後ろのほう、出口に近い一角に刑事課の面々が陣取っていた。村木はパイプ椅子にそっくり返り、松元は番茶をすすり、進藤は資料に熱心に目を通している。磯部と下川も席についた。

「ほら、見てみろよ」村木が前方の壇上を顎で指した。「お偉いさんが深刻な顔して勢ぞろいだ。めったに見られない光景だよ」

　磯部は村木の言う珍しい光景に目をやった。会議室に設置された大型液晶スクリーンの前、二つつなげた折り畳み机の向こうに五人の男たちが坐っていた。確かに一人を除いて、誰もが押し黙り、眉間にしわを寄せていた。最も気落ちした表情を浮かべているのは、左端に坐った青い制服姿の目黒西署署長だった。

「署長の胃弱が悪化しないことを祈るね」村木が笑った。

「ほかの人たちは誰ですか?」と、磯部は訊いた。

　村木は一人一人指さしながら、辛辣《しんらつ》な比喩《ひゆ》を加味して説明した。

「署長の右、拒食症の鶏《にわとり》みたいに痩《や》せこけた男が鑑識課長。その隣、パンチ・ドランカーのブルドッグみたいな顔をしてるのは警視庁捜査一課長で、広域少女連続殺害事件特別捜査本部の総責任者でもあらせられる。その隣の腕利きの結婚詐欺師みたいな色男は東京地検の検事殿。そして右端は……見たことのない顔だな」

「犯罪心理分析官殿だよ」下川が言った。「さっき廊下で挨拶された。堀之内とか言ってたな」

「彼がマルサイか。なるほどね」

村木は感心したような声をあげた。下川は村木には何を言っても無駄と承知していて、注意する気もなさそうだった。

「課長はどこに？」磯部は訊ねた。

「いちばん前の席にいるよ」村木が言った。「あれだけ偉いさんがそろえば、課長も平刑事もおんなじ扱いさ」

見ると、上井田警部は磯部たちと同じく聞く側に坐って、資料に目を通していた。後ろ姿からは判然とはしないが、おそらくなんの屈辱も感じず、いつもどおり淡々としているのだろう。警部は頑固な個人主義者だった。

「会議が始まりそうだよ。おしゃべりはおしまい」松元が手にした茶碗を置いて、皆にそう言った。

捜査会議は一課長の話で始まった。普段の捜査会議で慣れているのだろう。いかつい顔立ちに似合わぬ流暢《りゅうちょう》な口調で、今回の女子高校生殺害事件が許しがたい凶悪犯罪であり、一刻も早い解決が望まれること、そのためには本庁と所轄署とが緊密な連携をとり、徹底的な捜査が必要なことを述べた。ハサミ男、あるいは広域連続殺人犯エ十二号の名前は一度も出なかった。

「では、被害者の解剖所見について鑑識課長から」

捜査一課長は話を終えて、腰を下ろした。

鑑識課長が立ち上がり、資料片手に呐々《とつとつ》と話しはじめた。すべて配布された資料に書いてあることだから、わざわざ口頭で説明することはないのだが、これも手続きの一つ、一種の儀礼だった。

被害者の死因は索状物《さくじょうぶつ》で咽喉部《いんこうぶ》を強く圧迫されたことによる窒息死、平たく言えば絞殺だった。凶器は被害者の首に残されたロープ状のビニール紐とほぼ断定された。被害者は絞殺時に若干《じゃっかん》抵抗したようだが、犯人と激しく争った形跡はない。性的暴行の痕跡なし。咽喉部に尖状物《せんじょうぶつ》による刺傷があるが、生体反応なし。死後に突き刺されたものとほぼ断定。凶器は残されたハサミと断定（説明がここまで進んだとき、捜査一課長が小さくため息をついた）。死亡推定時刻は十一月十一日午後八時から八時二十分の間。

鑑識課長の説明が終わると、捜査一課長は基礎捜査の結果発表を進めた。名前を呼ばれた刑事たちが次々と立ち上がり、調べた内容を語った。いずれも捜査一課から出向してきた刑事ばかりだった。磯部たちも彼らとコンビを組んで捜査にあたったのだが、席から立ち上がることはなかった。

被害者は午後七時過ぎに私立葉桜学園高等学校を下校した。このことは友人や教師の証言からはっきりしている。午後七時四十分頃には、東急東横線学芸大学駅近くの書店で目撃されていた。その後の目撃者はまだいない。おそらく彼女はいつもどおり駅から自宅のマンションに徒歩で帰ったと考えられる。帰り道は住宅街なので、夜になるとほとんど人通りがない。そんな人気《ひとけ》のない道を歩いていたとき、西公園付近で犯人と出会い、殺されたと推定された。

「現場と自宅周辺、そして被害者の通う高校の周辺で不審者の目撃情報を当たっておりますが、今のところ、これといった有力情報は得られていません」

捜査一課の刑事がモバイル端末の蓋《ふた》を閉じ、席についた。

一課長は小さくうなずき、隣の検事に目配せした。村木に結婚詐欺師と形容された白皙《はくせき》の検事は、見るからにしぶしぶ口を開いた。

「すでに一部マスコミ報道がなされているが」検事は小さく咳払《せきばら》いをはさんで、「今回の女子高校生殺害事件は広域連続殺人犯エ十二号事件と酷似した点が多数見られる。無論まだ断定されたわけではないが、非常に類似しているため、エ十二号事件との深い関連性を考慮に入れた捜査が必要となるだろう」

「もってまわった言い方だな」村木が小声で言った。しっ、と下川が人差指を唇にあてた。

「そうした類似点ならびに関連性については、ここに同席いただいた科学捜査研究所の堀之内警視正にご説明をお願いする」

検事はそう言って、堀之内を見た。堀之内は机に置いたラップトップ型パソコンを指先で撫で、坐ったまま話しはじめた。

「今回の事件がハサミ男の犯行である可能性は七十五パーセントくらいですね」

単刀直入な言い方だった。検事が眉をひそめて、

「広域連続殺人犯エ十二号だよ」

「その言い方は長ったらしくて、舌を噛みそうです。通称でかまわないでしょう？・」堀之内は微笑して、「では、皆さんにこれまでの経緯をご説明します」

堀之内はパソコンの蓋を開き、キーボードに指を走らせた。

捜査一課長や検事たちの背後に張られた液晶スクリーンが輝き、色あざやかな映像を映し出した。CGで作った首都圏の地図だ。地図の上に三つの赤い点が記されている。

「最初の犯行は平成十四年十月二十一日、今から一年以上前のことです。場所は埼玉県、被害者は高校一年生の少女です。地元の送電塔の敷地内で遺体が発見されました」

堀之内がパソコンを操作すると、スクリーンに遺体の現場写真が表示された。砂利が敷きつめられた地面の上に、薄いブルーのセーターとスカートを着た少女が仰向けに倒れている。レンズの割れた銀縁眼鏡が顔のそばに落ちている。首のまわりにはビニール紐、そしてのどにはハサミが突き立てられていた。

「事件発生時には、被害者に激しく抵抗した形跡が見られないこと、自宅から少し離れた送電塔まで犯人についていったと考えられることから、顔見知りの犯行と推定されました。この推定は無理からぬものです。僕も後に遺体発見現場を見ましたが、見も知らぬ相手に女性がおとなしくついていくような場所ではありません。しかし、捜査は難航し、壁にぶちあた

りました」

堀之内は刑事たちを見渡して、

「僕が捜査に加わったのは事件発生から三ヵ月後のことでした。現場写真と資料を分析した結果、僕はこれが快楽殺人者による犯行と推定しました。推定の一つの根拠は咽喉部の刺傷です」

十本の指がかろやかに動き、液晶スクリーンに遺体ののどが大写しになった。赤黒い傷がいくつも刻み込まれていた。

「ほら、見てください」堀之内は立ち上がってスクリーンに近づき、のどについた無残な傷痕を指さした。「何ヵ所も傷がついている。硬い部分にぶつかってハサミの先端が滑り、裂傷になったところまである。こんなに苦労してまで、犯人は少女の遺体にハサミを突き刺さなければならなかった。それもできるだけ深くね。この行為には通常の意味での目的がない。明らかに何らかの固定観念や無意識の衝動によるものです」

席に戻った堀之内は人差指をこめかみにあて、考え込むようなポーズをとった。

「僕の分析により、埼玉県警は改めて捜査を進めました。以前に性的悪戯《いたずら》で逮捕された者をリスト・アップしたり、現場付近の居住者を一人一人確認したりしたのですが、結局、犯人は見つかりませんでした。進展のないまま半年が過ぎ、次の事件が発生しました。平成十五年三月八日、江戸川区の事件です」

堀之内はパソコンを操作し、第二の被害者の現場写真をスクリーンに映した。

コンクリートで固められた海岸線の一角に、セーラー服を着たショート・ヘアの少女が横たわっている。体を横向きにしているので、顔は見えない。足元が波に打たれ、スニーカーが濡れていた。

「被害者は高校二年生の少女。ビニール紐で絞殺され、首にハサミが突き刺さっていました。注目すべきは、やはりハサミによる刺傷です」

スクリーンに被害者の咽喉部のクロースアップが映った。第一の被害者とは異なり、ハサミの持ち手が突き出しているほかは、首には傷一つなかった。

「犯人は第一の被害者にハサミを突き刺すとき、うまくいかなかったことに懲りたんでしょう。今回は一度で深く突き刺している。どうやって？　ハサミの先端をやすり状のもので尖らせたんです」

磯部は自分が見つけたハサミを思い出して、ぞっとした。堀之内の言うとおり、先端がアイス・ピックのように鋭く尖っていた。

「もう一つ、注目すべき点がありました。絞殺後、被害者の頰が切り裂かれていたことです。首に突き刺す前に、同じハサミで切ったんでしょう」

スクリーンに被害者の顔が映った。進藤が思わず顔をそむけるのが見えた。無理もない。右の頰が半分近く切り裂かれて、強く嚙みしめた奥歯がのぞいていた。磯部も目をつぶりたくなった。

「この事件は第一の事件と同一犯である可能性が大でした。そこで警視庁捜査一課内に特別捜査本部が設置されました。また、マスコミも大きく取り上げ、ハサミ男という通称がついたことは、皆さんもよくご存じでしょう。そして、今回の事件です。先ほども言ったように、ハサミ男の犯行である可能性は現段階で七十五パーセントくらいだと僕は考えています」

堀之内は即興演奏を終えるジャズ・ピアニストのように人差指一本でキーを叩いて、液晶スクリーンを消した。パソコンの蓋を閉じながら、にっこり笑って、

「何かご質問は？」

英語なら「エニイ・クエスチョン？」と言うところだろう。もちろん誰も質問する者はいない。形式的な問いかけとわかっているからだ。

と思ったら、村木が突然「はい」と言って、ひょろ長い手を上げた。磯部も含め、残りの刑事課員は全員びっくりして村木を見つめた。

「何ですか？」堀之内が言った。「お名前は？」

「目黒西署刑事課の村木巡査部長であります」村木は立ち上がり、大真面目《おおまじめ》な顔で質問を始めた。「今のご説明によりますと、最初の事件は一年以上前、次の事件は八ヵ月前に発生したとのことですが、残念ながら未《いま》だに犯人逮捕には至っておりません。これは一体どういう

理由からなのでしょうか。われわれもこれから犯人逮捕に向けて捜査をしていくわけですから、今までの捜査で何が支障となったかを是非ご説明いただければと思います」

「この馬鹿が」下川が心配そうにつぶやいた。それも当然だった。壇上の捜査一課長が露骨に不愉快そうな顔をしていた。

「いいですよ」堀之内はにこにこしたまま答えた。「現在まで犯人逮捕に至っていない理由は二つあります。一つは事件が首都圏の広域に亘《わた》っていることです。これまでの二つの事件に関して、被害者の自宅や現場周辺の徹底的な捜査をおこないましたが、有力な手がかりは得られませんでした。つまり、犯人は被害者の近くには住んでいない。一体どこに潜んでいるのか、どうやって被害者を選んでいるのかは不明です」

堀之内は一息ついて、机の上のコーヒー・カップを口元に持っていった。

「もう一つの理由は、この犯人が恐ろしく慎重かつ周到だからです。現場には犯人に直結する遺留品がまったく残されていません。指紋なし、毛髪なし、性的暴行を加えていないので体液もなし。また、犯人は被害者についてかなり入念な下調べをしていると思われるふしもあります。そして、犯行後は半年ほどじっとなりを潜めている。知能指数が高く、慎重で、何事についても急いだりしない人物です。さらに、ハサミの先端を尖らせたことからもおわかりのとおり、犯人は犯行を通じて『学習』しています」堀之内は真剣な顔つきになって、「こういう快楽殺人者はとても厄介で、しかもきわめて危険です」

「わかったかね」捜査一課長が村木をにらみつけた。

村木は深々と頭を下げ、椅子に坐った。

「なんてこと訊くんだ」下川が机の下で村木の脚を蹴った。

「いちばん訊きたいことを訊いただけさ」

村木は平然としていた。まったく妙な人だ、と磯部はあきれた。冷笑的でいつも超然としているかと思ったら、時おり突拍子もない行動に出る。予測不可能な性格だ。

捜査一課長が今後の捜査方針を説明して、会議は終わった。刑事たちは次々と立ち上がり、自分たちの担当職務に戻っていった。

磯部は席を立ち、ふと壇上を見た。堀之内が捜査一課長に何か話していた。捜査一課長が渋い顔でうなずき、上井田警部を手招きした。何事だろう、と磯部は不審に思った。

磯部が会議室から出ようとしたとき、壇の近くから上井田警部の声がかかった。

「磯部くん、ちょっと来てくれませんか」

振り返ると、上井田警部、捜査一課長、堀之内の三人がそろって磯部を見つめていた。いやな予感がした。

「ほら見ろ。マルサイなんて言うからだ」下川が横を通りすぎながら、小声で言った。「いいか、平身低頭して謝るんだぞ」

堀之内が告げ口したのか？　壇のほうに歩きながら、磯部は考えた。そんな陰険な性格とは思えない。しかし、下川の言うとおり、初対面ではわかるものではなかった。

「彼が磯部巡査です」

上井田警部が捜査一課長に紹介した。敬礼すべきだろうか？　いや、もう遅い。一課長は口を開きかけていた。

「本当にこの者でいいんですか？　見たところ、まだ経験もそんなに積んでなさそうだ。捜査一課の腕利きの刑事のほうが……」

「いや、まだ色に染まっていないところがいいんですよ」堀之内はあいかわらずのにこにこ顔で答えた。「彼が適任です」

一体なんの話だろう、と磯部は堀之内の顔を見つめた。

「磯部巡査、君は堀之内警視正のたっての要望で、彼の下で行動することになった」捜査一課長は渋面のまま、ぶっきらぼうな口調で命じた。「今後は堀之内警視正の命令のもとで捜査を進めてもらいたい」

「僕は皆さんと違って、足を使って捜査するのが苦手でね」堀之内がつけ加えた。「証言を聞いて回ったり、現場を調べたりするのは不得意なんです。あなたには僕の目となり、耳となってもらいたいんですよ」

磯部は驚き、そして興奮した。犯罪心理分析官の捜査を手助けできるとは、思ってもいなかった。どうせ凶器の出所を求めて文房具店めぐりをしたり、現場近くの家を一軒一軒聞き込みに回ることを覚悟していたのだ。

「すると、磯部巡査は単独行動をとることになるわけですね」上井田警部が訊ねた。

「そうなりますね」堀之内は答えた。

「それは困ります。捜査員は二人一組で行動するのが基本です。そのことは警視正もご承知でしょう。単独行動は危険を伴う」

「危険な任務はやらせませんよ」

「殺人事件の捜査に危険でない任務などありません」

と、上井田警部は言った。静かな口調だが、有無を言わさない力がこもっていた。堀之内が少したじろいだほどだ。

「上井田くん、君の言うことは正論だが……」捜査一課長がなだめるように口をはさんだ。

「もちろん刑事課としても堀之内警視正の要望には最大限応えたいと考えています」上井田警部は捜査一課長にうなずきかけて、「しかし、単独行動は困ります。ですから、こうしましょう。磯部巡査にはあなたの命令で動いてもらう。ただし、彼が行動するときは刑事課の人間をパートナーとしてつけさせてもらいます。これならいいでしょう」

堀之内は黙って同意した。

すると、僕だけではなく、刑事課の連中も重要な捜査に参加できるわけだ。課長もいきな計らいをする。磯部は感心して、上井田警部の無表情な横顔を見つめた。

これからのことを思って、磯部の心は躍っていた。

10

十一月十四日の金曜日、わたしは氷室川出版に電話をかけ、休みをとった。一昨日あたりから風邪気味で、今朝になって発熱したと言うと、岡島部長は納得がいったという声になって、

「今年の風邪はたちが悪いらしいからね。お大事に」

礼を言って電話を切り、コーヒーをついだマグカップを持って、丸テーブルに移動した。テーブルの上のリモコンを取って、テレビのスイッチを入れた。

昨日、医師に言われたように、樽宮由紀子を殺した真犯人を探すかどうかは、まだ決めかねていた。そんなことができるはずがない、という気持ちのほうが強かった。

しかし、それはそれとして、今回の事件に関心はあった。

死体が発見されてから四日目、今日あたりからマスコミの報道も充実してくるはずだ。事件が発生した当初は、ヘリコプターが舞い、アナウンサーが興奮してまくしたてる絶叫調の報道。三日目はそこにいくつか脚注が加えられるが、いまだ情報不足のため、いずれも舌足らず。四日目からようやく、報道内容にある程度のまとまりができ、テレビ局ごとに個性が出はじめる。

テレビの液晶画面に、午前中のワイドショーが映し出されていた。画面の右隅に〈ハサミ男の第三の犠牲者?〉という、おどろおどろしい書体のテロップが小さく出ている。横に長い机の中央に司会者の男女、左側はゲスト、右側はレギュラー出演しているコメンテイターという配置だった。

「樽宮由紀子さんの遺体が発見されてから三日が経過しました」

男性司会者がカメラを真正面に見すえて語る。まるで歯痛をこらえているかのような、沈痛な表情。

「まず、今日の捜査状況から伝えてもらいましょう。目黒西署前の山田さん」

「こちら捜査本部が置かれている目黒西署前です」

画面が警察署の前に立つ男性記者に変わり、

「現在、目黒西署では第一回の捜査会議が開かれています。先ほど捜査一課長のコメントがとれました。一課長によれば、今回の樽宮由紀子さん殺害事件と一連のハサミ男事件との関連はまだ明言できない、とのことです。以上、目黒西署前からお伝えしました」

ふたたびスタジオへ。男性司会者がゲストのほうを向き、

「いまお伝えしたように、警察の公式発表はまだですが、これはハサミ男の犯行と見ていいんじゃないでしょうか。いかがですか」

「わたしもそう思いますね」

と、鋭い目つきの初老の評論家が答える。

「警察が慎重になっているのは、模倣《もほう》犯の可能性がつねにあるからですが、信頼できる筋の情報によれば、凶器のハサミの種類も同一のようですから、ほぼ間違いないでしょう」

わたしはリモコンをつかみ、別のチャンネルに切りかえた。

「では、これまでのハサミ男事件の経緯を振り返ってみましょう」

CGでつくられた仮想スタジオ。中央に立った男性アナウンサーの合図で、なにもない空間から四角いスクリーンがすべり出し、VTRが流れはじめる。オーバーラップして、画面全体にVTRが映る。無気味な電子音と、重々しい男声のナレーション。

「最初の事件は昨年の十月二十一日、埼玉県で起こった。その日、地元高校に通う小西美菜さん十六歳は……」

VTRは過去のニュースを再編集したもので、いやというほど何度も見た映像ばかりだった。送電塔の遠景。砂利が敷きつめられた地面を這うようにして調べる鑑識員たち。友達といっしょに写った小西美菜の写真。埼玉県警の会見風景。

過去の事件の回顧がつづき、樽宮由紀子の事件にはなかなか戻りそうになかったので、わたしはチャンネルを変えた。

「現場周辺はようやく落ちつきを取りもどしつつあります」

女性レポーターがマイクをきつく握りしめ、公園の入口前に立っている。

「警察の現場検証は終了しましたが、ごらんのように入口は立入禁止のテープで封鎖されたままです。では、近隣の住民の皆さんの声をお聞きください」

「いやあ、まさかねえ、うちの近くでこんな事件があるなんて、夢にも思ってなかったから。ほら、前の事件は、埼玉かどっかだったでしょ？　だから、ハサミ男がねえ、こんなところでねえ、まったく恐ろし」

化粧の濃い主婦の下手なしゃべりに耐えかねて、わたしはチャンネルを切りかえた。

「二子山《ふたごやま》部屋に貴乃花《たかのはな》と若乃花《わかのはな》、東関《あずまぜき》部屋に曙《あけぼの》がいて、この三力士は彼ら以外の力士には必ず勝ち、互いに対戦したとき勝敗は五分五分だとするね」

丸い眼鏡をかけた数学教師がホワイトボードの前で説明する。

「この場合、貴乃花あるいは若乃花が優勝する確率はそれぞれ8分の3、曙が優勝する確率は4分の1、つまり貴乃花と若乃花のほうが曙より1・5倍有利になる。二子山部屋と東関部屋のどちらから優勝力士が出るかで考えると、二子山部屋のほうが3倍有利ということだね」

チャンネルは民放の朝のワイドショーを横断して、教育テレビに侵入してしまった。わたしはテレビを消した。

医師の言うとおりだ。マグカップのコーヒーをすすりながら、わたしは思った。無理もないことだが、マスコミは頭からハサミ男の犯行と決めつけていた。

だが、警察はどうだろう。捜査一課長はハサミ男の犯行だと明言していない、と警察署前の記者は報告していたし、初老の評論家も模倣犯の可能性を指摘していた。警察はそれほど愚かではないだろう。わざわざ危険をおかして、真犯人を探す必要はない。

だが、わたしはすぐに思いなおした。初老の評論家は、こうも言っていた。凶器のハサミが同一種類のようだから、ハサミ男の犯行と見て、ほぼ間違いないだろう、と。あの、いつもにこりともせずに話す男は、確か、元警察官か元検事のはずだ。彼がそう考えるのなら、警察も同様の推定をくだすのではないだろうか。

待てよ。わたしは冷めかけたコーヒーをもうひと口飲み、思考をめぐらせた。真犯人はいったいどこでハサミの種類を知ったのだろう。もちろん特殊なハサミではない。氷室川出版の備品であるステンレススチール製のハサミは、都内のどの文房具店でも、簡単に入手できる品物だった。しかし、真犯人はどうやって、そのありふれたハサミの種類を特定できたのか。

これは真犯人を探り出すうえで、有力な手がかりになるのではないだろうか。

そこまで考えたところで、リモコンを手にとり、ふたたびテレビを点けた。数学教師が講義をつづけていた。

「では、応用問題。二子山部屋にm人の力士がおり、佐渡ケ嶽《さどがたけ》部屋にn人の力士がいて、mはnより大きいとする。これらの力士は他の部屋の力士には必ず勝ち、互いに対戦したときの勝敗は五分五分とする。このとき、それぞれの部屋から優勝力士が出る確率を求めよ。これはちょっと難しいね」

難しい数学の問題は大嫌いなので、即座にチャンネルを変えた。

切りかわった画面を見て、わたしはがっかりした。〈これまでの事件で使用された凶器〉というテロップとともに、わたしがいつも使っているのと同じハサミが大写しになったからだ。男性司会者の声がかぶさって、

「このハサミが被害者ののどに突き刺さっていたわけです。まったく残忍で、恐ろしい犯行です」

ニュースかワイドショーを録画し、一時停止して画面を確認すれば、誰でもハサミの種類は特定できる。有力な手がかりなどではなかった。

わたしは探偵には向いていない、と痛感しながら、リモコンを操作した。

「今週の〈知ってるつもり!?〉は〈男たちの知らない女――ジェイムズ・ティプトリー・ジュニア〉」

まだCM中だった。チャンネルを切りかえた。

「いま被害者の樽宮由紀子さんが自宅に悲しい無言の帰宅をされました」

見慣れたデゼール碑文谷の正面玄関が映った。悲しげな表情の女性レポーターの背後にワゴン車が停まり、黒いスーツを着た数人の男性が白木の棺《ひつぎ》を運び出していた。

樽宮由紀子の遺体が司法解剖を終えて帰ってきたのだ。

「今夜、家族と親戚の方だけで通夜がいとなまれ、明日土曜日に葬儀と告別式がおこなわれる予定です。告別式には由紀子さんの通っていた葉桜高校の先生や生徒さんたちも参列する予定で……」

樽宮由紀子を入れた棺は、いちばん前を持つ額《ひたい》の禿《は》げあがった中年男の指示のもと、デゼール碑文谷の自動ドアを抜けて、なかに入っていった。樽宮一弘の姿は見あたらなかった。

「ご両親はこの事件に激しいショックを受けられ、われわれ報道陣の取材に応じることもなく……」

たぶん、一弘とし恵はマンションにひきこもって、いっさい姿をあらわしていないのだろう。禿鷹《はげたか》のようなレポーターどもは、オートロックが締め出してくれる。わたしは心のなかで、あのメタリックな電子門番にエールを送った。

告別式が明日の何時から、どこで開かれるかは報道されなかった。関係のない野次馬が集まらないように、との配慮からと思われた。

いったいどうやって時間と場所を調べればいいだろうか。

わたしはテレビを消した。朝から何も食べていないので、空腹だった。

どうやら医師の思惑どおり、樽宮由紀子の告別式に出かけることになりそうだ。キッチンに立ち、冷蔵庫から出した卵をボウルに割り入れながら、わたしはそう思った。そんなことをして、怪しまれないだろうか。

菜箸《さいばし》で卵をかき混ぜながら考えた末、出た結論は、問題はない、というものだった。遺体の第一発見者が被害者を弔《とむら》いたいと思うのは、むしろ自然な感情といっていい。

オムレツは例によって大失敗し、スクランブルエッグに化けた。焼きあがったトーストといっしょに、皿を丸テーブルに運び、入れなおした温かいコーヒーをそえて、遅い朝食、あるいは早い昼食のできあがり。

食べ終えて、皿を洗い、マグカップに三杯目のコーヒーをついだときには、正午が近づいていた。

わたしはテレビを点けた。

まもなく、正午のニュースが始まった。トップニュースは光ファイバー汚職疑惑の新展開で、総務省官僚の顔写真が大きく映しだされた。ハサミ男事件は二番目の扱いだった。ワイドショーのいわゆる独自入手情報はともかく、ニュースとして報道するに足る新しい情報はさほどないようだ。樽宮由紀子の棺が搬入される光景が、別の角度から放映されていた。

ハサミ男関連のニュースが終わると、わたしは民放局に切りかえた。

金色の髪を逆だて、鋲《びょう》のとびでた革ジャンを着た若者が、ギターをかき鳴らしながら、スタンドマイクに嚙みつきそうな勢いで歌っている。

歌詞には聞きおぼえがあった。植木等《うえきひとし》の〈スーダラ節〉だ。しかし、メロディがちがっていた。生放送の観客が大笑いしているところをみると、コミックバンドが替え歌を歌っているらしいのだが、メロディのほうの元歌を知らないので、どこがおもしろいのかわからなかった。わたしはチャンネルを変えた。

「ここでウスターソースを少々加えるのがコツなんですよ。日本料理にウスターソースというと、驚かれる方もいるでしょうが」

この時間帯、民放はどこも昼のバラエティ番組ばかりだ。

わたしはテレビを消した。

奥の本棚に行き、本のページのあいだに隠しておいた、樽宮由紀子の入会申込用紙のコピーを持ってきた。電話機に向かい、用紙に書かれた電話番号をプッシュする。

「はい?」

受話器の向こうから、疲れきった女性の声が返ってきた。おそらく母親のとし恵だろう。

わたしは氷室川出版が主催する添削式通信教育の名前を出し、

「入会いただいている生徒さんが、こんな悲劇的な事件に巻き込まれて、わたくしどもも大変ショックを受けております」

嘘だった。千人単位の会員をかかえているのだから、たとえ殺人事件の被害者であっても、それが自分のところの会員と気づく人間はいない。突然、退会したい旨の手紙が届くことも日常茶飯事だし、娘は殺されたので、と理由を書いてよこす両親はいなかった。樽宮由紀子についても、氷室川出版の社員に気づかれる心配はないだろう。

「ぜひお嬢さまの告別式に出席させていただきたいのですが、どこでいとなまれるのでしょうか」

「アフターケアも万全なのね」

乾いた、いやな響きの笑い声がつづいた。お嬢さまの告別式、という言葉を否定しなかったから、樽宮とし恵に間違いない。

「明日、午後二時から、場所は春藤斎場《しゅんどうさいじょう》よ」

とし恵は斎場の住所と電話番号を教えた。わたしはメモをとり、月並なお悔やみの言葉とともに電話を切った。

床に置きっぱなしのショルダーバッグから東京二十三区地図を取りだし、メモした住所と見比べながら、春藤斎場の場所を確かめた。デゼール碑文谷から東に数キロメートル離れたところだった。最寄りの駅はやはり学芸大学だろう。

午後二時からということは、昼に氷室川出版を出ればいい。明日は土曜日で、まだ十五日だから、午前中で退社することは十分可能だった。

第三章

「僕が君を選んだのはね」捜査会議後、二人きりになったとき、堀之内は磯部に親しげにそう話しかけてきたものだ。「君が気軽に握手に応じてくれたからだよ。直立不動で敬礼されたり、警視正殿と呼ばれるのには飽き飽きしてるんだ。これから僕のことは堀之内さんと呼んでくれ。僕も磯部くんと呼ぶから」

「わかりました」

「君に携帯の電話番号を教えておくよ。何かわかったこと、気がついたことがあったら、夜中でもいいから連絡してくれ」

「はい」磯部は名刺の裏に書かれたメモを受け取った。これは信頼してくれている証拠だ。

「それから……」

「なんですか、堀之内さん」磯部は笑顔で答えた。

「そのスーツ、なんとかならないかい？　かなりみっともないよ。もうちょっとましな服、持ってないのか？」

これで明日から本当の私服を着て来られるわけだ、と磯部は思った。なにしろ警視正殿の命令だから、一介の巡査が逆らうわけにはいかない。

捜査会議が終わった十四日の午後、磯部と堀之内は目黒西署二階の小会議室にいた。堀之内のオフィスとして提供された部屋だった。いつもは所轄の刑事たちが簡単な打ち合わせをするためのスペースだったが、今は机の上にデスクトップ型のパーソナル・コンピュータとインクジェット式のカラー・プリンタが置かれている。堀之内が持ち込んだ最新の機器だった。

堀之内はパソコンの前に坐り、目の前の松元《まつもと》の話に聞き入っていた。磯部は松元の隣に腰を下ろしていた。

「被害者の名前は樽宮由紀子。年齢は十六歳。私立葉桜学園高校の二年生です」

松元は手帳を見ながら、のんびりした口調で説明した。

ごま塩頭で、地黒の顔の目尻には無数のしわが刻まれている。刑事というより年期の入った漁師のような容貌だった。この人の良さそうな顔だちと口調に被疑者はだまされる。松元は尋問のプロフェッショナルだった。

「このあたりでは有名な高校ですね」堀之内が顎に手をあてた格好で言った。

「ええ。お坊ちゃん、お嬢ちゃんが通う学校ですな。遠距離通学してる子もたくさんいます」

「被害者はどうなのかな。遠距離通学だった？」

「いえ、学芸大学駅からでは遠距離とは言えませんね」

「わかりました。じゃあ、被害者の十一日の行動について教えてくれますか」

「お話しできることはさほどありませんね」松元は手帳のページを繰った。「被害者は午後七時過ぎに学校を出ました。岩左《いわさ》という教師とクラスメートの数人が証言しています」

「岩左というのは体育教師ですね、確か」堀之内は手元の報告書を見もせずに、そう訊いた。

「そうです」

松元は驚いたように言った。堀之内は捜査会議で配られた資料をすっかり頭に入れているらしい。磯部は感心した。

「被害者の体育の授業を担当していたんですか」

「そうではないようです」

「それなら、なぜ被害者がその時刻に下校したと証言できたのかな」

堀之内は人差指でこめかみをつついた。どうやら考えるときの癖らしい。

「千人近い生徒がいるんでしょう。全員の顔を知っているわけがない」

「美人の顔は覚えてますよ。被害者は学校でも、その、有名だったようですからね」松元はなぜか奥歯にものがはさまったような言い方をした。「三十五歳の独身男なら、なおさらでしょうね」

「なるほど。続けてください」

「学校を出た後、被害者はいつもどおり徒歩で駅に向かったようです。この間の目撃者はいません。次に目撃されたのは、午後七時四十分、学芸大学駅前です。被害者が立ち寄った書店の店員の証言です」

「学校から学芸大学駅まで四十分というのは、普通なんですか」

「まあ、普通でしょうね。そのくらいかかると思います」

「店員はほかに何か証言していますか」

「特にないですね。報告書に書いてあるとおりですよ」

松元が試すように上目づかいで堀之内を見た。

「彼女はまっすぐ目黒通りのほうに歩いていった、ですか」

堀之内は見事に暗唱してみせた。松元さんの負けだな、と磯部は思った。

「そうです」松元は悔しそうな表情も見せず、淡々と答えた。

「その後の目撃情報は？」

「ありません。次に発見されたときはすでに遺体でした」

「わかりました。では、遺体発見時の状況を教えてください」堀之内は磯部のほうを向いて、「君も初動捜査に参加していたんだよね、磯部くん」

「はい、堀之内さん」

と、磯部は答えた。松元が目を丸くして、磯部の顔を見つめていた。しかたがないさ、と磯部は心の中でつぶやいた。これも警視正殿のご命令なんだから。

「遺体が発見されたのは午後九時四十分頃、場所は鷹番西公園です」松元が説明を始めた。

「被害者の通学路の途中にある小さな公園です。死亡推定時刻は午後八時から八時二十分ですから、学芸大学から帰宅途中に犯人と出会い、殺されたと推定していいと思われます」

「その公園はどういう場所ですか。人目につきにくい？」

「特に人目につきにくい場所とは言えませんね。昼間は近所の子供が遊ぶ公園です。ただ、夜はほとんど人通りがないし、公園の中はかなり暗くなります」

磯部は現場に赴いた夜のことを思い出した。そう、公園内には街灯は一本しか立っていなかった。それも古ぼけた薄暗い街灯で、照明灯を設置しなければ、現場検証もままならなかった。遺体が発見された茂みのあたりは、殺人者が潜んでいても不思議ではない暗闇に包まれていただろう。

「遺体の状況はどうでしたか」堀之内が訊ねた。

「詳しいことは鑑識課に訊いてください」松元の返事はそっけなかった。

「いえ、僕はあなたの印象をおうかがいしたいんですよ」堀之内は松元の顔をまっすぐ見つめて、「ベテランの刑事さんの勘というかな」

「私の印象ですか？」松元は手帳を閉じて首をひねった。「被害者の着衣が乱れていないのが不思議でしたな」

「なぜ？」

「私も何回か女性を狙った通り魔殺人の捜査を経験しましたが、たいてい目的は強姦ですよ。実際に強姦しないにしても、女性の体に触れたり、服を脱がしたりはするもんです」

松元は天井を見上げながら、そう言った。遺体の姿を思い出しているようだった。

「ところが、あの娘さんの制服はまったくいじられた形跡がない。不思議でしたな」

「そう、それがハサミ男事件の特徴の一つです」堀之内は言った。「これまでの二件も同様でした。性的暴行は一切加えられていない。まるで犯人は被害者の肉体にはまるで興味がないみたいだ。もっと別の何かを求めて殺人を繰り返しているような気さえする……」

「あとはハサミがもう一丁見つかったことですかね」松元がぽつりとつけ加えた。

「それも重要な点ですね」堀之内は体を乗り出して、「僕も非常に興味をそそられています。見つけたのは磯部くんだったね？」

「ええ」

磯部はもう一丁のハサミを発見した状況を簡単に説明した。

「ハサミが二丁見つかったのは、今回が初めてです」堀之内は二人の顔をかわるがわる見て、「このことには何か重要な意味が隠されているような気がします。とても重要な意味がね」

堀之内はこめかみに人差指をあてがって、しばらく考え込んでいた。やがて磯部のほうを向くと、笑顔になって、

「磯部くん、これまでの話で何か気になる点はあるかな」

「ええと」不意を突かれて、磯部はあわてた。「被害者は午後七時に学校を出たということですが、これはちょっと遅すぎるんじゃないでしょうか？　何か理由が……」

「部活動で遅くなったんだよ」松元がにやにやしながら答えた。「報告書に書いてあっただろう？」

「そう、弓道部の練習で遅くなった」

堀之内がまたもや暗唱した。

松元はあきれたような顔つきで堀之内を見た。報告書の隅々まで暗記しているのなら、何も口頭で説明させることはないだろう、と内心ぼやいているに違いない。

「そうですか。部活動ね」磯部はあっさり引き下がった。頬が赤くなっていなければいいが。

「では、僕から気になる点をお訊きしましょう」堀之内が松元に言った。「あなたは被害者

が学校では有名だったとおっしゃいましたね。具体的にはどういう意味ですか」

松元は明らかに返事をためらっていた。

「事件とは直接関係ないと思いますがね」松元はようやく口を開いた。「教師やクラスメートから話を聞くかぎり、被害者はかなり変わった娘さんだったようですね」

「変わった？　どういうふうに？」

「男性関係ですよ、具体的には。非常に多くの男性と交際していて、そのほとんどが肉体関係を伴っていたようです」

「そんなの別に変わってるとは言えないでしょう」

磯部が口をはさんだ。松元は古くさい考え方に縛られているように思えた。確かに奔放な男性遍歴のありそうな子には見えなかったが、彼女も現代の若者の一人なのだ。

「今どきの女の子ならそのくらい普通じゃ……」

「いや、ただの男遊びなら私もそうは言わんよ」松元は磯部に目をやって、「それに変わった子だと言っていたのは、被害者のクラスメートの今どきの女の子たちだ」

「もしかして売春ですか」堀之内が訊いた。

「売春も普通の男性関係だと言うでしょうな、あの子たちなら」松元はかすかに笑った。

「もっと複雑というか、実は私にもよくわからないんですよ。証言した人たちも理解できないようだった。だから、変わった子だと言うんでしょうな」

「よくわからないな」堀之内が首をかしげた。

「私が聞いたかぎりでは、こうです」

松元は一言ずつ嚙みしめるように言った。

「被害者は数多くの男性とつきあっていて、肉体関係を結んでいた。しかし、彼らに愛情を持っていたわけでもないいし、彼らの愛情を求めていたわけでもないし、セックスが好きだったのでもないし、金銭的な援助を得ていたのでもない。では一体なぜ男たちと交際しているのか、まったくわからないというんですよ」

「自分自身を汚したい、破壊したいという無意識の欲動かな」堀之内は犯罪心理分析官らしい解釈を加えた。

「難しいことは私にはわかりませんがね」松元は少しだけ皮肉を込めて、「ただ、被害者の近くにいた人たちはそうした彼女の行動を理解できなかった。あれだけの美人なのに、どうして手当たり次第に男とつきあうのか。ちょっと無気味に思われていたようです。特に彼女を嫌う人間には、ね」

「わからないもんですね」堀之内は机の上の現場写真を手にとって、悲しげな声で言った。

「写真で見るかぎり、こんなおとなしく清純そうな娘さんなのに」

「外見だけでは判断できませんよ」

「解剖所見も一応読んだんですが、その、それだけ男性とつきあっていたということは、体のほうも……」

　堀之内が恥ずかしそうに口ごもるのを見て、松元は笑顔になった。

「妊娠してたとか、性病にかかっていたかどうかですか？　それはありませんね。解剖所見を見ても、健康そのものですよ。クラスメートも言っていました。彼女は用心深かったってね」

「そうですか」堀之内は現場写真を机にほうって、「非常によくわかりました。ありがとうございます」

　松元に頭を下げると、磯部のほうを向いて、

「磯部くん、ダーク・スーツは持っているよね？」

「え？　あ、はい、持ってます」

「明日着て来てくれないか」

「黒のスーツをですか？」

　堀之内はフォーマル・ウェアが好みなのだろうか、と磯部はいぶかしく思った。本人の服装を見ると、とてもそうは思えない。

「そう。明日、被害者の告別式があるはずだから、出席してほしいんだ」

「被害者の告別式……はい、わかりました。で、何を捜査すればいいんでしょうか」

「捜査というより観察だね。できるだけいろいろな点に注意を払って、気づいたこと、不審

に思ったことなどはすべて報告してください。君が感じとったことをそのまま伝えてくれればいい」

「わかりました」

なるほど、それが堀之内の目となり耳となるということか、と磯部は思った。五感を最大限に働かせて、情報を収集する。その情報をもとに、堀之内がハサミ男を追いつめるわけだ。

「誰をつけますか」と、松元が静かに訊いた。

「なんですって?」堀之内が訊き返した。

「磯部巡査が捜査に出るときは刑事課の人間を一人つけるんでしょう? 課長からそう聞いていますが」

「ああ、その件ね」堀之内は少し不愉快そうな顔になったが、すぐに笑顔に戻って、「それは上井田警部殿にお任せしますよ。そちらでお好きなように決めていただいて結構です」

「では、課長にそう伝えます」松元は立ち上がり、磯部の肩を叩いた。「おい、行くぞ」

松元と磯部は小会議室を出て、刑事課へ向かった。

廊下を数歩行ったところで、松元は大きく背伸びをして、

「煙草《たばこ》が吸いたくてしかたなかったよ」

とぼやいた。磯部は笑った。小会議室での二十分間は、たぶん松元の最長禁煙記録だろ

う。

「吸ってもよかったんじゃないですか。堀之内さんはそういうのを気にする人じゃないと思いますよ」

「堀之内さん、磯部くんか」松元は苦笑して、「びっくりしたぞ、まったく」

「向こうからそう呼べと言われたんです」磯部はあわてて説明した。「感覚がアメリカ流なんですよ、きっと」

「アメリカ流ねえ。まあ、たぶんそうなんだろうな」松元は首を振って、「葬式くらい自分で行けばいいのに、それもアメリカ流なのかね」

「堀之内さんは考えるのが仕事なんです。出歩くのは僕の担当」磯部は好きなミステリを思い出して、「いわば彼はネロ・ウルフ、僕はアーチー・グッドウィンの役回りですよ」

「なんだそりゃ？」

松元は時代小説しか読まなかった。

二人は刑事課に着いた。電子機器以外は何もなかった小会議室とは正反対に、刑事課室は雑然としていた。塗装が剝げかけたデスクが並び、資料や写真が高々と積み重なっている。部屋の壁際に立っているのは液晶スクリーンではなく、昔ながらのホワイトボードだった。部屋の片隅には一応パソコンも置いてあったが、使うのはもっぱら進藤だけで、松元や下川は近づきさえしなかった。

刑事課には上井田警部と村木が残っていた。残りの二人はおそらく聞き込みに出かけているのだろう。

松元は自分のデスクに腰を据えると、煙草に火を点けた。

「またか」村木があてつけがましくファイルで煙をあおいだ。「よっぽど俺たちを肺癌で殺したいらしいね」

「デカ部屋で煙草が吸えなくなったら、私は刑事を辞めるよ」

これが恒例の儀式だった。松元は涼しい顔で煙草をふかしながら、デスクの上の報告書を手にして、熱心に読みはじめた。

磯部は上井田警部のデスクに行って、堀之内から受けた命令を伝えた。

「そうですか」上井田警部は少し考えて、「村木さん」

「はい」村木が立ち上がり、近づいてきた。「なんですか、課長?」

「明日、磯部くんが堀之内警視正の命令で被害者の告別式に出かけます。あなたに磯部くんのパートナーとして行ってもらいたいのですが、いいですか」

「いいですよ。文房具屋を回らずにすむなら、磯部のお守りでもなんでもします」

と、村木は笑った。磯部は少し憤慨した。

「告別式は午後二時から目黒区の春藤斎場で取りおこなわれます」上井田警部は手元のメモを見て、「だから、午前中は聞き込みに回れますよ」

村木はうんざりした顔になった。

「はい、はい、わかってますよ、課長。真面目に聞き込みもやります」

「あなたが真面目な捜査員であることは私がいちばんよく知っています」上井田警部は静かに答えた。

その瞬間、磯部は信じられない光景を目撃した。

刑事課随一の皮肉屋が耳を真っ赤にして照れていた。

11

午後二時、午後のワイドショーが始まる時刻になった。わたしはふたたびテレビを点けた。

画面にあらわれたのは、長い机に横一列に腰を下ろした出演者たちだった。中央に司会者の男女、両側にゲストとレギュラー出演者。午前中見たのと大差ない光景だった。どのテレビ局でも、ワイドショーといえば、この構図だ。なかには出演者が縦一列に並ぶ番組もあっていいのではないだろうか。

「目黒区に住む十六歳の高校生、樽宮由紀子さんが遺体で発見されてから、今日で三日が経過しました」

丸顔の仁王様のような顔をした男性司会者が、カメラに向かって語りかける。

「まず、本日の捜査状況を聞いてみましょう。目黒西署前の山田さん」

「こちら捜査本部が置かれている目黒西署前です」

この男性記者は一日じゅう警察署の前にいるのだろうか。放送がないときは情報を得るために刑事につきまとい、昼食はロケバスのなかでテレビ局の弁当を食べる。ご苦労なことだ。

「午前中に第一回の捜査会議が開かれたあと、捜査員は現場周辺の聞き込みに出かけました。今朝、捜査一課長のコメントがとれましたので、ご紹介します。今回の事件がハサミ男の犯行であるかどうかは、まだ明言できない。捜査一課長はそうコメントしています。以上、目黒西署前でした」

「まだ明言はできないとのことですが、これはもう、ハサミ男の犯行と見ていいでしょうね。いかがですか」

「間違いないと思いますね」

分厚い銀縁眼鏡をかけたゲストが答える。

「この手の快楽殺人者は同じ犯行を何度も繰り返すものです。今回も、絞殺したあと、のどにハサミを突き刺すという同じ手口ですし、ハサミも同一種類と言われていますから、まず同一人物の犯行と見ていいと思います」

人物が違うだけで、まるで午前中の放送の録画を見ているようだった。この調子で、まったく同じことが繰り返されるのだろうか。それなら、わざわざ見る必要はない。

「本日はさまざまな分野の専門家にお集まりいただき、過去の二つの事件も含めて分析して、ハサミ男の人間像に鋭く迫りたいと思います」

司会者がカメラを見すえる。画面中央に大きくテロップ。

〈専門家が徹底分析！　ハサミ男の心の暗闇に迫る〉

つづいて、男性司会者がゲストを紹介したが、ひとりも知っている名前がなかった。犯罪心理学者がふたり、ノンフィクション作家、ルポライター、小説家、という布陣だった。

まず、分厚い銀縁眼鏡をかけた犯罪心理学者が話しはじめる。

「先ほども言いましたが、この犯人は典型的な快楽殺人者でしょうね。つまり、少女を絞殺し、のどにハサミを突き刺すことが、犯人にとって最も性的快感を得られる行為なのです。この快楽を求めて、犯人は殺人を繰り返すわけです……」

ハサミ男が少女の背後から襲いかかり、ビニール紐で首をきつく絞めあげる。少女の顔が歪み、ゲボ、とのどの奥から低いうめき声が漏れる。「イヒヒヒ、おれはこうやって少女を絞め殺すのがいちばん気持ちいいんだよ」少女ががくっと頭を垂れ、地面に倒れる。ハサミ男はあおむけになった少女に馬乗りになり、両手でハサミを突きたてる。「イヒヒヒ、こうやって少女にハサミを突き刺すのも気持ちいいんだよ」

性的快感。わたしは性的快感を感じているのだろうか。いったいぜんたい、快感とはなんだろう。

少なくとも、わたしは小西美菜や松原雅世や樽宮由紀子の肉体に興味を持ったことはなかった。なにしろ、調査を始めるまでは、彼女たちの顔も知らなかったのだから。わたしが魅《ひ》かれたのは、彼女たちの成績だった。

「犯人はおそらく性的不能者でしょうね」

白髪まじりの頬ひげをはやした、もうひとりの犯罪心理学者が語る。

「犯人はこれら三人の犠牲者のいずれにも性的暴行を加えていないといわれています。この事実は性的不能を強く示唆しているとわたしは考えます。すなわち、ハサミを突き刺すことは性行為の代償なんですね」

ここで机の上に用意してあったハサミを取りあげる。カメラにこれみよがしにかざしながら、

「ごらんください。ハサミは男性の生殖器を象徴しています。刃の部分がペニス、丸くなった持ち手がホーデン、つまり睾丸《こうがん》ですね。ハサミを突き刺すこと、これは明らかにレイプ行為を象徴しているわけですよ……」

ハサミ男が背中を向けて坐り、なさけない声をあげている。「勃《た》たない。勃たないんだよお。どうやっても勃たないんだよお」立ちあがり、こちらを向くと、ブリーフの前の合わせ目からハサミの刃先が飛びだしている。「やっと勃ったあ」

これではは医師が心理学者を馬鹿にするのも無理はない、とわたしはあきれた。

司会者の横で、アシスタントの女性アナウンサーが見るからに不快そうな顔をしていた。あたしは昼間から男性生殖器の名称を聞くためにテレビ局に入社したんじゃない、と表情が主張していた。

「いや、性的暴行がなかったというのは、一部マスコミが伝えているだけでしょう」

長髪のルポライターが横から口をはさむ。

「信頼できる筋の情報では、今回の事件でも、ある種の性的暴行が加えられていたとのことです。性的不能者と断定するのは、まだ時期尚早ですよ……」

「おわびして訂正します」ハサミ男が頭を下げる。「おれはちゃんと勃起するみたいです」見ると、確かにブリーフの前がもっこりふくらんでいる。

出演者全員が、しばらく黙り込んだ。たぶん、ある種の性的暴行とは何かについて、想像をめぐらせているのだろう。それがどういう行為を指すのか、わたしもぜひ知りたかった。

「確実なのは、犯人がサディスティックな嗜《し》好《こう》の持ち主だということですね」

犯罪心理学者から話を横どりして、ルポライターがつづける。

「今年三月の江戸川区の事件で、被害者の頬がハサミで切り裂かれていたことを思い出してください。こんなことは通常の神経ではできない。きわめて嗜虐的な性格を示唆しています」

ハサミ男が右手に持ったハサミをふるい、松原雅世の頬を切っている。「チョキ、チョキ、チョキ。ああ、女の子の悲鳴を聞くのは楽しいなあ。女の子の血を見るのは楽しいなあ」松原雅世の頬はずたずたに切りきざまれ、すだれのようになる。おびただしい血が流れる。

ばかばかしい。わたしが松原雅世の頬を切ったのは、彼女の舌を見てみたかったからだ。感想カードに書いてあった、英語を話すのが好きだという舌がどんなものなのか、確かめたかったのだ。

最初、口をこじあけようと思ったのだが、うまくいかなかった。それで、しかたなく、頬をハサミで切り開いた。べつにサディスティックな欲望からではなく、目的があったから、そうしたまでのことだ。

それに第一、彼女はすでに死んでいたのだから、頬を切っても苦痛を感じるわけがない。頬を半分近く切り開いたのだが、結局、彼女の舌を見ることはできなかった。彼女はあまりにも強く歯をくいしばっていた。

「海外の快楽殺人との関連については、いかがでしょう」

司会者にそううながされて、楕円形のサングラスをかけたノンフィクション作家が口を開く。

「かなり影響を受けてるでしょうね。数年前からシリアル・キラーに関するノンフィクションが多数出版されていますから、犯人が参考にしたとしても、ぼくは驚かない。ぼくの本を読んでたりしたら、いやだなあ」

ハサミ男が目を輝かせ、ハードカバーの書物を差し出す。「おれ、あんたのナンバーワンのファンなんだ。サインしてくれよ!」ノンフィクション作家は自著の見返しにサインする。その後、テッド・バンディ、エド・ガイン、切り裂きジャックの話題で大いに盛りあがる。

「あなた、そんな本を書いて、殺人者に影響を与えたかもしれないことに、責任を感じないんですか」

銀縁眼鏡の犯罪心理学者が、不快感をあらわにした表情で、ノンフィクション作家につめよる。商売敵どうしの確執。ノンフィクション作家は軽く肩をすくめて、

「責任と言われてもねえ。読者が求めているから、本が出版されるわけで。それに、ぼくの本はシリアル・キラーを礼賛してるんじゃなくて、警鐘を発してるんですよ。世紀末以降、最大の社会病理である無動機殺人への警鐘です。ここ数年の社会の変化によって、人々の心は深く病み、無意識の暗闇のなかに恐ろしい怪物を生み出してしまった。それは、ぼくも、そしてあなたも例外ではない。ぼくらの心のなかにも、多かれ少なかれ、ハサミ男が存在しているんだ」

スタンドマイクをはさんで、ハサミ男Aがハサミ男Bに話しかける。「自分、おれの心のなかの怪物なんか?」「自分こそわしの心のなかの怪物やで」「嘘つけ」「なんやと」「このドアホ」殴りあいになる。

暗闇。怪物。わたしの心のなかに暗闇や怪物は存在しているだろうか。わたしは目をつぶり、探ってみた。

何もない。

わたしの内側は、からっぽだ。

そして、わたしの外側も、からっぽだった。

ふたつの異なるからっぽがある。その境目がわたしだった。

「小説家の立場からは、いかがですか。この事件について、どういう感想をお持ちでしょうか」

「謎解きミステリとしては、あまりに単純な事件なので」

年のわりにふけた顔つきの推理小説家は苦笑して、

「たいした感想はありませんね。ただ、ぼくもこの犯人の内面には関心があります。こんな残酷な殺人を犯す動機というか、いったいどういう心理が犯人をつき動かしているのか、こんな言い方はちょっと不謹慎かもしれませんが、小説家のひとりとして、たいへん興味を感じています。シリアル・キラーという社会的にきわめて逸脱した存在と、その内なる狂気を描くことは、ミステリのジャンルだけでなく、現代の小説の重要なテーマだと思うからです」

不思議な気持ちになった。彼らはわたしのことをもっと知りたい、わたしの内面や心理を知りたい、と願っているように見えた。

わたしはわたし自身について、興味も関心もまったく持っていないというのに。

殺された少女たちのコーラスと踊り。「おお、聞かせておくれよハサミ男のことを」「なにもかも話してハサミ男のことを」「ね、ハサミ男を知ってるでしょ?」「ええ、もちろん、あ

たしたちはみんなハサミ男のことを知ってるわ」「なにもかも話して」「いま話して」「聞いたら死んじゃうわよ」歌に合わせて体を動かすと、首から飛び出たハサミがゆれ動く。

わたしはリモコンを握り、チャンネルを切りかえた。

原色の絵の具で人物の顔を抽象的に描いたイラストが、大きく映し出された。どうやらCDのジャケットらしい。重々しい声のナレーションが聞こえてきた。

「イギリスのロックバンド、XTCの〈シザー・マン〉はハサミを持って少年たちを襲う怪人物のことを歌っている。このことは、果たしてたんなる偶然なのだろうか」

ファンの皆さん、お待たせしました！　いよいよXTC来日コンサートの開演です。ステージにはスモークがたかれ、けばけばしい色彩のバリライトが光る。中央に、薄くなった髪を無理やり逆だて、フォックス眼鏡をあみだにかけたアンディ。その隣に、電気ドリルでエレキベースを弾きまくるコリン。ギターのデイブ、ドラムのテリー、キーボードのバリーはとっくの昔に脱退していたので、演奏しているのはプロレスラーのような覆面をつけた謎のミュージシャンだ。アンディが叫ぶ。「みんな、ノッてるかい！」熱狂して総立ちになった聴衆の真ん中に、夢中でヘッドバンギングするハサミ男の姿が見える。「じゃあ、おれたちのイカしたロックンロールナンバーを聴いてくれ。曲は〈コンプリケイティッド・ゲーム〉！」

I ask myself should I put my finger
　to the left, no
I ask myself should I put my finger
　to the right, no
I say it really doesn't matter
　where I put my finger
Someone else will come along and move it
And it's always been the same
It's just a complicated game
It's just a complicated game

わたしは自問する、指を左に置くべきだろうか。いや。
わたしは自問する、指を右に置くべきだろうか。いや。
どちらでもかまわない、
どちらに指を置いたところで、
誰かがやってきて動かすのだから、
結局は同じこと。

これはただの複雑な遊び。

ただの複雑な遊びなんだ。

「あの、XTCというのは、そういうバンドじゃないんですよ。彼らの音楽は、いかにもイギリスらしい、知的でひねくれたポップミュージックですから」

音楽評論家が困りはてた表情でインタビューに答える。

「〈シザー・マン〉というのは、アンディ・パートリッジがときどき書く童謡風の曲でしてね、歌詞もマザーグースみたいな感じなんです。要するに、悪さをするとシザー・マンがやってきて、おちんちんをちょん切っちゃうよ、という内容で、実際に聴いていただければわかると思いますが、今回の事件と関係があるとは、とても思えない」

つづいて、西欧風の時計塔を背景に恐怖に震える女性を描いたCGイラストが映った。やはりCDのジャケットだろうか。

いや、違った。ゲームのCD—ROMのジャケットだった。

「数年前にリリースされたこのゲームソフトには、巨大なハサミを使って若い女性を次々と惨殺する殺人鬼が登場する。これも、果たして偶然の一致とかたづけてよいのだろうか」

ハサミ男がコントローラを両手で握って畳の上にあぐらをかき、大型モニタの画面に目をこらしている。「ちくしょう、なかなか進まないな、このクソゲーめ！」ハサミ男の周囲に

はゲームソフト、美少女アニメのビデオ、漫画本が山積みになり、壁にはアニメ美少女の等身大（?）ポスターが貼ってある。

ところで、アニメやゲームや漫画に描かれる美少女というのは、どうしてあんなに大きな目をしているのだろうか。ほとんど顔の四分の一近くが目で占められている。あれだけ目が大きいということは、頭蓋骨の中身はほとんどが眼球で、爬虫類《はちゅうるい》程度の脳みそしか入っていないにちがいない。命じられるがままに、すぐ大股びらきをするのも無理はない。

本末転倒だ、とわたしは心のなかでつぶやいた。ハサミ男という通称をつけたのは、マスコミではないか。わたしはこんな変な名前を名のったことなど一度もない。それなのに、ハサミ男という名前から何かを読みとろうとしても、意味がないではないか。

何年も前に開発したゲームソフトについて無意味な質問をされているソフトハウスの男を気の毒に思いながら、わたしはチャンネルを変えた。

「今日午前中、樽宮由紀子さんは目黒区のご自宅に悲しい無言の帰宅を……」

また、この映像か。わたしは少しうんざりしながら、デゼール碑文谷に棺が運び込まれる光景を見つめた。

朝からワイドショーを視聴した結論は、こうだった。

ハサミ男は快楽殺人者で、サディストで、もしかしたら性的不能者で、国内外の連続殺人文献に精通していて、イギリスのなんとかいうロックバンドのファンで、ゲームマニアである。

それがわたしの内面であり、深層心理であり、無意識であり、心のなかの暗闇にひそむ怪物の正体なのだ。

専門家の皆さん、ありがとう。

しかし、わたしの知りたい情報は何も得られなかった。

テレビの液晶画面には、樽宮由紀子の同級生のインタビューが流れていた。たぶん葉桜高校の正門前だろう。背景の灰褐色の壁の向こうに、ポプラの木が映っていた。

じつに不細工な少女が泣き顔をいっそう不細工に歪めながら、マイクに向かって、とぎれとぎれにしゃべっている。

「樽宮さんは頭がよくて、とってもやさしい人でした。彼女がこんなひどい殺され方をするなんて、あたし、もう悲しくて、悲しくて……」

そのとき、インタビューに答える少女の後ろを、見覚えのある顔が通った。樽宮由紀子といっしょに下校し、ともに休日を過ごしていた、アヤコという名前の少女だ。

裏葉色のブレザーを着たアヤコは、インタビュー光景には目もくれず、まっすぐ前を見つめて、大股に通りすぎていった。

一瞬だけ、アヤコは泣きじゃくる少女を見た。軽蔑のこもったまなざしだった。

なぜマスコミはアヤコにインタビューしないのだろう、とわたしは思った。彼女が樽宮由紀子と最も親しくつきあっていたようなのに。

12

翌日の土曜日、わたしは正午に氷室川出版を出て、いったん部屋に戻って着がえたあと、樽宮由紀子の告別式に出かけた。

洋服ダンスの奥から引っぱり出した黒のスーツは、じつに着ごこちが悪かった。スニーカーではなく、まともな靴を履くのは何年ぶりだろう。学芸大学駅で降りて、しばらく歩いているうちに、足の甲が痛くなってきた。よくみんな、こんな窮屈《きゅうくつ》なものを履いて、毎日歩いていられるものだ。

空はよく晴れていたが、空気は肌寒かった。目黒通りには、コートやジャンパーを着た人々の姿が目立った。吐く息が白く凍った。本格的な冬が到来していた。

会場である春藤斎場が見えてきたのは、もうそろそろ午後二時になろうかというころだった。開式時刻ぎりぎりだ。わたしは足の痛みをこらえながら、斎場の前の通りを急いだ。

通りの反対側、土手の芝生の上には、カメラマンがむらがって、告別式を待ちかまえていた。一斉掃射の合図を待つ機関銃のように望遠レンズが並び、斎場のなかの様子をうかがっている。

カメラの列の前の路上では、テレビでときどき見かける女性アナウンサーが、スタジアム・ジャンパーを着たテレビ局スタッフらしき男と雑談していた。

明るい笑顔に、白い歯がのぞいていた。本番が始まった瞬間に、暗く重々しい顔つきに切りかえられるのだろう。

被害者の告別式は、事件の最初のクライマックスだ。マスコミは遺族や関係者の一挙一動を克明に報道しようと集まってくる。悲痛な表情や涙や嗚咽《おえつ》が多ければ多いほどいい、と思っているに違いなかった。

わたしは斎場の構内に入り、門のすぐ左側にある受付のテントに向かった。喪服を着た男女が立ちあがり、頭を下げた。

簡単にお悔やみの言葉を述べて、香典をさしだした。昨日、コンビニエンスストアで買った香典袋だ。

記帳の名前と住所は適当にでっちあげた。

受付を終えたわたしは、石畳を通って、一般会葬者の席へ歩いていった。

石畳のわきの小石を敷きつめたスペースに、ふたり連れのダークスーツの男が立っていた。一方はいまどき珍しいアフロヘアのやせた男、もう一方はいかにも頼りなさそうな若者だった。暇そうな様子で、やってくる会葬者をぼんやりながめている。きっと開式を待っている、葬儀社の人間だろう。

遺族は、斎場の会館のなか、樽宮由紀子の棺が安置された部屋に坐っていた。一般会葬者の席はその外、石畳の上に並んだパイプ椅子だった。すでに席の半分近くが埋まっていた。前方の一角を占めるのは、裏葉色のブレザーを着た、樽宮由紀子のクラスメートだった。ほとんどの女生徒は、まだ式が始まってもいないのに、もう涙ぐんでいる。友人の胸に顔をうずめて泣きじゃくっている子もいた。

わたしはパイプ椅子に腰を下ろし、ブレザーの集団のなかにアヤコの顔を探した。眼鏡をかけた小柄な少女は、いちばん左端の席に坐っていた。

アヤコは背筋をのばし、両手を膝の上に置いて、じっと前を見つめていた。唇をきつく結んでいる。

その視線は、五段飾りの白い祭壇の中央、樽宮由紀子の大きな遺影にそそがれていた。涙も嗚咽もない。まるでなにかに怒っているような表情だった。ハサミ男に対する怒りだろうか。

午後二時をまわると、席はすべて埋めつくされた。マイクを持った司会者が登場した。おそらく彼も葬儀社の人間だろう。

「これより故樽宮由紀子殿の葬儀および告別式をおこないます」

開式の言葉を合図に、会館の奥の部屋から僧侶があらわれた。まず遺影の前に立って焼香し、それから分厚い座布団に坐った。

軽い咳《せき》ばらいのあと、読経が始まった。

意味のわからないお経が流れるなか、わたしはときどきアヤコを盗み見た。アヤコは背筋をのばした姿勢をくずすことなく、ずっと遺影を見つめていた。

「それでは喪主の樽宮一弘殿にご焼香をお願いします」

読経がつづくなか、司会者が言った。わたしと同じくらいの年格好に見えたが、じつに冷静沈着な口調で、式をよどみなく進行させている。毎日のように死とつきあう仕事なのだから、このくらいのクールさは必要なのかもしれない。

遺族の席の最前列から、樽宮一弘殿と呼ばれた男が立ちあがった。

わたしは一瞬、自分の目を疑った。

それは、わたしが知っている樽宮一弘ではなかった。

遺影の前に立って焼香しているのは、樽宮由紀子の無言の帰宅を報じるテレビ映像で見た、額の禿げあがった中年男だった。白木の棺のいちばん前を持ち、デゼール碑文谷へ搬入していた男だ。

彼が樽宮一弘だって？　それなら、わたしが目撃した男、学芸大学駅前のファストフード店で樽宮由紀子と談笑していた男は、いったい何者なのか。

医師の言葉が頭に浮かんだ。

「きみはじつは真犯人を知っている。ぼくも知っている。ただ、彼がどこの誰かはわからない。それを探り出すんだ」

あの男が樽宮由紀子を殺した？　わたしは男を目撃した夜のことを懸命に思い出そうとした。だが、観察対象はあくまで樽宮由紀子のほうだったので、男の印象は薄れかけていた。どんな服を着ていた？　顔つきは？　声の感じは？

だめだ。よく覚えていない。

だが、もう一度、顔を見れば、すぐに彼とわかるだろう。

「ご遺族ならびにご親族焼香でございます。前列のお方より二名ずつご焼香をお願いいたします」

わたしは順に通路にあらわれる遺族に注目した。もしかしたら、あの男は樽宮由紀子の親戚かもしれない。もしそうなら、男は樽宮由紀子を殺した真犯人ではなく、たぶん事件とは無関係だ。わたしが見たのは、親戚のおじさんと待ち合わせて、自宅へ招くところだったと考えられる。

まず立ちあがったのは、喪服を着た中年の女性と、制服姿の少年だった。

女性は髪をアップにして、つり上がった目元が樽宮由紀子にそっくりだった。こちらはわたしの想像どおりだ。彼女が母親のとし恵に違いない。

だとすると、少年は弟の健三郎だろう。姉と同じ裏葉色のブレザーを着ているから、葉桜高校に通う高校一年生ということになる。濃い眉がりりしく、顎が角ばり、がっしりした体つきをしていた。背丈も母親をすでに追いこしている。ただ、父親から受けついだらしい細く柔和な目が、体育会系の外見をやわらげていた。

健三郎は祭壇のすぐ前まで近づき、姉の遺影を見ていた。

とし恵が背中を丸めて、焼香を始めたとき、健三郎は突然振り返り、遺影から逃げるように走りだした。

会葬者がざわめいた。

「健三郎、どこに行くんだ！」

親族席にいた二十代後半の男が中腰になって、健三郎の背中に叫んだ。叱責するような強い語調だった。親戚の人間だろうか。濃い眉が健三郎によく似ている。

健三郎はその声に振りむくことも、立ち止まることもなかった。会館の階段を駆けおり、わたしたち一般会葬者の席を突っきっていった。クラスメートの少女たちは泣くのも忘れ、一様にびっくりした表情を浮かべた。

わたしは一瞬、走り抜ける少年を間近に見ることができた。健三郎は歯をくいしばり、顔を真っ赤にしていた。

もちろん泣いてはいない。彼のようなタイプの少年は、感情をあらわにすることを弱さのあらわれと勘違いしがちなものだ。特に涙を見せることを、極端に恥ずかしがる。

姉の遺影から逃げだした理由も、たぶん、突然襲ってきた激しい感情を他人に知られたくなかったからだろう。

会葬者のざわめきはすぐにおさまった。どんなハプニングが起ころうと、葬儀はとどこおりなく進めなければならない。

遺族が次々と祭壇に近づき、焼香していった。健三郎を叱責した若い男もいた。樽宮由紀子と会っていた男は見当たらなかった。遠目だから、見逃したのかもしれない。

もう一回、遺族の顔を近くで確認する機会がある。わたし自身が焼香するときだ。

「お待たせいたしました。ご会葬者の皆さまのご焼香でございます。前列のお方より三名ずつお願いいたします」

司会者がよどみない口調で言った。

一般会葬者がパイプ椅子から次々と立ちあがり、階段を昇って、会館に足を踏み入れていった。

最初に焼香に向かったのは、おそらくデゼール碑文谷の住人だろう。

そのあと、担任教師と思われる神経質そうな女性と、樽宮由紀子のクラスメートがつづいた。

少女たちの悲しみは最高潮に達していた。すすり泣きの声が雀蜂の羽音のように響きわたった。遺影の前に突っ伏したり、失神する子が出るのではないかと心配になったほどだ。

道路側から狙いをつけるカメラマンは、ここがシャッターチャンスとばかりに、焼香から戻る少女たちの泣き顔に、ピントを合わせていることだろう。

アヤコは焼香を終えて、席に帰るときも、涙を見せなかった。その無表情とさえ見える顔に、わたしは深い悲しみを読みとった。

順番が来たので、わたしはパイプ椅子から立ちあがり、石畳から階段を通って、遺族のいる会館内部に入っていった。

会釈をするふりをして、通路側に顔を向けて坐る人々の顔を確認した。

親族のなかに、樽宮由紀子と会っていた男の顔はなかった。

家族の席が近づいてきた。ひとつ、からっぽになった椅子は、弟の健三郎がいるべき席だろう。

空席の隣に、とし恵が坐っていた。和服の膝に両手をのせ、顎を引いて、気丈な態度を見せていた。わたしの会釈に、黙って軽く頭を下げた。

とし恵は美人だった。ただし、目尻に細かいしわがより、ファンデーションでうまく隠した肌は乾ききっているようで、樽宮由紀子のような若さという魅力は失われつつあった。

額が禿げあがった五十代の男は、遺族席の最前列、喪主が坐るべき席に腰を下ろしていた。間違いなく、彼が樽宮一弘だ。苦渋にみちた表情で、自分の革靴のつまさきを見つめて、わたしに会釈を返そうともしない。肩が落ちていた。娘を失った悲嘆が、その両肩にのしかかっていた。

最後に、わたしは樽宮由紀子を見た。祭壇の中央に飾られた遺影のなかに、裏葉色のブレザーを着た彼女がいた。背景にはポプラの幹が写っている。たぶん入学式のときのスナップ写真だろう。

樽宮由紀子はかすかに微笑を浮かべていた。尾行中に何度か見かけた、唇の両側をほんの少し上げただけの控え目な微笑だ。

彼女と謎の男が談笑していた光景を、わたしはふたたび思い出していた。わたしが観察したかぎりでは、いつももの静かで、親しくつきあっていたアヤコの前でも軽くほほえむ程度だった彼女が、あのときは声をあげて笑っていた。明るい笑い声が耳によみがえった。それだけ相手に心を許していた証拠だ。アヤコよりも親しい関係にあった人物。彼はいったい誰なのだろう?

そんなことを考えながら、わたしは焼香を済ませ、席に戻った。

「ご焼香がお済みでない方はいらっしゃいませんか」

司会者がそう言って、会葬者を見まわした。

やがて、僧侶が読経を終え、両手で数珠をこねくりまわすと、なにやらぶつぶつ唱えた。

樽宮由紀子に引導をわたしているのだ。

「導師がご退場なさいます。皆さまご起立してお送りください」

全員が起立した。僧侶は座布団から立ちあがり、両手で法衣《ほうえ》の裾を直して、ゆっくりと会館の奥へ消えていった。

全員着席。パイプ椅子の足と石畳がこすれあう音がしばらく鳴りひびいた。

「ご遺族に代わりまして、世話人の長谷川《はせがわ》殿のごあいさつがあります」

司会者にうながされて、スタンドマイクに向かったのは、六十代前半くらいの小柄な男だった。

緊張した面もちでマイクに向かうと、

「本日はお忙しいなか、故樽宮由紀子の葬儀および告別式にご参列くださいまして、ありがとうございました」

と、話しはじめた。世話人というからには、遺族ではないのだろう。デゼール碑文谷の管理委員か、一弘の会社の上司かもしれない。本来は喪主である一弘があいさつすべきなのだろうが、わたしが見た様子から察しても、とても人前で話せる状態ではなかった。

長谷川と呼ばれた男は無難にあいさつをこなした。司会者がマイクの前に戻って、

「これをもちまして、故樽宮由紀子殿の葬儀と告別式はとどこおりなく終了いたしました。ありがとうございました」

司会者はほっとした表情になっていた。健三郎が突然走り去った以外は、さしたるアクシデントもなく、無事に告別式が終わって安心したのだろう。

「つづいて、出棺となります。会葬者の皆さまには、故樽宮由紀子殿のお見送りをお願いいたします。遺族の方々は祭壇のほうへお集まりください」

会葬者は席を離れ、門のあたりにちりぢりに立って、出棺を待った。

会館のなかでは、遺族が樽宮由紀子と最後の別れをかわしているのだろう。祭壇から棺が運び出され、棺の蓋が開けられて、死者との最後の対面をはたす。

樽宮由紀子はどんな顔で横たわっているのか。わたしが公園で見た苦悶の表情は、葬儀社の熟練の手業《てわざ》で消されているだろう。両のまぶたを閉じ、青ざめた頬に紅《べに》をさし、首についた紫色の絞殺の痕や傷口をおしろいで塗りつぶす。頬はこけていなかったから、含み綿は必要あるまい。

最後に、死後硬直した手足を、なかばへし折るように力を入れて折りまげ、死に装束の袖や裾に通して、両手を胸の前に組ませる。これで、生前そのままに美しい死体の完成だ。まさに芸術的な出来ばえ。一日足らずで燃やしてしまうのがもったいないほど。

一時間近く黙り込んでいた反動で、会葬者はいずれも饒舌《じょうぜつ》になっていた。ひそひそとしゃべる声があたりから聞こえてきた。

「まだ十六歳だって、お気の毒にねえ……」

「あんなにカメラで狙いやがって。あの連中ときたら……」

「きっと迷宮入りだよ。日本の警察は頼りないからね……」

「とし恵さん、あいかわらずだったねえ。あそこまで……」

「由紀子さんの写真を見てたら、がまんできなくて……」

「違うな。あの子がいちばん悲しがってるんだよ。ほら……」

やがて、会館から白木の棺が運び出されてきた。やはり一弘がいちばん前を持ち、先導しながら、石畳を近づいてくる。そのわきに遺影を胸にささげ持つ、とし恵の姿があった。

会葬者は自然に石畳の両側に分かれ、そのあいだを棺が通っていった。

タイミングを見はからって、霊柩車《れいきゅうしゃ》がやってきて、門の前に停車した。霊柩車といっても、宮形の屋根ではなく、キャディラックのリムジンだった。

リムジンの後部ドアが開き、喪服姿の男たちが黙々と棺を搬入した。

その向こう、土手の上のカメラマンは全員ファインダーをのぞき込み、歩道上では、来るときに見かけた女性アナウンサーが背中を向けて、テレビカメラのレンズを見つめながら、何やらレポートしていた。

遺影を抱いたとし恵がリムジンの前に立ち、出棺を見守る会葬者に頭を下げた。

「皆さま、本日は娘のためにご足労いただきまして、ありがとうございます」

とし恵はそう切り出した。毅然としたまなざしで、まっすぐ前を見つめながら、

「娘がこんな不幸な事件に巻き込まれるとは、夢にも思っておりませんでした。まだ十六歳だというのに、命を落とすなんて、しかも殺されるなんて、思いもよらないことでした。わたくしたち家族が受けた傷の深さは、ご想像いただけると思います。この傷は当分のあいだ、癒《い》えないでしょう。いいえ、もしかしたら一生、癒えない傷かもしれません」

とし恵は手元の遺影を見下ろした。

「しかし、いま由紀子と最後のお別れをしたとき、こう思ったんです。由紀子はせいいっぱい生きたんだ、と。思わぬ不幸によって断ちきられたとはいえ、由紀子のこれまでの人生はけっして無意味ではなかった、と。由紀子と親しくしてくれた皆さんも、きっと同じ思いを持ってくださっていると思います。では、これから由紀子を送ってまいります。本日はまことにありがとうございました」

とし恵は一礼して、リムジンに乗りこんだ。

みごとなあいさつだった。喪主に代わってあいさつした長谷川という男のように、冠婚葬祭例文集から切り貼りした無難な言葉の羅列ではなく、少し破格ではあったが、気持ちがこもっていた。

ただ、少し流暢すぎるのが気になった。

リムジンは火葬場へと出発した。親族の車がそのあとを追っていった。

もちろん、わたしには樽宮由紀子の骨を拾う資格はない。

そのまま帰路についた。

ひどく疲れていた。

第四章

「マルサイは被害者の告別式で何を捜査しろって言ってた？」と、村木が訊ねた。

「観察しろと言われました」磯部は運転席から答えた。「できるだけいろいろな点に注意を払って、気づいたことを報告せよ、とのことです」

「できるだけいろいろな点だと？　そんなの捜査じゃないぞ」

「だから、観察なんですよ」

「観察ねえ」村木は後部座席から窓の外をながめながら、「まあ、いいさ」

村木さんは僕の服装には何もコメントしないな、と磯部は運転しながら思った。なにしろ、今朝、ダーク・スーツを着て出勤したときから、刑事課の連中にずっとからかわれっぱなしだったのだ。

「結婚式の衣装合わせかね」松元がにやにやしながら言った。

「先輩、式の日取りが決まったら教えてください」進藤までが調子に乗った。

いちばんひどかったのは下川で、磯部の姿を見るなり、

「なんだ。おまえもやっと七五三なのか。おめでとう」

と言ったものだ。

磯部は不愉快な気分で午前中をすごした。村木が早く聞き込みから戻ってこないかと待ちわびていた。

磯部の運転する車は目黒通りを東に進んでいった。

会場である春藤斎場に通じる脇道はすぐにわかった。黒いスーツを着た男が曲がり角に立ち、自動車を誘導していたからだ。おそらく葬儀社の人間だろう。

「駐車場は会館の右隣にあります」男は磯部に大声で告げた。「正門は通りすぎてください。駐車場の入口に係員がいますから、すぐにわかります」

磯部は言われたとおり、車を右折させ、脇道を進んだ。道路の左側にコンクリートの壁が続き、やがて正門が口を開けた。

門の内側に石畳の道があり、その奥に日本風の屋根をのせた鉄筋コンクリートの建物が見えた。

まだ午後一時半、葬儀と告別式が始まる三十分も前なので、会葬者の姿は少なかった。

一方、道路の右側、芝生の植えられた小高い土手の上には、すでに新聞や雑誌各社のカメ

ラマンが陣取っていた。少しでも良いアングルを見つけようと、長い望遠レンズをつけたカメラと三脚をかついで、土手を走っている者もいた。

その下の歩道では、あるテレビ局の女性アナウンサーが、スタジアム・ジャンパーを着たADらしき若者と打ち合わせをしていた。

彼女は愛くるしい容貌の持ち主で、男性を中心にかなり人気があり、芸能にはさほど詳しくない磯部でさえ顔と名前を知っているほどだった。歩道には告別式ではなく、彼女目当ての見物人が集まりはじめていた。

僕もそのうち記者やレポーターに取りまかれるのかな、と磯部はふと思った。これまで松元や下川が顔なじみの記者と話しているところを見たことはあるが、磯部のところには誰一人近づいてこなかった。新聞社やテレビ局の肩書きの入った名刺をもらったことさえない。

磯部は空想に耽《ふけ》った。「磯部刑事、被害者の状況について教えてください！」「磯部刑事、やはりハサミ男の犯行なんですか？」「磯部刑事、あなたの推理を聞かせてください！」カメラのレンズが向けられ、無数のマイクが突き出される。

「まあまあ、皆さん、落ち着いて」空想の中で磯部は両手を広げて、興奮しきった様子の記者たちをなだめていた。「間違いなく、これはハサミ男の凶行です。しかし、僕が必ずや解決してみせますよ！」記者たちは歓声をあげ、拍手する。

ミステリの読みすぎだ、と磯部は反省した。現実の世界では、警察官は名探偵ではない。

自宅の書斎でSPレコードを聴き、ココアを飲みながらアリバイ崩しに没頭する警部など存在しない。

磯部の脳裏に被害者の顔が浮かんだ。紫色の索状痕とハサミ。不謹慎な想像が恥ずかしくなった。

正門を通りすぎると、駐車場の入口が見えてきた。制服制帽の係員が路上に出て、オーケストラの指揮者のように両手を大きく動かしながら、磯部を誘導した。

「奥から詰めて駐車をお願いします」係員は運転席をのぞき込んで、そう言った。

駐車場にはほんの数台の車が停まっているだけだった。

係員の指示どおり、駐車場の奥へと車を進めると、一二台のトラックが並んで駐車していた。その脇には、淡いブルーの作業服を着た五、六人の若者が立って雑談している。会場を設営した葬儀社のスタッフだろう。

磯部と村木は車から降りた。

駐車場から会館に通じる裏口らしきスチール扉の前で、黒いスーツの若い男と僧侶が立ち話をしていた。法衣の上から分厚いコートを着ているのが、なんとなく滑稽《こっけい》だった。

通りすぎるとき、二人の話し声が聞こえてきた。

「本日は一般会葬者の方がかなりたくさんお見えになると思いますので……」若い男が言った。

「焼香の時間がわからないわけね」僧侶は鷹揚にうなずいて、「そのへんは適当に読経の長さを調整するよ。終えるきっかけはどうするね？」

「私が『ご焼香がお済みでない方はいらっしゃいませんか』と言いますから、それを合図にお願いいたします」

「わかった。じゃあ、控室で待たせてもらうから」

そう言い残して、僧侶は扉の向こうに消えた。

あまりにもビジネスライクな会話に、磯部は嫌な気持ちになった。あんな僧侶に読経されて、被害者は成仏《じょうぶつ》できるのだろうか。

駐車場の上の空は雲一つなく晴れわたっていたが、冬の日ざしは弱々しく、僧侶が似合わないコートを着込みたくなる気持ちも理解できた。

「俺の生まれ故郷に有名な禅寺があってね」突然、村木が話しかけてきた。「中学生の頃、よく駅前で修行僧を見かけたもんだ。たいてい本屋で週刊プレイボーイかなんかを立ち読みしてた。中には買って帰る奴もいたな。きっと禅寺での長くて寂しい夜に、布団の中で読むんだろう」

村木は磯部に笑顔を向けて、

「そういうの、どう思う？　そんな連中は禅を修行する資格がないと思うかい」

「なぜそんなこと訊くんです？」磯部は反問した。

「おまえが、この生臭《なまぐさ》坊主め、って顔つきをしてたからさ」村木は答えた。「俺はそうは思わないね。本屋で立ち読みしてる修行僧を見かけたときもそうは思わなかった。あいつらは一人前になったら、葬式や法事を取りしきらなくちゃならない。葬式や法事ってのは、この世でいちばん俗っぽい行事の一つだ。若い頃、男性週刊誌くらい読んで、世事に長《た》けていたほうがいい」

「その見方は、ちょっとシニカルすぎるんじゃないですか」磯部は思わず言った。

「そうかな」村木は首をかしげて、「修行一筋に打ち込んできた坊主は、本人は悟りを開けるかもしれないが、葬式や法事には役に立たないと思うね。あの坊主や葬儀社の男は冷たいんじゃない。プロフェッショナルなだけさ。俺はプロは尊敬するよ」

二人は駐車場から道路に出た。斎場の向かいの報道陣はいっそう数を増していた。

「そっとしておいてあげればいいのに」磯部は思わず口に出してつぶやいた。「まるで禿鷹だな」

つい、きつい言い方になったのは、自分が先ほど不謹慎な空想に耽ってしまったからだ。

「そうとは限らないよ」村木が言った。「確かに禿鷹みたいな奴らもいる。たとえば、あの女はそうだな」

村木が顎で指し示したのは、車から見かけた女性アナウンサーだった。スタイリストらしき女性が髪をとかし、本人はＡＤの差し出す鏡に見入っている。

「あの女はたぶん、自分がテレビにどう映るかしか頭にないんだろう。妙に人気が出て、ちやほやされるから、浮かれてるんだ」村木は冷たく言い放った。「じゃあ、あの男はどう思う？」

村木が土手の上を指さした。顔を向けると、長い望遠レンズをつけたカメラの後ろに若い男が立っていた。米軍放出品と思われる革ジャンを着て、無精ひげを生やしている。

「やっぱり禿鷹の仲間だと思うか」村木が訊ねた。

磯部は黙ってうなずいた。禁煙用のメンソール・パイプをくわえた若者は不敵な表情を浮かべ、葬儀が始まるのを待ちかねているように見えた。あんまり待たせるなよ、と言いたげな顔つき。

「だめだな。そんな観察力じゃマルサイにどやされるぞ」村木はにやにや笑って、「顔じゃない。手だ。右手を見ろ」

磯部は革ジャン姿の若者の右手を見て、息が止まりそうなほど驚いた。若者は顔つきや服装に似つかわしくないものを持っていた。

数珠だ。

若いカメラマンは太く黒い数珠を右手首に巻いていた。

「ま、断言はしないが、あの男は禿鷹の仲間じゃないと思うね」村木が続けた。「あいつもハサミ男と闘ってるんだよ。被害者の告別式を読者に的確に伝えることでね。俺たちとやり方は違うが、あいつはあいつなりに被害者を弔い、ハサミ男を追いつめたいと願ってると思うよ」

二人は正門から斎場の構内に入った。テントの下の受付で香典を渡し、記帳を済ませると、石畳の横の小石を敷きつめたスペースに移った。

開式の時刻が近づいていた。会葬者は次々と受付を訪れ、席についていった。黒のスーツを着た中年の男性たち。和装や洋装の喪服に身を包んだ女性たち。担任教師に引率されたブレザー姿のクラスメート。

村木の言うとおりだ。ただ漠然と観察しろと言われても、何に注目していいか、さっぱりわからなかった。

「君が感じとったことをそのまま伝えてくれればいい」

と、堀之内は言っていたが、磯部が思いついたのは、喪服の女性はどうしてきれいに見えるのだろう、という実にありきたりな感想だけだった……。

そのとき、門から太った青年が入ってきた。黒のスーツがまったく似合っていなかった。本人もそのことがわかっているのか、背中を丸くして、とぼとぼと歩いていた。

あの男だ、と磯部は思った。ダウン・ジャケットを着て、青いビニール・シートを見つめていた青年。被害者の遺体の発見者。

「どうした」磯部の視線に気づいて、村木が小声で訊いた。「あの男がどうかしたのか?」

「遺体の発見者ですよ」磯部も小声で答えた。

「発見者？　そういえば見た顔だな」村木は青年を見て、「告別式に出席するとは、見かけによらず律義《りちぎ》な奴だね」

青年は受付を終え、石畳を通って、一般会葬者の席へ向かった。磯部の視線を感じたのか、途中でじろりと一瞥《いちべつ》した。まったく感情を示さないまなざしだった。

「あの男がそんなに気になるのか」青年の背中を見送る磯部に、村木がそう訊いた。

「気になるというほどではないんですが」

磯部は答えた。自分でも、なぜあの青年に目が止まったのか、よくわからなかった。事件が発生した夜、松元が磯部に言ったように、青年は事件とは無関係のはずだ。被害者を殺した後、何もせずに一時間以上も現場に留まる犯人はいない。できるだけ早く現場から立ち去ろうとするのが普通だった。それが警察官の考える常識的な犯人像だ。

だが、ハサミ男はシリアル・キラーだ、と磯部は思い直した。はたしてそんな常識があてはまるだろうか？　ハサミ男は松元の長年の経験が役に立たない領域に立っているかもしれない。

堀之内さんの意見を聞いてみなければ。

「そろそろ式が始まりますので」受付の男が磯部たちに近づいてきた。「お席のほうにおつきいただけますか」

二人は一般会葬者の席に向かった。大きなテントが張られ、石畳の上にパイプ椅子が並んでいた。

磯部と村木はいちばん後ろの席に腰を下ろした。

磯部の目はあの青年の背中に吸いよせられた。青年は太った体をちぢこめて、殊勝な様子で坐っていたが、ときどき顔を上げて、あたりをうかがっていた。まるで誰かを探しているようだった。

会館の奥に、駐車場で僧侶と打ち合わせをしていた男が登場した。

「これより故樽宮由紀子殿の葬儀および告別式をおこないます」

男はよく通る声で、そう宣言した。

会館の奥から僧侶があらわれた。駐車場で着ていたコートを脱ぎ捨て、厳粛な顔つきになった僧侶には、威厳めいたものすら感じられた。

僧侶は祭壇の前に立って焼香し、分厚い座布団に坐ると、読経を始めた。

会葬者がうなだれ、読経に聞き入る中、あの青年はあいかわらず時おり顔を上げて、あたりを見回していた。

誰を、あるいは何を探しているんだろう?

「それでは喪主の樽宮一弘殿にご焼香をお願いします」

司会者が言った。立ち上がったのは、額が禿げ上がり、恰幅《かっぷく》のいい体つきの男だった。

磯部は報告書を思い出した。被害者の義父である樽宮一弘氏は、確か五十三歳の会社役員だ。

だが、遠目で見ても、一弘は年齢よりも老け込んだようだった。血がつながっていないとはいえ、娘を殺されたのだから、無理はなかった。

重々しい足取りで一弘が焼香を終えると、司会者がすぐに告げた。

「ご遺族ならびにご親族焼香でございます。前列のお方より二名ずつご焼香をお願いいたします」

よどみない進行ぶりだった。村木の言うとおり、プロフェッショナルなのだろう。

しかし、磯部は司会者の淡々とした進め方がどうしても好きになれなかった。

遺族席から母親のとし恵と義弟の健三郎が立ち上がった。

このとき、ちょっとした事件が起こった。

義母の横に立っていた健三郎が、突然遺影に背を向けると、逃げるように走り出したのだ。

「健三郎、どこに行くんだ！」

健三郎の年の離れた実兄が遺族席から声をあげた。だが、少年は兄の制止の声にも立ち止まらなかった。顔を紅潮させて、遺族席から石畳を抜け、斎場から走り去った。

しばらく、ざわめきが残った。少年に同情した悲しげなため息が聞こえた。

司会者は静けさが戻るまで待つと、遺族を目で促した。何事もなかったかのように、焼香が続行された。

「お待たせいたしました。ご会葬者の皆様のご焼香でございます。前列のお方より三名ずつお願いいたします」

司会者の指示に従って、一般会葬者が次々と焼香に向かった。磯部が深く同情したのは、クラスメートの少女たちだった。ほとんど全員が頰に涙を流し、ハンカチで目元を何度も拭《ぬぐ》っている。

みんなが被害者の悲惨な運命を悲しんでいる、と磯部は思った。もちろん、中には表情一つ変えない少女もいた。松元が堀之内に報告したように、被害者を無気味に思い、嫌っていたクラスメートもいるということだろう。

遺体を発見した青年が立ち上がり、会館の中に入っていった。焼香を終えて戻ってきた顔は、あいかわらず無表情のままだった。被害者を弔いに来たとは思えなかった。

磯部と村木の順番になった。石畳から階段を昇り、遺族の間を抜けて、祭壇に向かった。健三郎が坐っていた空席の隣で、とし恵が二人に黙礼した。被害者によく似ている。実母だから当然だろう。とし恵は気丈な態度で、娘を亡くした悲しみを押し殺しているように見えた。

一方、一弘はその悲しみに押し潰されかけていた。がっくり肩を落とし、焼香する会葬者に目をやることさえなかった。

義父と実母の対照的な様子に、磯部はふと興味を覚えた。

磯部たちが焼香を済ませると、司会者が間髪入れずに言った。

「ご焼香がお済みでない方はいらっしゃいませんか」

駐車場で打ち合わせしていた合図だ。磯部が横目でうかがうと、僧侶が軽くうなずいたように見えた。磯部たちが席に戻ると、すぐに読経が終わった。

「導師がご退場なさいます。皆様ご起立してお送りください」

司会者の指示に従って、会葬者が立ち上がり、控室に消える僧侶を見送った。

「ご遺族に代わりまして、世話人の長谷川殿のご挨拶があります」

この男は知らないな、と磯部は思った。初老の男は吶々と挨拶を述べた。司会者が後を引き取って、

「これをもちまして、故樽宮由紀子殿の葬儀と告別式はとどこおりなく終了いたしました。ありがとうございました」

見事な司会ぶりだ。もし許されるなら、拍手をしてやりたいくらいだった。磯部は皮肉を込めて、そう思った。

「続いて、出棺となります。会葬者の皆様には、故樽宮由紀子殿のお見送りをお願いいたします。遺族の方々は祭壇のほうへお集まりください」

会葬者は席を立ち、正門のほうへ歩き出した。

「どうだった」石畳の上を歩きながら、村木が訊ねてきた。「何か気がついたことはあったか」

「やっぱりあの司会者は好きになれませんね」磯部は正直に答えることにした。「プロだからだと言われるかもしれませんが、あまりに淡々と進行しすぎて」

「冷たいと感じたか」村木は青空を見上げて、「おまえ、子供を亡くした直後の家に行ったことないだろう」

「ありません」

「俺は何度もある。事情聴取でな」村木は何かを思い出すような顔つきになった。「子供を亡くした家族ってのはな、悲しいとか、辛いとか、そういうんじゃないんだよ。事故や事件の場合は特にそうだ。もっと恐ろしい状態なんだ。親は泣いてさえいない。呆然としているというか……子供と一緒に何かが死んでしまったようなんだ。とても大事な何かが、な」

村木は磯部の顔を見て、

「そういう状態の家族には、慰《なぐさ》めとか同情なんていらない。とにかくやるべきことをやってやることが大切なんだ。あの司会者が冷たいとは俺は思わんね。今いちばん必要なのは葬儀をとどこおりなく終わらせることだと、よく承知しているだけだ」

正門には会葬者の人だかりができていた。棺が運び出されるのを待つ間、人々は声をひそめて話していた。

「まだ十六歳だって、お気の毒にねえ」年老いた女性がしみじみと言った。「あんなひどい目にあって、本当に気の毒だよ。若い子が死んじゃいけないよ」

「あんなにカメラで狙いやがって」優男が正門の外を見て顔をこわばらせた。「あの連中ときたら、葬式をなんだと思ってるんだ。見世物じゃないんだぞ」

「きっと迷宮入りだよ」若い男が唇を歪めて笑った。「日本の警察は頼りないからね。単純な事件ばかり解決して、こういう重大事件の犯人は見逃しちまうのさ。だめだよ」

「とし恵さん、あいかわらずだったねえ」中年の女性が世間話をするような口調で、「あそこまで意地を張らなくてもいいのに。涙一つ見せないなんて、信じられないわ」

磯部と村木は石畳から少し離れて、会葬者の様子をながめていた。

「女の子が盛大に泣いてるな」村木が言った。

「きっと被害者と仲が良かったんでしょうね」

「誰がいちばん悲しんでると思う?」

観察力テスト。磯部は少女たちを注意深く見回した。立木にすがりつくようにして、泣きじゃくっている子が目に止まった。担任の女性教師が肩を叩いて慰めていた。

「由紀子さんの写真を見てたら、がまんできなくて」少女は担任教師の差し出すハンカチに顔を押しあてた。「もう悲しくて、悲しくて、どうしようもなくなっちゃったんです」

嗚咽まじりにそう言うと、また涙を流した。

「あの子だと思います」磯部は少女を視線で指し示した。

「違うな」村木はあっさり否定した。「あの子がいちばん悲しがってるんだよ。ほら、少し離れたところにいる子」

磯部は村木がこっそり指さした方向を見やった。

銀縁眼鏡をかけた小柄な少女が、ブレザーの集団から離れて、一人きりで立っていた。少し前歯が出ているが、笑顔はきっと可愛いことだろう。しかし、今は唇をきつく結び、まったく無表情で正門のあたりを凝視していた。

「あの子ですか?」磯部はとまどった。

「泣いてないじゃないか、ってか?」村木は肩をすくめ、「だめだな。おまえはいつも顔しか見ていない。今度もポイントは手だよ。手を見るんだ」

磯部は少女の手元を見つめた。

両手であまりに強くハンカチを握りしめているため、少女の手の甲は真っ白になっていた。二の腕がかすかに震えている。

磯部は思わず額に手をあてた。

「どうした」村木が訊ねた。

「いや」磯部は照れ笑いを浮かべ、「修行が足りないと思って」

これでは遺体発見者の青年に抱いた疑いも怪しいものだ、と磯部は思った。

被害者の棺が運ばれてきた。一弘が先頭に立って、白木の棺をかかえていた。その隣に遺影を胸に抱いたとし恵の姿があった。

棺が正門に近づくと、タイミングを見計らって、キャディラックのリムジンがやってきた。後部扉が開き、棺が収められた。

リムジンの霊柩車の前で、とし恵が最後の挨拶をおこなった。

「皆さま、本日は娘のためにご足労いただきまして、ありがとうございます」

とし恵は娘の遺影を抱いたまま、取り乱すこともなく、はっきりした口調で語った。

あまりにも落ち着きすぎているのではないだろうか、と磯部は思った。

だが、すぐに思い直した。おまえはいつも顔しか見ていない。

磯部はとし恵の全身を観察してみた。

まず、手はどうだろう。左手の薬指にダイアモンドの結婚指輪。プラチナの台に小さなダイアモンドがちりばめられて、いかにも高価そう。その手は震えているだろうか？　いや。遺影をきつく握りしめているか？　そうでもない。指の関節も手の甲も普通の肌色をしている。血管が青く浮かび上がっているだけだ。

黒い額縁の中で被害者がほほえんでいた。その下、黒い和装の喪服に包まれた脚も震えている様子はない。白足袋《しろたび》に白い鼻緒《はなお》。きちんと爪先《つまさき》をそろえて、しっかり地面を踏みしめている。

磯部は顔を上げ、とし恵の顔をもう一度見直した。挨拶が続いていた。

「……由紀子は精一杯生きたんだ、と。思わぬ不幸によって断ち切られたとはいえ、由紀子のこれまでの人生は決して無意味ではなかった、と……」

精一杯生きた少女と母親はとてもよく似ていた。報告書によれば、とし恵は三十七歳になるはずだ。しかし、それより五歳は確実に若く見える。つり上がった目元、形よく紅が引かれた唇。まっすぐ前を向いた視線は会葬者に注がれているのか、それとも何か別のものを見通そうとしているのだろうか。

声もしっかりしていて、挨拶の内容も明瞭だった。明瞭すぎるのではないだろうか。

結局、磯部にはとし恵の様子を判断しきれなかった。警察官として修行が足りない、と改めて感じた。

とし恵は挨拶を終え、リムジンに乗り込んだ。リムジンが火葬場へと出発すると、会葬者は次々と立ち去っていった。

磯部は村木の意見を聞いてみたいと思った。

「母親が落ち着きすぎていたって？」両手をズボンのポケットに突っ込んで、村木は少し考え込んだ。「そうだなあ。そう言われれば、ちょっと気丈すぎるような気もする」

「確か被害者は彼女のほうの娘でしたよね」磯部は訊ねた。

「うん、子持ち同士の再婚のはずだよ。途中で走り出した健三郎って息子が旦那の連れ子で、被害者は奥さんの連れ子だ。健三郎の上にも息子がいるけど、こちらは二人とも独り立ちしている。ほら、どこ行くんだ、って声をかけた男がそうだよ」

「義理の父親があんなに悲しんで、実の母親が平然としているというのは、どうなんでしょうか」

「どうだろう」村木は首をひねって、「不自然なのかもしれないし、そういうものなのかもしれない。俺にもわからんな」

「村木さんにもわからないことがあるんですね。安心した」磯部は笑った。

「それはそうさ。俺だってなんでも見抜けるわけじゃない」村木は苦笑して、「俺だけじゃない。長さんだって、松元さんだってそうだ。被疑者を前にして、こいつが犯人に違いないと感じることがある。しかし、長さんや松元さんは、こいつは犯人じゃない、と直感してる。そういうことはいくらでもある。どちらが正しいかは神のみぞ知る、だ。証拠をつかむまでは誰にもわからない」

　村木は磯部のほうを向いて、

「勘や経験は大事だ。でもな、それだけじゃ真実はつかめない。もっと大事なのは事実だよ。勘や経験は、いかにすばやく事実をつかむかという道案内の役目しかしてくれない。だから、おまえも修行なんかする必要はないのさ」

「そうでしょうか」磯部はつぶやいた。

「ああ、そうだ。個人的な意見を言わせてもらえば、俺と長さんと松元さんの勘が一致したときは、逆に危ないな。捜査員全員が、こいつが犯人に違いない、と思い込んだりしたら、とんでもない過ちを犯しかねない。冤罪《えんざい》はそうやって生まれるんだ」

村木は磯部にほほえみかけて、

「おまえに求められてるのは、俺と同じ直感を身につけることじゃない。おまえ自身の物の見方を貫くことだよ」

慰めてくれているんだろうか。それとも、警察官としての心がまえを教えてくれたのか。

村木は会館を振り返った。

「ほら、見ろよ。プロが仕事してるぜ」

磯部が振り向くと、来るとき駐車場で見かけた葬儀社の作業員が後片づけをしているところだった。

細身でそんなに腕力もありそうにない若者たちが、供花《くげ》を両手一杯にかかえて、次々とトラックの荷台に積み込んでいった。

作業員は慣れた様子で走り回り、式場はあっという間に片づけられていった。

13

わたしはキッチンに立って、ガスレンジにかけた鍋《なべ》の火加減に注意しながら、あの日の出来事を思い出そうとしていた。樽宮由紀子が謎の男と会っていた日、何があったか、何を見たのか、なんとか記憶の糸をたぐりよせようとした。

もう一ヵ月近く前になる。十月なかば、時刻は午後五時半ごろ。自動改札を通って、樽宮由紀子に走りよる男。

顔ははっきり思い出せなかった。

ふたりは何を話していただろうか。

「悪いな、遅くなった」

男が謝る。

「まだ二分しかたってないじゃない」

樽宮由紀子は遺影と同じ微笑を浮かべ、

「そんなに待ってないよ」

「そうか。それならよかった」

「で、どこで話そうか？」

「どこでもかまわないよ、ぼくのほうは」

「じゃあ、ハンバーガーか何か食べようか。おなか空いちゃった。おごってくれるでしょ?」

本当にこんな会話だったのだろうか。自信がなかった。その大半は記憶ではなく、わたしの想像かもしれない。

その後、ふたりは駅の北側のファストフード店に入った。これは確かだ。わたしもあとを追い、二階席でふたりを観察した。

ふたりは向かいあって坐り、何か話していたが、内容は聞こえなかった。

強く印象に残っているのは、樽宮由紀子が楽しそうに声をあげて笑ったことだった。店内の喧噪《けんそう》を貫いて、明るい笑い声が一瞬伝わってきた。彼女もそんなふうに笑うのだ、と思った。

そのときの男の反応はどうだっただろうか。微笑を返したような気がするが、さだかではなかった。樽宮由紀子に気をとられていて、男にはほとんど注意を払っていなかった。

鍋のなかでは、黒い液体が煮えたぎり、異臭を放っていた。

告別式からの帰りに買った五箱分のロングピースは、すでに紙がぼろぼろに破れ、こぼれ出た煙草の葉が沸騰する泡にのって浮き沈みしていた。

スプーンで煙草の煮汁をすくい、ひと口味わってみた。あまりの苦さに顔が歪んだ。こんなものを鍋いっぱい飲めるわけがない。

わたしは少し考え、いったん煮汁を茶こしでこして、煙草の葉を捨てると、たっぷりの砂糖を入れて、煮つめはじめた。

鼻をつくいやな臭いが、キッチンじゅうに漂った。

あの男は誰なのだろう。ガスレンジの前で、わたしはふたたび考えはじめた。樽宮由紀子が自宅近くの駅前で待っていた男。いっしょにファストフード店で談笑していた男。声を出して笑うことのできる相手。

煙草の煮汁はコップ半分ほどの量に煮つまった。

スプーンで味見して、びっくりした。

チョコレートのような味がしたからだ。

だが、その印象は一瞬だけだった。すぐに体が抵抗し、のどの奥が痙攣《けいれん》するのがわかった。

だが、この量なら一気に飲み干せる。わたしは煮汁をコップに移し、丸テーブルに運んで、冷めるのを待った。

あの男はいったい誰なのか。悪いね、遅くなった、と親しげに話しかけた男。だが、彼女の葬儀には顔を見せなかった男。もしかしたら、樽宮由紀子を殺した真犯人。

彼が樽宮由紀子を殺したのだろうか。

そんなこと、どうでもいい。告別式が終わったときから、わたしはひどく疲れはててい た。間近で見た死の儀式が、わたしを誘惑していた。わたしはコップを手に取り、黒く粘りのある液体をしばらく見つめると、目をつぶって一気に飲み干した。

嚥下《えんか》した瞬間、全身が痙攣しはじめた。首の後ろの筋肉が張りつめ、両手と両肩が震えた。吐き気を必死でこらえながら、ふらつく足でベッドに向かった。うつぶせに倒れ込んだあとも、痙攣はおさまらなかった。

知らないうちに意識を失ったようだ。

気がつくと、部屋のなかは暗くなっていた。胸のあたりがおそろしくむかついていたが、体の震えは止まり、わたしはまだ生きていた。これは確実に死にそうだ、と思ったのに、死ななかった。

「いくら死にそうだと思っても、死ぬとはかぎらないな」

と、医師が冷ややかに言った。

「〈死むく〉ならないと死ねないのさ」

わたしは医師が何を言っているのか理解できなかった。

「死と眠りは兄弟、と最初に言ったのはホメロスだそうだが、確かにこのふたつには類縁関係がある。しかし、〈死〉と〈眠り〉、〈死ぬ〉と〈眠る〉、〈死んでいる〉と〈眠っている〉

という対応はあっても、〈眠い〉に相当する形容詞は死のほうにはない。英語でいえば、名詞の〈DEATH〉と〈SLEEP〉、動詞の〈DIE〉と〈SLEEP〉、形容詞の〈DEAD〉と〈ASLEEP〉は対応しても、〈SLEEPY〉に相当する形容詞は存在しない。つまり、いくら眠そうでも、眠りたくても、眠れるとはかぎらないように、いくら死にそうでも、死にたくても、死ねるとはかぎらない。眠るときは眠くなるように、死ぬときは〈死むく〉ならなくちゃいけないわけだ。英語なら〈DEATHY〉とでもなるのかね」

本当だろうか。〈死むい〉とは、いったいどういう状態を指すのか、見当もつかなかった。

「そりゃそうだ。〈死むく〉なったら本当に死んじゃうからな」

また医師の詭弁《きべん》にだまされているのではないか、とわたしは疑念をいだいた。その証拠に、医師の薄い唇がにやにや笑いを浮かべていた。

「そのとおり。こいつは嘘だよ。〈眠い〉に対応するのは〈死にそうだ〉でいいんだ。日本語では〈わたしは眠い〉とは言っても、〈彼は眠い〉とは言わない。その場合は〈彼は眠そうだ〉と言う。一方、死の場合は〈わたしは死にそうだ〉とも〈彼は死にそうだ〉とも言うことができる。こういう言いまわしのちがいがあるから、〈死むい〉なんて珍妙な造語をつくり出す余地があると思ってしまう。英語の〈SLEEPY〉に対応するのは、たぶん〈DYING〉だな」

医師は高笑いをあげた。

わたしは怒りに駆られて、体を起こし、ベッドサイドの目覚まし時計を投げつけた。時計が大きな音をたてて壁にあたり、床に落ちた。

その瞬間、猛烈な吐き気がこみあげてきた。ビニール袋を取る暇もなく、ベッドにあおむけになったまま、嘔吐した。やにくさい液体が口からあふれ出し、顎からパジャマの胸元までを生温かく濡らした。

「気をつけろ。きみは自分で思っているほど回復していない。ニコチンは青酸に匹敵する猛毒なんだよ。本当に死んでいてもおかしくないんだ」

そう指摘する医師の唇から、真っ黒い液体がしたたるのが見えた。医師は唾を吐き、

「まったくひどい味だな。よくこんなものをコップ半分も飲んだもんだ」

わたしが死ねば、こいつも死ぬんだ、と思った。

「そうだ。きみが死ねば、ぼくも消滅する。当然のことだよ」

医師は白衣の袖で口元をぬぐうと、

「そして、ぼくはべつに消滅してもかまわない。死後の世界を信じているわけでもない。死んだら、それでおしまい。なにも残らない。残るのはひと握りの骨灰のみ。樽宮由紀子も然り」

そうだ、樽宮由紀子は火葬場で焼かれ、いまごろ骨壺におさまっているだろう。わたしは火葬場の煙突からたちのぼる白煙を想像した。

「ハインリヒ・ハイネは、雲の上に天国があるのなら、どうして金貨とか宝石が降ってこないのか、降るのは雨だけじゃないか、天国は水っぽいのか、と書いてるね」

と、医師が言った。

ハイネの名前くらいは、わたしでも知っているが、ロマンティックな詩人という印象しかなかった。医師の言うような皮肉な台詞《せりふ》を吐くだろうか。これも嘘かもしれない。真偽のわからない引用をひけらかすのは、医師の悪い癖だった。

「それに、最近は火葬場からの環境汚染が問題視されてるそうだよ。煙突にはフィルターがついていて、水蒸気さえも冷やしてから排出する。だから、煙なんか出ない。死者は煙となって昇天することもかなわないのさ」

黒白の縞《しま》模様に塗りわけられた煙突の集塵《しゅうじん》フィルターに、樽宮由紀子の魂が引っかかる。「これじゃ天国に行けないじゃないの!」がっかりした表情。やがて、火葬場の作業員がフィルターの掃除にやってきて、樽宮由紀子の魂をほうきではたき落とすと、ゴミ捨て場に持っていく。ゴミ捨て場には、額に白い三角形の布きれをつけ、白装束をまとった死者の魂が山積みになっている。

またただ。わたしは顔をしかめた。ここ二、三日、ときおり奇妙な映像が頭に浮かんでいた。とても自分が考えたとは思えないイメージだった。

「おっと失礼。ぼくの空想があふれ出してしまったようだな」

医師がおどけて頭を下げた。

「ワイドショーがあんまりおもしろかったもんでね。ついつい、いろんなことが頭に浮かんでしまったよ。精神の深淵、心の奥底の暗闇か。人間の無意識というのは、どうして下の、奥の、底の、暗いところに見いだされるんだろうね。それはたんに、人間がお日様のもと、地面の上で暮らしているからじゃないかね。もぐらはきっと、無意識は上のほうの明るいところにあると思ってるよ」

丸い黒眼鏡をかけ、土に汚れた白衣を着たもぐらの精神分析医が、もぐらのハサミ男を診察する。「なんてことだ。きみの心の上側の明るさのなかには、恐ろしい怪物が巣食っている！　なんとおぞましい怪物だろう。太陽の光を浴びながら、二本足で地上を立って歩いているよ！」

「きみにぜひお願いしたいんだが、警察に逮捕されても、ぼくのことはしゃべらないでくれよな。ぼくは、きみの心の暗闇のなかの怪物にされるのなんか、まっぴらごめんだからね」

「そんなことをしゃべるつもりはない」

「逮捕されるつもりもないってわけか？　あまりうぬぼれないほうがいいぞ。警察はそんなに馬鹿じゃない」

「警察をあなどるつもりもない」

「そうかね。まあ、いいさ」

　医師は、どうでもいい、という顔つきになって、

「きみが死のうが、逮捕されようが、病院に収容されようが、ぼくには関係ないからね。ぼくのささやかな願いは、もうしばらく存在しつづけて、この事件のてんまつを見届けることだけだ」

「あの男は何者だと思う」

「さあな。まだなんともいえないね。彼は樽宮由紀子の年上の恋人かもしれない。あるいは年上の友人かも」

　医師はボールペンの先を顎にあてがって、

「年の離れたカップルには必ず肉体関係があると考えるのは偏見だよ。なんでもセックスと結びつけるのは、馬鹿な心理学者とジャーナリストにまかせておけばいい。性愛と友愛は峻別しなくちゃな。また、葬儀に出席していなかったにしても、親戚のひとりという可能性は残る。あるいは、もしかしたら、彼は樽宮由紀子のあしながおじさんかもしれない。あたし、モナ・リザの絵も見たことないし、シャーロック・ホームズって名前も聞いたことなかったんです」

「なんのことだ」

　わたしは、医師のニューハーフのような話し方に、背筋が寒くなった。

「きみはウェブスターの『あしながおじさん』を読んだことがないのかね。あれを読むと、

昔のアメリカの女子大生のガリ勉ぶりと読書熱がよくわかるよ。なにしろ、主人公はベンヴェヌート・チェリーニの自伝まで読んでるんだから」

ベンヴェヌート・チェリーニとは誰か、と訊くのはやめた。

「まあ、いまのところ彼が誰かはわからない。彼が樽宮由紀子を殺した犯人かどうかも不明だな」

「これからどうすればいいと思う」

「そうだな。あのアヤコとかいう子の話を聞いてみたいね。あの子に訊けば、謎の男が誰かわかるかもしれない」

「どうやって訊くんだ。へたに近づくのは危険だ」

「近づく方策はきみに一任するよ。そういう策略はお得意だろ？　十代の女の子に接近するのはね」

医師は皮肉な笑みを浮かべた。

「だいぶ元気を取りもどしてきたようだな。顔つきでわかるよ。ああ、それから、最後にひとつ教えておきたいことがある」

「なんだ」

「金曜日の昼間、テレビでコミックバンドが〈スーダラ節〉の歌詞で歌っていたのは、セックス・ピストルズだよ。曲は〈プリティ・ヴェイカント〉」

まったく無益な知識を披露して、医師は消えた。

医師が言っていたとおり、わたしの体調はかなり回復していた。胸はあいかわらずむかついていたし、パジャマを濡らした吐物が肌に冷たく貼りついていたが、気分はずっと楽になっていた。

ベッドから起きあがると、汚れたパジャマと下着をまるめてゴミ袋に捨て、シャワーを浴びた。

新しい下着をつけ、コーヒーを沸かして、テレビを点けた。

カンガルー帽をかぶり、大きな柄縁の眼鏡をかけた初老の翻訳家が話している。テレビ出演に慣れていないのか、視線がさだまっていない。

「ティプトリーというとシリアスな作品ばかり注目されますが、ぼくは初期の軽い短編が好きですね。自分で翻訳した経験から言わせてもらえば……」

わたしは驚いた。日曜日の午後九時すぎ。煙草の煮汁を飲んでから、二十四時間以上が経過していた。

第五章

「遺体の発見者ね」堀之内が考え込みながら言った。「シリアル・キラーなら、殺人を犯したあと一時間以上も現場に留まることもあるかもしれない、か。なるほど、なかなか鋭いね、君は」

告別式の翌日、十一月十六日日曜日、磯部は堀之内の仮オフィスを訪れ、自分が観察したことを報告していた。

今回のような重大事件の捜査には、日曜日も祝日もない。むしろ住民が在宅していることの多い休日こそが、聞き込みのチャンスだった。

堀之内も例外ではなく、日曜日だというのに、東京都郊外にあるという自宅から目黒西署にやってきていた。

「確かにそういう実例はあります」堀之内は続けた。「犯人が死体のそばに長時間留まっていたという例はね。ただ、そういうケースでは、死体損壊とか疑似宗教的儀式といった、なんらかの行動を伴っていることがほとんどだ。何もせずに死体のそばにいることはきわめて稀《まれ》だね」

堀之内はこめかみに手をあてた決めのポーズをとり、

「それにこれまでの犯行からしても、ハサミ男がそんな、他人に見とがめられるような危険な行為をするとは思えない。彼はとても慎重かつ細心な人物ですよ。発想はいいと思うけど、僕の意見では、遺体発見者はこの事件とはたぶん無関係ですね」

「そうですか」磯部は少しがっかりした。

「そのほか、何か気づいたことはありますか」

磯部は一弘ととし恵の様子の違いを話した。

堀之内は黙って聞き入っていたが、磯部のほうは説明しながら、だんだん不安になってきた。

僕は何かとても重要なことを見逃したのではないだろうか。第一、被害者の両親とハサミ男の捜査と何の関係があるというのか。

磯部が話し終えても、堀之内は黙ったままだった。意を決して、磯部は訊ねた。

「こんな話が役に立ちますか」

「うん？」堀之内は顔を上げて微笑を見せた。「もちろん役に立ちますよ」

一体どういうふうに役立つのか、と磯部は訊いてみた。

「あらゆる情報が役に立つんです。一見まったく関係ないような情報でもね。さまざまな断片をうまくつなぎ合わせることが、僕の仕事です」

「そうしてハサミ男の内面に迫るわけですね」

磯部がなんの気なしにそう言うと、堀之内は声をあげて笑い出した。何か馬鹿なことを言っただろうか。

「君は犯罪心理分析を誤解してますね」堀之内はおもしろそうな表情で磯部を見つめ、「まあ、世間の大半の人が誤解してるから、無理もないけど」

「どういう意味ですか」

「僕はハサミ男の内面になんか、まったく興味がないんですよ」堀之内はデスクにひじをつき、教え諭《さと》すように話しはじめた。「そんな詮索はテレビに出たがる犯罪心理学の先生に任せておけばいい。僕が探り出したいのは彼の外見的特徴です」

「でも、心理分析なんでしょう?」

「君はプロファイリングという言葉の元々の意味を知ってるかな?」堀之内はRとFを正確に発音した。「プロファイリングとは『横顔を描く』という意味ですよ。つまり、君たちがやってる似顔絵描きと同じことです」

磯部も何度か似顔絵を練習させられたことがあった。証言に基づいて人物の顔を描いていく。最後に犯人役の警察官があらわれて、どのくらい絵と似ているかどうかを採点するのだが、磯部の場合、それ以前に自分の絵の下手さに嫌気がさした。彼の小学校の図工の成績は2だった。

「犯人の容貌を訊かれて、『目は頭頂から七センチ離れ、両目の間は一・五センチ、目尻は水平軸から約十二度上に傾いていていました』なんて説明する証人はいないでしょう？」

堀之内は指先で自分の目を指しながら言った。

「そうじゃなくて、たとえば『つり上がった鋭い目つきでした』と言う。その説明を聞いて、君は似顔絵を描くわけだけど、どうしてそんな曖昧《あいまい》な言い方で絵が描けるんですか。そのプロセスをきちんと説明できますか？」

「できません」磯部は少し考えてから答えた。

「プロファイリングも同じですよ。犯人は現場やその周辺にさまざまな痕跡を残しています。それらは君たちが重視する物的証拠とは少し違う。何を意味するのか、何を指し示しているのかわからない、とても曖昧な痕跡です。そうした痕跡をつなぎ合わせて、犯人の外見的特徴を見出すのが、プロファイラーの役目なんです。ですから、極端な話、犯人の心理なんかどうでもいいんですよ」

「心理なんかどうでもいい？」

「だって、内面や心理は外から見えませんからね」堀之内はあっさり言ってのけた。「そんなものをいくら追及しても、犯人逮捕には結びつかないでしょう？　犯人は異常性格だとわかったとしても、どうやって異常性格の人間を探し出すんですか。付近の住民を対象に心理テストを実施するんですか？　そうじゃなくて、犯人を逮捕するには、外見的特徴を突き止めることが必要なんです」

「外見ですか」

磯部はつぶやくように言った。テレビや雑誌で得た知識から、犯罪心理分析官は恐ろしい連続殺人鬼の内なる狂気を暴き出す名探偵のような存在だとばかり思い込んでいたが、堀之内の説明はまったく違っていた。

「きちんと説明したほうがよさそうだね」

堀之内は磯部のがっかりした気持ちを察したようだった。

「プロファイリングという犯罪捜査手法が生まれたのはアメリカ合衆国です。いわゆるシリアル・キラー、すなわち無動機に殺人を繰り返す犯罪者の場合、被害者の人間関係を調べる従来の捜査では、犯人逮捕に結びつきません。また、アメリカは広いですから、州境を越えた広域で連続殺人が起こると、現場周辺の聞き込み調査も役に立ちません。そこでプロファイリングという手法が必要となった。その基本的な考え方は統計学です」

「統計学？」

「そう。つまり、すでに逮捕され、刑務所に収監されたシリアル・キラーたちの面談調査から始めたんですよ。この場合も、彼らの内なる狂気なんてものはどうでもよかった。要するに、彼らの犯行と彼らの外見的な特徴とがどういう相関関係にあるかが問題だったんです。その結果、たとえばこういうタイプの連続殺人は二十代後半から三十代前半の白人男性が犯人である場合が多い、という結果が出る。それをもとに捜査をおこなう、というわけです」

　堀之内はこめかみを指でかいて、

「ただし、これはあくまで調査に基づく統計的な結果でしかありませんから、相関関係はある程度見出せても、なぜそういう関係が生じるのかはわかりません。逆に、『なぜ』という問いを発するのは危険なんですよ。ある種の連続殺人の犯人にアフリカン・アメリカンが多いとして、『なぜ』そうなのかを考察することは、人種差別ととられかねませんからね。だから、プロファイラーは『なぜ』とは問わない。したがって、犯人の内面には興味がない、ということになります。僕たちが関心を持つのは、シリアル・キラーの犯行と外見的特徴との相関関係だけです」

「だから、似顔絵みたいなものだ、と言うんですね」

　磯部は堀之内の話を頭の中で吟味して、

「しかし、聞き取り調査で相関関係がわかるなら、プロファイラーという特別な捜査官を設ける必要はないんじゃないですか？　データさえあれば、普通の刑事でも捜査できるでしょう」

堀之内は笑顔を見せた。

「思ったとおり、君はなかなか鋭いね。そのとおりなんですよ。本来なら、そうあるべきなんです。データさえあれば誰でもプロファイリングできるようにね。実際、将来はそうなるでしょう。しかし、現時点ではプロファイラーは経験が必要な専門職となっている。特に日本ではそうです」

「なぜですか」

「サンプルが少ないからです。いかにアメリカが犯罪大国とはいえ、シリアル・キラーが何万人も何十万人も収監されているわけじゃない。統計処理の元となるデータは限られています。標本数が少なければ母集団の統計的性質は正確にはわからない。これは統計学の基本中の基本ですよ。したがって、そこに生じた誤差は経験と直感で補わなければならない」

堀之内は天井を見上げて、

「これは幸いなことなんですけど、日本ではさらにシリアル・キラーのサンプルが少ないんです。したがって、経験と直感の占める割合がきわめて大きい。さらに、アメリカとは文化的あるいは社会的背景が異なりますから、ＦＢＩのプロファイリング・データをそのまま輸入するわけにもいきません」

ここで一呼吸おいて、堀之内はにっこり笑った。

「ほら、有名な元ＦＢＩ犯罪心理分析官がいるでしょう。日本でも著書が翻訳されているし、テレビに出演したりもしている。今回の事件もコメントしてたかな」

「ああ、知ってます」

　アメリカのあるコメディアンによく似た白髪の男の顔を磯部は思い出した。映画のワン・シーンが脳裏に浮かぶ。ロス市警のフランク・ドレビンだ。こいつは相棒のノードバーグ。

「彼はさすがですよ。日本で起こった快楽殺人についてコメントを求められても、意味のあることを一言も言わないでしょう。何一つ断定しないし、ごくあたりまえな一般論に終始している。もちろん、シリアル・キラーの内面に迫ったりするはずがない。彼はよく知ってるんですよ。コンテクストの異なる日本での事件に、自分のプロファイラーとしての経験をそのまま適用できないことをね。だからといって、私にはわかりかねます、と答えたら、彼の現在のビジネスにさしつかえる。だから、そのへんをうまくすり抜けてコメントしているわけです。たいしたものですよ」

　堀之内は皮肉ではなく、本心から元ＦＢＩ犯罪分析官を称賛しているようだった。

「それに加えて、日本は見かけ上、単一民族国家だという問題があります」

「単一民族国家であることがプロファイリングに何か関係あるんですか」

「大いにありますよ。アメリカでプロファイリングがそれなりの成果をおさめたのは、多民族国家だからという説もあります。理由はわからないにせよ、こういう犯行を繰り返すシリアル・キラーはこの民族であることが多いという相関関係がわかれば、容疑者の数を一気に減らせると考えたからでしょうね。このことも似顔絵描きに喩《たと》えれば、わかるでしょう？『犯人はアフリカン・アメリカンでした』とか『犯人は東洋系でした』という証言が得られれば、容疑者の数は何分の一かになる。それと同じことです。ところが、日本ではそうはいかない」

「では、どうするんですか？」

「経験と直感ですよ」堀之内はあっさり言ってのけた。「君たちの言う刑事の勘と同じです。だから、FBIの連中は『日本でやってるのはゼン・プロファイリングだ』と悪口を言いますけどね」

「勘、ですか」磯部は昨日の村木の話を思い出した。

「科学的直感、あるいは直感の科学かな」堀之内はつぶやくように言った。「本当はもっと精密化して、誰でも使える捜査手法になるのがいちばんいいんですよ。FBIでは、これを『アストロロジーからアストロノミーへの転換』と呼んでいます」

「アストロ……なんですか、それ？」

「『占星術から天文学への転換』ですよ。今のところ、プロファイラーには星占い師めいたところがあります。経験と直感の占める割合が大きいため、黙って坐ればぴたりと当たるというか、何か神秘的な能力を持った人物に思われがちです。しかし、本当は指紋や血液型の検出のように、技術さえ身につければ誰でもプロファイリングできるようになるべきなんですよ。そうなれば、本当の意味での科学捜査になるわけです」

そういえば、堀之内の所属は科学捜査研究所だった。

「ただ、そのためには、日本での快楽殺人事件の件数が現在の何十倍か何百倍に増加して、サンプルが増えなければなりません。このへんがジレンマですね」

堀之内は磯部の顔を見すえて、

「というわけで、今のところ、僕にできるのはせいぜい君たちに指針を示すだけなんです。プロファイリングはまだ完全な科学捜査とはいえませんから、それを根拠に犯人を検挙することはできません。僕の出す指針を元に、君たちに物的証拠をつかんでもらわないと、ハサミ男を逮捕することはできない。プロファイリングと地道な聞き込みは捜査の両輪なんですよ。どちらが欠けても、シリアル・キラーは捕まえられない」

「事実をつかむことが大切だ、ということですね」

村木の話と本当にそっくりだ、と磯部は思った。

「そのとおりです」

堀之内は椅子に寄りかかって、目を閉じた。報告は終わり、という合図だろう。磯部は立ち上がり、仮オフィスを出た。

「堀之内警視正殿はなんて言ってた？」

刑事課に戻ると、村木がいきなり訊いてきた。

「村木さんと同じことを言ってましたよ」

席につきながらそう答えると、村木はきょとんとした顔つきになった。

刑事課には上井田警部、村木、下川の三人が残っていた。

下川は弁当箱を机に広げて、遅い昼食をものすごい速さでたいらげていた。すぐにまた聞き込みに出かけるのだろう。

「村木さんのほうはどうですか。何か進展は？」磯部は訊ねた。

「進展なし」村木は大きく背伸びをして、「ハサミのメーカーの奴、ものすごく嫌な顔してたぜ。何回来られても、この種類のハサミの流通ルートは膨大すぎてわかりません、とさ」

「売れ行きが落ちるから、いらいらしてるんだ」

下川が弁当箱から顔を上げて言った。米粒が頬にへばりついていた。

「たまらんだろうな。一時的なものならまだいいけど、世間が忘れかけた頃になって、また自分のところのハサミが凶器に使われるんだから」

「テレビでもどんどん放映されてるしね」村木が後を引きとって、「メーカー名は伏せてるけど、見りゃわかるさ」

「文房具メーカーは全部ダメージを受けてるんじゃないか」下川が考え込んで、「たった一人の殺人犯のせいで、文房具不況か。社会問題だね」

「とにかく、俺にわかったのは、このハサミは日本じゅう、どこでも手に入るってことだけ」

　村木はデスクの上のハサミを手に取り、磯部に見せた。聞き込み用に一丁購入したものだろう。

「一万回、文房具屋詣《もう》でをしても凶器の出所はわからないとみたね、俺は」

「だが、一万一回目に出所が割れるかもしれない」下川が自分に言い聞かせるように、「そのために俺たちは毎日歩き回る。そうだろ？」

「長さんの言うとおりだ」村木が両手を大きく広げた。

「そうですよ」磯部は二人を励ますように声をあげた。「地道な捜査は犯人逮捕への最大の近道です」

　村木と下川が驚いて磯部の顔を見つめた。いつも冷静沈着な上井田警部までが目を丸くしていた。

14

十一月十七日月曜日は、まったく奇妙な一日だった。

まず、朝から関東地方に時ならぬ寒波が襲来し、気温は真冬並に低下した。早朝の天気予報では、気象予報士が、雪が降るかもしれません、と真顔で語っていた。

わたしはタンスから厚手のセーターを引っぱり出し、完全武装で出勤した。電車のなかにもオーバーコートやダッフルコート姿のサラリーマンが目立った。

編集部に入ると、いつものごとく、佐々塚がさっそく用事を言いつけようと近づいてきた。

だが、佐々塚はすぐに鼻にしわをよせ、命令するのも忘れて、わたしの顔をまじまじと見つめた。

佐々塚だけではなかった。他の編集部員も、ふたりのアルバイトも、みんな変な目でわたしを見た。

岡島部長まで、わたしの顔を見るなり、首をかしげた。

そんなにこのセーターは似合わないのだろうか。わたしはトイレの鏡の前でしばらく考え込んだ。手編み風のチェック模様のセーターで、じつはひそかに気に入っていたのだが。

つづいて起こった奇妙な出来事は、昼休みに岡島部長に呼び出されたことだった。

「ちょっといいかな」

岡島部長はわたしを手招きし、隣室の倉庫へつれていった。

倉庫のなかでふたりきりになっても、スチール棚をながめるばかりで、岡島部長はなかなか話し出そうとしなかった。

いったいなんだろう、とわたしは不審に思った。

早退や休みが多すぎるから、おまえはクビだ、と宣告されるのだろうか。それはそれでしかたがない。時間的に融通が利くから、このアルバイトを選んだのだし、わたしには仕事以外にやるべきことが多かった。

「前にも一度言ったけれど」

とうとう岡島部長は話を切り出した。わたしの目を見て、

「正社員になる気はありませんか」

思いもよらない申し出に、わたしは仰天した。一瞬、冗談かと思ったが、岡島部長の表情は真剣だった。

「正社員ですか」

「うん。きみもバイトして二年近くになるでしょう。そろそろ社員になってもいいころかな、と思うんだけど」

「でも、早退や休みが多いですよ。いいんですか」

「かまわないよ。きみも暇なときを見はからって、休みをとってるじゃないですか。その判断ができる人なら、だいじょうぶ。うちは小さな会社だし、こういう仕事だからね」

「山岸さんのほうがいいんじゃありませんか」

わたしの頭に、懸命に仕事に励む山岸の姿が浮かんだ。わたしには彼のような熱心さはない。

「彼はだめね」

岡島部長は即座に断言した。

「やる気はあるんだろうけど、この仕事に向いてない。なにか勘違いしてる」

「勘違い、ですか」

「うん。クリエイティブという言葉を勘違いしてると思うね。何か華やかで、かっこよくて、スマートな仕事だと思ってるんだろうな。そんなのは嘘ですよ。クリエイティブな仕事というのは、もっと地味で、泥くさいもんです」

岡島部長はわたしの顔をじっと見つめて、

「きみはそのへんのことを理解してると思うけど」

「山岸さんではだめですか」

「だめですね。まあ、わざわざこちらから辞めてくれと言うほどではないけど、彼には才能がない。才能のない人はいらない」

冷たく言いはなった。わたしはあらためて岡島部長の冷徹さを思い知らされた。長年の経験を積んだ、プロフェッショナルの言葉だった。

「山岸さんはきっとがっかりするでしょうね、わたしが先に正社員になったりしたら」

やる気も見せず、早退や休みを繰り返す同僚に先をこされたら、あの自尊心の強そうな男は激怒するだろう。

「そんなこと、かまわないじゃない」

岡島部長はなぜか、突然、怒りをあらわにした。

「きみのほうがアルバイトとしても先輩でしょう。先に正社員になって、何が悪いの。当然のことじゃないですか。そんなこと、気にする必要はないよ」

「べつに気にはしていません」

わたしはなぜ岡島部長が怒っているかわからず、とまどいながら、正直に答えた。

「ただ、少し考えさせてください。あまりに急な話だったので」

「いいですよ。べつにすぐに決めろとは言いませんから」

岡島部長は額に手をあてると、

「きみ、何歳だった？」

と訊いてきた。

「二十六です」

「いつまでもフリーターでいられるわけじゃないよ。そろそろ、将来のことも考えたほうがいいんじゃないかな。ちゃんと会社勤めをするのも、ひとつの選択だと思いますよ」

わたしは倉庫からそのまま会社の外に出て、パスタで軽く昼食をとり、編集部に戻った。午後の就業時間中ずっと、だんだん仕事量が増えつつあった編集部内で忙しく動きまわる山岸の姿が目についてしかたがなかった。

彼には才能がない。才能のない人はいらない。気の毒に。

わたしは定時の午後五時に編集部を出た。

月曜日最後の奇妙な出来事は、帰宅途中に起こった。

わたしが横断歩道を渡ると、アパートの入口のそばの暗がりから声がかかった。

「やっと帰ってきた」

待ちわびた、という気持ちのこもった、かん高い女の声だった。女は暗がりから蛍光灯の灯りの下にあらわれた。

「あなた、樽宮由紀子さんの遺体の発見者よね」

その女を見た第一印象は、三十歳をすぎた女性にピンクハウスの服を売るのは都条例で禁止すべきだ、というものだった。

女の服装は、上から下まで、全部ピンクハウスで統一されていた。髪は茶色に染められ、化粧も厚く、アイシャドウが濃すぎた。わざと悪趣味に装っているかのような外見だった。

「ずいぶん待ったのよ。午後三時からずっと」

女はわたしに近づき、なれなれしく腕に手をそえてきた。

「あなた、誰ですか」

わたしは眉をひそめて、そう訊ねた。これだけ強烈な印象を与える女なら、どこかで会っていれば、覚えていないはずがない。初対面であることは間違いなかった。

「あたし、ハサミ男事件の取材をしてる者です。ぜひ、あなたにお話をうかがいたいんですけど」

女は懇願するように言った。

「悪いけど、取材に答える気には……」

「わかるわあ。かわいそうな女の子の遺体を見ちゃったんですものね。あなたの気持ちはとってもよくわかります。でも、あたし、二時間以上も待ったのよ。むげに追いはらったりはしないわよね」

ずいぶんずうずうしい女だ。こうでなければ、殺人事件の取材などできないのかもしれない。

結局、わたしは取材依頼に同意し、彼女とともに近くの喫茶店に向かった。押しの強さに負けたということもあったが、思いついたことがあったからだ。

喫茶店の奥のテーブル席につき、カフェオレとコーヒーを注文すると、女はバッグから名刺と一冊の雑誌を取り出した。

週刊アルカナ編集部
黒梅《くろうめ》　夏絵《なつえ》

「ほら、この記事の担当なのよ」

黒梅というらしい雑誌記者は、週刊誌のページを開いて、わたしに見せた。

巻頭記事だった。〈ハサミ男の第三の犠牲者！〉という大きな活字が躍っていた。署名は〈本誌特別取材班〉だ。

「雑誌社の人なのか」

わたしは名刺と記事を見比べ、そうつぶやいた。

「本当はフリーライター。社員じゃないわ」

黒梅は口元に手をあてて、くす、と笑った。

こういう可愛いそぶりを見せつけるタイプの女性は苦手だった。特に彼女のように、とうがたった女性の場合は。

「わたしが遺体の発見者で、ここに住んでいると、いったいどこで知ったのかな」

　わたしはふと興味を覚えて、そう訊いてみた。自分に関する情報がどのように漏れるものか、ぜひ知りたかった。

「それは言えないわ。ジャーナリストは情報ソースを明かせないのよ。ごめんなさいね」

　黒梅はわたしの質問を笑顔で受けながした。バッグから小型のテープレコーダーを取り出し、テーブルの上に置くと、

「じゃあ、お話を聞かせてちょうだい」

「それ、どこで売ってるのかな」

「このテレコ？　電器屋さんに行けば、どこでも手に入るわよ」

　黒梅はそう答え、インタビューを始めた。

　わたしは警察の質問に答えたときと同様、話すべきではないことを除いて、おおむね事実を語った。

「遺体の様子はどうでした？」

　ひととおり話し終えると、黒梅が質問してきた。

「普通でしたよ」

「たとえば、スカートがめくってあったり、そういうことはなかったかしら」

　わたしは苦笑した。どうやら彼女も「ある種の性的暴行」に大いなる関心をいだいているらしい。

樽宮由紀子の遺体にはべつだん変わった点は見受けられなかった、と正直に答えた。

「そうですか。ありがとうございました」

がっかりした様子も見せず、黒梅は礼儀正しく頭を下げた。インタビュー終了。わたしは、名前を出さないように念を押して、

「ひとつ質問していいかな」

と切り出した。

「なんです？」

「被害者の女の子についてなんだけど……」

「樽宮さん？　なんで彼女について知りたいの？」

黒梅がわたしの目を見て、鋭く訊いた。

見かけによらず、この女は頭が切れそうだ。用心しなければ。

「なにしろ、どういう縁か知らないが、彼女の死体を見つけてしまったからね。どうも気になるんですよ、彼女のことが」

「なるほどね」

黒梅はうなずいた。本当に納得しているのだろうか。表情が読みとりにくかった。

「テレビの報道だと、成績優秀で、美人で、やさしくて、みんなから好かれていて、といったありきたりのことしかわからない」

「そりゃそうよ。被害者ですもの。悪い噂は書けないわ。それはこの記事だって、そう」

黒梅はテーブルにひろげた雑誌記事を指先で叩いた。

「悪い噂も、耳に入ってきてるんだね」

「どんないい子にだって、悪い噂はあるわ」

黒梅はいたずらっ子のような目つきで、わたしを見つめ、

「まあ、せっかく取材に答えてくれたんだから、いいでしょう。ちょっとだけ話してあげる」

黒梅はテーブルに両ひじをつき、話しはじめた。

「彼女、男性関係のほうがかなりすごかったらしいのよ」

「もててもおかしくないだろうね。美人だから……テレビで生前の写真を見たかぎりでは」

わたしは急いでつけ加えた。

「そういうんじゃないの。男が近よってくるんじゃなくて、彼女のほうから積極的に男漁りをしてたようなのね。いわゆる逆ナンパってやつ」

意外な話だった。

その気持ちが顔に出たのだろう。黒梅は笑って、

「そうは見えなかった？　クラスメートの子が言ってたわ。由紀子はおとなしそうな顔してるけど、インランだって」

「最近の女子高生は難しい言葉を知ってるね」

「馬鹿みたいよね」

黒梅は喫茶店の照明を見上げて、唇をとがらせた。

「高校生の男の子が年上の女性と何人もつきあったら、かっこいい、あいつもやるなあ、って言われるのに、女の子だといきなりインランだもの。やってることは、なんにも変わらないのにね」

この女は樽宮由紀子を進んだ女子高生と解釈しているようだった。

確かにそうだったのかもしれない。だが、わたしが見た樽宮由紀子の印象とその解釈には、少しずれがあった。

「彼女は年上の男性とつきあっていたのかな」

「何人もいたみたいよ。それも全部、肉体関係あり」

ファストフード店で目撃した男も、樽宮由紀子に「逆ナンパ」されたひとりなのだろうか。

「しかたがないわよねえ。けっこう、複雑な家庭だったみたいだから」

カフェオレをすすりながら、黒梅がしみじみと言った。

「複雑な家庭？」

「両親が連れ子どうしの再婚なのよ」

黒梅はにっこり笑って、指を折りながら、

「息子のいる男性と娘のいる女性が再婚したわけ。彼女、父親と弟とは血がつながっていないのよね。そのへんも彼女の素行に関係あるんじゃないかしら」

これも初めて聞く事実だった。樽宮由紀子にとって、一弘と健三郎は義理の父と弟なのか。

黒梅の話を聞いて、告別式の日に見せた健三郎の行動が少し疑問に思えてきた。義理の姉の死に対して、あれほど感情をむきだしにするものだろうか。

わたしには判断がつかなかった。わたし自身は、そうした感情とは無縁の人間だから。

「前の奥さんや旦那《だんな》さんは、どうしたのかな」

「父親のほうは死別、母親のほうは離婚ね。いろいろわけありみたいよ。そのあたりは詳しく調べてないけど」

黒梅はカフェオレを飲み干した。もういいだろう、という態度だった。少ししゃべりすぎたと反省しているのかもしれない。

コーヒーとカフェオレの代金は黒梅が支払った。初めて入った店だったが、値段が高いわりに、たいしておいしいコーヒーではなかった。たぶん、二度と来ないだろう。

寒風の吹きすさぶ店外に出ると、黒梅はわたしをじろじろ見つめて、

「ねえ、あなた、いつもそんな格好なの?」

いきなり、そう言った。なんとも、ずけずけとものを言う女だ。

わたしは自分の服装を見なおした。手編み風セーターにジャケット、ジーンズ、スニーカー。

「そうだけど、変かな」

「まあ、悪くはないけど」

黒梅はわたしを上から下まで品さだめすると、

「もう少し、おしゃれしたほうがいいんじゃない?」

よけいなお世話だ、とわたしは思った。ピンクハウスマニアに言われる筋合いはなかった。

「それに、あなた、煙草の吸いすぎよ。息がやに臭いわ」

黒梅の言葉を聞いて、わたしは思わず笑い出した。編集部でみんなが変な目でわたしを見た理由がわかったからだ。

「ご忠告ありがとう。今日から禁煙するよ」

わけがわからない、といった様子で立ちつくす黒梅を残し、わたしは部屋に帰った。

第六章

十一月下旬になっても、目黒区女子高校生殺害事件の捜査は一向に進展しなかった。

捜査本部が最も重点を置いていたのは、現場周辺における不審者の目撃情報の確認だった。どんな些細な情報であっても、すべて裏をとり、その不審者がどこの誰なのかを探りあてなければならない。人手はいくらあっても足りず、とうとう磯部も聞き込みに駆り出された。

磯部はパートナーとなる捜査一課の刑事に紹介された。

本庁の刑事は大柄な筋肉質の男で、大学時代はアメリカン・フットボール部のレギュラーだったことが自慢らしかった。気は良さそうだが、所轄の刑事を見下すそぶりが垣間見えた。

「君、趣味はなんだい？」

初対面なのに、なれなれしい言い方だった。磯部とさほど年は変わらないように見えるのに、いきなり君呼ばわりだ。

「読書です」と、磯部は答えた。

「へえ、どんな本が好きなんだ？」

「ミステリが好きです」

そう答えると、本庁の刑事は鼻で笑って、

「よく推理小説なんか読めるな。嘘ばかり書いてあるじゃないか。本物の犯罪捜査に携わっているのに、あんなでたらめ読んでおもしろいかい？　参考にならんだろう」

仕事の参考にするつもりなど、最初からなかった。それに、磯部が愛読しているのは、リアルな警察小説ではなく、名探偵が快刀乱麻に謎を解く本格ミステリだ。

名探偵が現実に存在しないことなど、わかりきっていた。磯部にとって、ミステリはあくまで趣味の読み物だった。

警察官たる者、ミステリなどは読まずに馬鹿にすべきなのだろうか、と磯部は思った。そうすると、銀行マンは経済小説を馬鹿にし、恋人たちは恋愛小説を馬鹿にし、野兎は童話を馬鹿にしなければならない。

地球人に化けて、こっそり街にひそむ火星人は、きっとサイエンス・フィクションを鼻で笑っているに違いない。

「アンナノ嘘バカリジャナイカ！　ワレワレノ地球侵略ノ参考ニハナランヨ」

絵空事だからこそおもしろいのだ、と説明しても彼には理解できないだろう。磯部は黙っていることにした。

磯部は、本庁の刑事とともに聞き込みと裏づけ捜査にあたった。

この手の捜査に関わるたびに痛感するのは、世の中にはいかに不審者とみなされる人物が多いか、ということだった。

「あんな真夜中に一人で通りを歩いているなんておかしいわよ」中年の主婦が言った。「髪もぼさぼさだし、気味が悪くて。あいつ、絶対犯人よ」

「変だと思ったんですよ。高校の正門のそばにずっと立ってるんだもの」スーツ姿の若いサラリーマンが言った。「あれはきっと、被害者の女の子を尾行していたんですよ。僕はそう思うな」

「樽宮さんとあたしが歩いているとき、いつも見かけたんです」クラスメートの少女がつぶやいた。「あたしたちのほうをじっと見つめてたの。で、あの事件でしょ。次はあたしが狙われるんじゃないかと思って、恐くて、恐くて」

証言はいくらでも得られた。その一部は、たぶん証人本人が言いふらしたのだろうが、なぜかマスコミにも流れ、独占入手情報として週刊誌やワイドショーをにぎわせた。

ところが、真夜中に一人で歩いていた男は近所のマンションに住む定年退職した愛猫家《あいびょうか》で、毎晩のように野良猫の集会を見物していたのだし、葉桜高校の正門前に立っていた男はバスを待っていただけで、証人の言う「ずっと」とは約二十分間であることが明らかとなり、女子高生をつけまわしていた有名なドラマの主演男優そっくりという男にいたっては、いくら調べても存在がつかめず、彼女以外にそんな男を目撃した人間もあらわれなかった。ひょっとしたら十代の少女特有の自意識過剰が生んだ妄想ではないか、と磯部は疑った。

もちろん、中には本物の不審者もいた。

「あいつだ」と、本庁の刑事が車の中から男を指さした。「君はどう思う?」

また観察力テストか。やれやれ、と磯部は思った。どうして他の刑事たちは僕の顔を見るとOJTをやりたくなるんだろう?

磯部は男を見た。長髪をなびかせた若者だった。真冬並の寒さだというのに、革ジャンの前をはだけ、黒のTシャツをのぞかせている。

「普通の青年に見えますね」

磯部がそう答えると、本庁の刑事は笑い出した。

「なってねえな。目黒西署では何を教えてるんだ? あいつは絶対、変態野郎だよ。ホンボシかもしれないぞ」

おまえに求められているのは、おまえ自身の物の見方を貫くことだ。村木の言葉が頭に浮かんだので、磯部は腹を立てなかった。

青年が木造アパートの部屋に入ると、本庁の刑事が言った。

「よし、ガサかけるぞ」

磯部は驚いた。令状もなしに家宅捜索をおこなう気なのもさることながら、本庁の刑事の態度や口調がテレビの刑事ドラマそっくりだったからだ。「ホンボシ」とか「ガサをかける」といった隠語の使い方からして、そうだった。

磯部は目黒西署に勤務して三年になるが、そんな言葉はほとんど聞いたことがなかった。たぶん上井田警部が隠語を嫌っているからだろう。あの村木でさえ、警部の前では「マルサイ」とは言わなかった。

彼はミステリは嫌いでも、刑事ドラマの大ファンなのではないだろうか。車を降り、本庁の刑事とともに木造アパートに向かいながら、磯部はそう思った。それとも、本庁ではこんな言葉づかいが実際に飛び交っているのか。

もしかしたらこの体育会系の刑事は、捜査一課では「アメフト」というあだ名で呼ばれているのかもしれない。

回転錠のついた薄っぺらいドアをノックし、警察の者だと名のると、若者は明らかに動揺を見せた。アメフト刑事は若者が「ホンボシ」だと確信を持ったらしい。強引に部屋に上がり、若者の抗議を無視して、押し入れを開けた。

出てきたのは、段ボール箱いっぱいの女性の下着だった。

若者を近くの派出所に連れていくとき、アメフト刑事は、ほら、俺の言ったとおりだろう、という自慢気な顔をしていた。

確かに彼は僕より人を見る目がある、と磯部は思った。そのことは認めなければならない。

しかし、派出所でうなだれながら質問に答える若者を見ても、やはり磯部には普通の青年だとしか思えなかった。

もちろん、夜中に他人のベランダから下着を盗むことは犯罪である。一人の犯罪者を逮捕したのだから、アメフト刑事は、ささやかではあるけれど、市民の安全と社会秩序を守る警察官としての職務を果たしたことになる。磯部には、そのことにけちをつける気はまったくなかった。

だが、磯部の目には、若者は女性のパンティが好きな普通の青年に見えた。アメフト刑事の「変態野郎」は言いすぎに思えた。

では、ハサミ男はどうだろう?

目黒西署に帰る車の中で、磯部はふと考えた。逮捕されたとき、彼はどんなふうに見えるだろうか。

もしかしたら、彼もまた、ごく普通の青年に見えるかもしれない。東京のどこでも見かける、普通の服装をし、普通の顔をした、ごく普通の青年。磯部の頭になぜか遺体発見者の顔が浮かんだ。

　僕たちは知らず知らずのうちに、先入観にとらわれているんじゃないだろうか、と磯部は思った。

　ハサミ男。冷酷な殺人鬼。連続少女殺人犯。少女を絞殺し、のどにハサミを突き刺すシリアル・キラー。

　マスコミにあふれるそんな煽情的な言葉の数々が、彼を見つけ出す妨げになっているのではないか。

　小説や映画に登場するシリアル・キラーは、のべつまくなく狂っている。朝目覚めたときから、赤い光がくるくる回転する幻覚が見え、「殺せ、殺すんだ！」という幻聴が聞こえ、「俺は神だ！　超人だ！」と叫びながら、部屋の中でハンティング・ナイフを振り回し、なぜだか理由はさだかではないが、一人でいるときもホッケー・マスクをかぶって顔を隠している。

　だが、シリアル・キラーは本当にそんなふうなんだろうか？

　もしそうなら、連続殺人を犯す前に、家族や近所の人間が医者か警察を呼んでいるだろう。そんな状態で、まともな社会生活を送れるとは思えない。

　シリアル・キラーといえども、腹が減れば食事をするだろう。食事をするには金が必要だから、仕事にも行かなければならない。時にはテレビを見ながら、部屋でごろごろしていることだってあるに違いない。

畳の上に横になり、「つまんねえ番組だな」とあくびをしながら、ジャージの尻をポリポリかくシリアル・キラー。小説や映画でそんな姿を見せられたら、まったく興醒めだ。みんなは恐るべき怪物、年がら年じゅう常軌を逸した異常者、血も凍るような殺人を繰り返す冷酷な殺人鬼を見たいのだから。

しかし、本当にそうなのだろうか？

「私は無動機殺人の捜査に携わったことがないから、なんとも言えませんね」

刑事課で報告を終えた後、思い切って疑問をぶつけてみると、上井田警部は静かにそう答えた。

「ただ言えるのは、普通とはなんだろう、ということですね。あなたはその若者を『普通の青年』だと思ったと言いましたが、その『普通』とは一体どういう意味なんだろうか」

磯部に訊ねたのではなかった。上井田警部は自問していた。

「昔、私が担当した事件にこういうのがありました。郵便局に目出し帽をかぶった男が強盗に入り、十万円足らずの現金を奪って逃走したんです。事件そのものはごく単純で、犯人もすぐに逮捕されました。ある企業に勤める四十三歳の課長です」

上井田警部は事件の詳細を思い出すかのように、間をとって、

「証拠も十分あって、その男が郵便局強盗の犯人であることは間違いなかった。しかし、動

機がわからなかったんです。あなたの言い方を借りれば、彼は『普通のサラリーマン』だった。奥さんと二人の子供がいて、賃貸マンションに住んでいて、会社での仕事ぶりも真面目。ローンに苦しんでいるわけでも、ギャンブルに散財しているわけでもなく、金に困った様子はない。どうして彼が郵便局に押し入らなければならなかったのか、最初はまったくわからなかった。やがてわかりましたけどね」

「どういう動機だったんですか」磯部は興味をひかれていた。

「女がいたんです」上井田警部はあっさり答えた。「どこかのクラブのホステスだったかな。とにかく奥さん以外の女性とつきあっていて、金が必要だったんですね」

「よくある話ですね」

磯部はありきたりの動機にがっかりした。上井田警部の口ぶりから、もっと意外な動機を期待していたのだ。

「そう思いますか」

上井田警部は磯部の気持ちを読みとったらしく、おだやかな笑顔を浮かべた。

「マスコミもそう思ったんでしょうね。週刊誌でも大きく取り上げられましたが、最初は、そのホステスが悪いという論調でした。真面目な中年サラリーマンの心を弄《もてあそ》んで、金を絞りとった悪女、彼が郵便局強盗をしたのはこの女のせいだ、というわけです」

また記憶を探る顔つきになって、

「しかし、その後、ある週刊誌が別の見方を出しました。犯人の大学時代の友人が、彼は水商売の女なんかにだまされる男ではない、と言い出したんです。そこで調べてみると、犯人の奥さんは非常な悪妻で、夫婦の仲は冷え切っていたことがわかりました。つまり、犯人がホステスの誘惑に乗ったのは、実は奥さんのせいだ、郵便局強盗までさせたのも、ひいては奥さんの悪妻ぶりが原因だということになりました」

上井田警部はデスクに片ひじをつき、考え込んだ。

「そのとき思ったんです。最初、犯人が郵便局に強盗に入った動機はホステスの女に求められ、つづいて奥さんに求められた。それでみんな、ある程度納得している。しかし、本当にそうなのだろうか。それが真の動機と言えるのか。それが『普通の動機』だと納得していいのだろうか」

磯部の顔を見上げて、

「私の言っている意味がわかりますか？」

「なんとなく、ですが」

「無動機殺人の場合は、今言ったような意味での『普通の動機』がありません。だから、どんなに遡って動機を求めても、誰も納得することはできない。そこで最終的に、犯人は頭がおかしかったとか、不幸な幼児体験をしたとか、そういった理由が見出される。人々は納得したいんですよ。なんの意味もなく、人を殺す人間がいるとは思いたくない。そういう人間を目のあたりにしても、なんらかの意味や理由を見出したい。だから、無動機殺人者の心理を知りたがる」

上井田警部は両目を閉じて、

「しかし、犯罪を犯す『普通の動機』なんて、本当にあるのだろうか。今言った郵便局強盗だって、一時的に精神錯乱していたと言えなくもないでしょう。それに、保険金殺人は納得できるが、快楽殺人は納得できないというのも妙な話です。まるで、金のためなら人を殺してもしかたがない、と言っているみたいだ」

上井田警部はしばらく黙り込んだ。やがて目を開いて、

「私に言えるのは、今回の事件の犯人が普通に見えるかどうかはどうでもいいのではないか、ということです。そんなことは見る人間の目によっても変わりますし、見る状況によっても変わります。そんなあやふやな印象をもとにして、犯人は逮捕できません」

「事実を、物的証拠をつかむことが大事だということですね」

「そうです。郵便局強盗の場合も、なぜ犯行をおこなったかはわからないにせよ、彼が犯人であることは事実でした」上井田警部はほほえんで、「あなたも警察官としての自覚が出てきましたね」

「先輩方の指導のたまものです」磯部は村木と下川を盗み見ながら、そう答えた。「それに、堀之内さん……いや、堀之内警視正も同じことをおっしゃってました。自分は指針を示すだ

けで、事実をつかむことが大事なんだと」

「そうですか」上井田警部は首をひねって、「やはり彼も警察官なんですね」

「おほめいただいて光栄だね」仮オフィスで磯部の話を聞き終えると、堀之内は苦笑した。

「上井田警部殿はなかなかの哲学者ですね。刑事にしておくのは惜しい」

皮肉だろうか、と磯部は思った。捜査会議の後、やりこめられて以来、堀之内は上井田警部に少し反感を持っているようだ。そのことは堀之内の話の続きからもうかがえた。

「だが、上井田警部殿の意見はちょっと極端すぎるね。一種の極論ですよ。そんなことを言い出したら、普通の人間などいなくなってしまうでしょう。しかし、実際には普通の人とシリアル・キラーの間には歴然とした違いがある」

「どういう違いですか」と、磯部は訊ねた。

「それは一概には言えません。シリアル・キラーにもそれぞれ個性がありますからね。その人間のライフ・ヒストリーによって、症状もさまざまなあらわれ方をする。それは事実です。しかし、明らかに正常人とは違いがある」

堀之内は比喩を求めて空中を目で探した。

「こう言えばわかるかな。健康な人間の体の中にも、常に多少は癌細胞が存在していると言いますね。だからといって、あらゆる人間が癌患者であるとは言えません。健康な人間と癌患者の間には違いがあるし、それを診断することもできる」

「堀之内さんもシリアル・キラーを診断できるわけですか」

「そのつもりです。たいていの場合は面談すればわかります。面談でわからなくても、いろんな検査方法がある。シリアル・キラーを一くくりに扱うことはできないにせよ、一般人とは明らかに異なる点があるわけです。少なくとも僕はそういう信念を持っています」

堀之内は磯部の目を見つめて、

「君が言うとおり、ハサミ男はごく普通に見えるかもしれない。しかし、見る人が見れば、彼がシリアル・キラーだということはわかるんですよ。僕はそれをつかもうとしているんだ」

「見る人が見れば、ねえ。自分にはわかる、おまえたち平刑事にはわかるまいって意味だろ、それ」電車から駅のプラットホームに降り立ちながら、下川がつぶやいた。「ま、俺には難しいことはわかんねえけどな」

被害者の通う高校周辺の様子を見てきてくれ、と堀之内は磯部に命じた。今日のパートナーは下川だった。

「俺もずいぶん残酷な殺人犯を見てきたよ」

駅前のファストフード店でハンバーガーに食らいつきながら、下川は話しはじめた。

「マンションに強盗に入って、親の目の前で子供を刺し殺した奴とかな、いろいろ見た。こいつは人間じゃねえ、鬼だ、と思ったことだってある」

下川は唇のまわりのケチャップを指で拭《ぬぐ》うと、

「だがな、そういう連中だって鬼じゃない。やっぱり人間なんだよ。親父とおふくろから生まれて、赤い血が流れてるんだな。その証拠に、最初は無表情で黙り込んでる奴だって、尋問をしていくうちに必ず感情を表に出す。子供を刺し殺した奴なんて、その子の写真を見せたら泣き出したぜ」

「写真を見せたんですか」フライドポテトをつまみながら、磯部は言った。

「俺じゃないよ。松元さんがやったんだ。あの人は相手の心を見抜くのがうまいからな。俺にはそんなの思いつかないよ。四十歳くらいのいかつい大男で、前科もたっぷりあった。俺のほうは、こいつは人を殺したって何も感じないに違いないと思い込んでた。それこそ、人間の皮をかぶった鬼だってね」

下川は腕組みして、

「ところが、写真を見るなり、肩をぶるぶる震わせて、大声で泣きはじめたんだよ。顔をくしゃくしゃにしてな、十分くらい泣いてたかな。後はすらすら自供したよ」

「すごいな。さすが松元さんですね」磯部は感心した。

「俺もそう思った。で、松元さんに訊いたんだ。どうして、あの男が写真で落ちると思ったんですかってな。そうしたら、松元さんは笑って、あの男に限らない、殺人犯は誰でも心のどこかで被害者に罪の意識を感じてるもんだ、と言った。忘れられないな。もう十年以上前の話だけど」

「罪の意識ですか」

「ああ、そうだ。人間、そんなに残酷になれるもんじゃない、と俺は思うよ」下川は磯部の注文したフライドポテトに手をのばし、「どんなにイカレた野郎でも、だ。ハサミ男だってそうさ。考えてみろよ。十代の女の子を三人も殺してるんだぜ。しかも、絞め殺した後、のどをハサミでグサリだ。そんなことをやって、平気でいられると思うか？」

磯部は液晶スクリーンに映った被害者の写真を思い出した。ハサミの刃先で傷だらけになった首筋。半分近く切り裂かれた頰。剝き出しになった奥歯。

ハサミ男はそんな光景を夢に見て、夜毎《よごと》うなされているのだろうか。

「そろそろ行きましょうか」

と、磯部は促した。注文したフライドポテトはあらかた下川にたいらげられてしまった。

「俺はここで待ってるから、おまえ一人で行ってこい」下川は平然と答えた。

「だって、パートナーでしょう？」

「聞き込みならつきあうけどな。おまえの散歩のお守りはごめんだよ」

そう言って、下川はバッグから紙束を取り出した。昇任試験の問題集だ。

しかたなく、磯部は一人で葉桜高校へ続く坂道を昇っていった。

下川が散歩と嘲《あざけ》るのも無理はない。磯部自身、一体何を観察すればいいのかわからなかった。時おり立ち止まっては、あたりを見回してみるのだが、どこにでもありそうな住宅街が広がっているだけだった。

15

氷室川出版編集部の十一月の戦いは、火曜日から始まった。

編集部員は電話をかけまくり、パソコンに向かい、あちこちに飛びまわった。もちろん、わたしも例外ではなく、連日、岡島部長や佐々塚の命を受けて、夜遅くまで忙しく働いた。

「そろそろ帰ったほうがいいんじゃないか」

と、年長の編集部員がわたしに言った。

「もう午後八時だよ。いまごろからがんばっても、あとでばてるだけだ」

編集部にはわたしのほか、彼と山岸しか残っていなかった。岡島部長もすでに帰宅していた。

「もうちょっとで終わりますから、そうしたら帰ります」

わたしはデスクで校正をしながら、そう答えた。

「がんばるねえ。まだ三十分くらいはかかるかな」

「ええ」

「じゃあ、ぼくらは夜食を食べてくるよ。留守番頼むね」

「今日は泊まりですか」

「まさか。ちゃんと帰るよ。たぶんタクシーで帰ることになると思うけど」

編集部員は苦笑して、山岸といっしょに出ていった。

編集部にいるのは、わたしだけだ。

わたしは校正刷りを押しのけると、ビニールの手袋を両手にはめた。ショルダーバッグをデスクの上にのせて、文房具店で買った包みを出し、包装を破って、厚手のコート紙を手に取った。

ほかの編集部員のデスクに移動し、パソコンの電源を入れた。「業務用」とラベルに書かれた光磁気ディスクをラックから抜いて、ディスクドライブに挿入する。

パソコンを操作して、「名刺用版下」ファイルを立ち上げた。

モニタ画面に、DTPソフトで作成した氷室川出版の名刺版下が表示された。

わたしは黒梅からもらった名刺を見ながら、名刺版下の社名、住所、名前、電話番号を書きかえていった。名前は適当につけた。

すべて書きかえ終えると、わたしはマウスを動かし、メニューから「差し込み印刷」を選択した。

レーザープリンタが低いうなりをあげ、差し込んだコート紙を吸い込んでいった。

印刷が終わり、コート紙がプリンタから吐き出されると、わたしは「名刺版下」ファイルを保存せずに終了した。これで光磁気ディスクにわたしが書きかえたファイルは残らない。

十二枚分の名刺が印刷されたコート紙をかかげ、出来ばえを確認した。

さすがプロ仕様の高精細プリンタだ。街のプリントショップで印刷した名刺と、見かけはほとんど変わらない。本職のデザイナーがつくった版下だから、文字の配置や見ばえも問題はなかった。

わたしはコート紙を包装に包みなおし、ショルダーバッグに戻した。ビニール手袋を脱ぎ、校正をつづけた。

「ごめん、ごめん。少し遅くなっちゃった」

編集部員と山岸が帰ってきたのは、四十五分ほどたったころだった。ふたりとも頬が少し赤い。たぶん夜気の寒さを言いわけに、熱燗《あつかん》を何本か飲んできたのだろう。

わたしは、お先に失礼します、とふたりに告げて、編集部をあとにした。

部屋に戻ると、ふたたびビニールの手袋をはめて、コート紙から名刺を一枚ずつ切り出した。カッターナイフで枠を切りとると、十二枚の名刺ができあがった。

これでわたしも週刊アルカナの記者だ。出版社の人間ではなく、フリーライター。わたしは自分に言いきかせた。

翌日、わたしはアルバイトの帰りに書店に立ちより、発売されたばかりの週刊アルカナを一冊買った。

寒すぎる冬にも、いいことはある。手袋をしたままで雑誌を買えることだ。

わたしはやはり手袋をしたまま、電車のなかで週刊アルカナを読んでみた。巻頭記事は〈独占スクープ！　現場に残されたもう一丁のハサミは何を意味するのか？〉という見出しだった。

事件から十日以上たっているのに、いまごろ何を言っているのだろう。わたしが捨てたハサミを、警察がいままで見逃していたわけがない。おそらく、ようやく警察から情報が流れたということだろう。

わたしは記事をじっくり読んでみた。どうやら警察からは、ハサミがもう一丁見つかったことしか情報が出ていないらしい。ハサミは被害者ののど以外のどこかに突き刺されていた、という憶測が書かれていた。猟奇的な空想。これならわたしに実害はない。

だが、警察がわたしのハサミを持っていることを忘れてはならない。

わたしの談話は掲載されていなかった。独占スクープのおかげで、遺体発見者の話などはどこかに吹きとんでしまったにちがいない。わたしにとっては幸いなことだった。

十一月も終わりに近づくと、ようやく忙しい日々が一段落した。葉桜高校に出かける暇ができたのは、二十六日の水曜日のことだった。

わたしは下校時刻を見はからって、葉桜高校の正門前で待っていた。アヤコはすぐにあらわれた。

「すみません。アヤコさんでしょう？」

わたしは声をかけた。ブレザーの上にコートをはおったアヤコが振り返った。疑わしそうな表情で、わたしを見た。

「わたし、樽宮由紀子さんの事件を取材している者なんですが、ぜひお話をうかがいたいと……」

「記者の人?」

アヤコはわたしをじろじろ見つめた。

ピンクハウスマニアの雑誌記者がいるくらいだから、ジャケットにセーター、ジーンズ姿でもおかしくはないだろう。

「話すことなんかないわ」

顔をそむけて、アヤコは早足で歩き出した。

わたしは彼女を追って、横に並んだ。

「きみは樽宮さんといちばん親しかったんでしょう」

「誰から聞いたの、そんなこと」

アヤコは横目でわたしを見た。

「ジャーナリストは取材ソースを明かせないんだ。悪いね」

わたしは黒梅の口真似で答えた。

アヤコは突然立ち止まり、あどけない顔に似合わない意地の悪そうな目つきで、わたしを見た。

「あのね、あたしの話を聞いても、記事になんかできないわよ」

「きみは樽宮さんの告別式でも涙を見せなかったね」

わたしは言った。アヤコはわたしをにらみつけた。

「それどころか、泣いているクラスメートを憎々しくにらみつけていた。ちょうど、いまみたいな顔で。なぜかな」

アヤコは不意にわたしから視線をそらし、これみよがしに、おおげさなため息をついてみせた。

「話さないとずっとついてきそうね、あなた」

「このあたりは危険だ。連続殺人犯がうろうろしている。なんなら家まで送ってもいいよ」

「わかったわ」

アヤコは、降参した、というふうに両手を上げて、

「そのかわり、おごってよね」

わたしは彼女に梨《なし》のタルトをおごることになった。

アヤコは、高校からつづく坂道の途中、外からはごく普通の住宅にしか見えないカフェテラスに、わたしを案内した。

「こんな店があるとは知らなかった」

わたしはそう言って、庭先に設けられたテーブル席に坐った。白い木の丸テーブルで、椅子も木製、背もたれには粗い布地が張ってある。

「知ってる人は少ないの。あんまり宣伝もしていないし」

「そのようだね」

門柱に掲げられた看板まで、木蔦《きづた》に隠して、わざと読みにくくしてあった。これでは知らない人間は気づくまい。

店にはわたしとアヤコ以外にひとりしか客がいなかった。外から見たら、家人が庭でひと息入れているとしか見えないだろう。

店員もみんな私服姿で、年齢もまちまちだった。雇い人ではなく、この住宅に暮らす一家全員で店を切り盛りしているのかもしれない。

わたしは、デニムのオーバーオールを着た女性店員に、アヤコおすすめの梨のタルトとコーヒーをふたり分注文した。アヤコに偽の名刺を手渡し、週刊アルカナをテーブルに広げると、

「この記事を担当しているんだ」

巻頭記事を指さした。アヤコはのぞき込んで、

「雑誌社の人なの」

「いや、本当はフリーライターでね」

アヤコが雑誌を手に取るのを見て、わたしは手袋をはずした。

ここに来る途中で買ってきた小型テープレコーダーをテーブルに置き、スイッチを入れた。

「じゃあ、話を聞かせてもらえるかな」

「何を話せばいいのかしら」

「まず、名前を教えてくれ」

「名前、呼んでたじゃない」

「下の名前しか知らないんだ。どういう字かも知らない」

彼女はブレザーの胸ポケットからボールペンを抜き、紙ナプキンに、椿田亜矢子《つばきだあやこ》、と書いた。

「で、次は？」

「樽宮さんについて話してくれるかな」

「由紀子はスケロクのファンだったわ」

気のない様子で、亜矢子は話しはじめた。

「助六？」

このはちまきの御不審か。高校生にしては渋すぎる趣味だと思った。

「スケルトン・ロック。ロックバンドの。知らない？」

亜矢子がいぶかしげに言った。

その名前なら、テレビか雑誌で見かけたことがあった。高校生のあいだでは、よほど有名なバンドらしい。雑誌記者のくせにそんなことも知らないのか、と亜矢子は軽蔑のまなざしを向けた。

「それなら知っている」

わたしはあわてて答えた。

「そうか、スケルトン・ロックを略して、スケロクね」

「常識よ」

亜矢子はつっけんどんに言った。

そういえば、わたしが学生のころにも、イエモンと略称されるロックバンドがいた。首が飛んでも動いて見せるわ、とは歌っていなかったようだが。

わたしは歌舞伎とJロックとの不思議な偶然の一致について、しばらく考察し、

「てっきり歌舞伎の助六かと思った」

と言いわけした。

「カブキにもスケロクっているんだ。やっぱりヘビメタ系?」

亜矢子が訊ねた。表情は真剣そのもので、冗談を言っているのではなさそうだった。

「そうだな。ディープ・パープルのヘッドバンドを巻いてるから、たぶんヘビーメタルのフ

アンなんだろう」

と、わたしは答えた。

スピードキングのライダーなら笑ってくれたかもしれないが、亜矢子はきょとんとした表情でわたしを見つめただけだった。

「こういう話には興味なさそうね」

亜矢子はまた意地の悪そうな顔つきになった。そんな顔をしないほうが可愛く見えるのに。

白い磁器の皿にのって、梨のタルトが運ばれてきた。亜矢子はわたしを無視して、黙々とフォークを使いはじめた。

わたしはテラスの向こうの通りをぼんやりながめた。

駅から葉桜高校につづく坂道に、黄昏《たそがれ》がせまりつつあった。ゆるやかな傾斜の舗装《ほそう》道路が、暗いオレンジ色に染まっている。

そのなかを、どこかで見かけた顔の若い男が、散歩するようなのんびりした足どりで歩いていた。

誰だったかな、としばらく考えて、ようやく思いだした。樽宮由紀子の告別式にいた、頼りなさそうな葬儀屋だ。わたしの顔をじろじろながめていたから、記憶に残っていた。

男は坂道をゆっくり昇り、ときどき立ち止まっては、周囲に視線を投げかけていた。いったい、何をしているのだろう。どこかに葬儀の必要な死人でも落ちていないか、と探しているのか。


「ねえ、食べないの？」

と、亜矢子が訊いた。前の皿は半分近くたいらげられていた。

わたしはテーブルに向きなおり、梨のタルトをひと口食べた。

ご推奨のとおり、なかなかの味だった。

「ちょうどいい甘さだね、これは」

「そうでしょ」

亜矢子は初めて笑顔を見せた。この子は笑っているときのほうがいい。

「樽宮さんの男性関係について話してくれないかな」

わたしは本当に訊きたい質問を切り出すことにした。

亜矢子は笑顔を引っ込め、

「そんなこと訊いてどうするの。記事になんかできないでしょ」

堅い声で言った。

「記事にはしないよ」

「あたしのことをしゃべった誰かさんから、いろいろ聞いてるわけね」

亜矢子は怒りをあらわにして、

「その誰かさんが言うとおりよ。由紀子は男好きで、インランで、誰とでも寝る子でした。そういう話が聞きたいんでしょ！」

フォークをテーブルにほうり出した。金属と磁器がぶつかる乾いた音が鳴りひびき、店長らしき年配の男が振り返って、眉をひそめた。

わたしは亜矢子の興奮がおさまるのを待った。

「きみも、そう思ってるのかな」

「え？」

「樽宮さんは本当に淫乱だったのかな。まあ、それでもべつにかまわない。それは彼女の自由だ」

亜矢子は少し考えこみ、首を横に振った。

「わかんない。でも、そうだとは思えない」

「きみはどう思っていたんだい」

「実験だったんだと思う」

亜矢子はぽつりと言った。

「実験？」

わたしには亜矢子の言葉の意味がわからなかった。

「うまく言えないけど」

亜矢子はテーブルを見つめながら、ひとつひとつ言葉を選ぶように話した。

「由紀子は他人ってものがよくわからなかったのよ。あたしに対してもそうだった。ときどきすっごくやさしくしてくれたかと思うと、反対にひどく冷たく扱ったりした。そのたびに、あたしが喜んだり、悲しんだり、怒ったりするのを、由紀子はおもしろそうに見てたわ。どうしてこの子はこんなふうに反応するんだろう、って目でね」

「他人の感情をもてあそぶのがおもしろかった？」

「そうじゃないわ。他人の感情がわからなかったのよ。おもしろがってたわけじゃない。自分にはないものだから、興味があったみたいなの。だから、男の人が自分にいいよってくるのを見ると、同じように興味を持ったんだと思う」

「だから、実験だというんだね。なるほど」

わたしは亜矢子を見つめて、

「そして、きみは彼女がそんな実験をするのがいやだった」

「そうよ。あんなにきれいなのに、望めばどんなすてきな彼氏だって見つけられるのに、そんなふうに男とつきあうのが、たまらなくいやだった。ときどき憎くもなった」

亜矢子はわたしの顔を見て、

「あなたにこんなこと言っても、わからないでしょうね」

「わからない」

わたしは正直に答えた。亜矢子の目が細くなった。

「ただ、きみが樽宮さんを好きだったことはわかる」

「そう、あたしは由紀子が好きだった」

亜矢子は警戒するようにわたしをにらんで、

「変な意味じゃないわよ」

「なんでも性的な意味にとるのは、馬鹿な心理学者とジャーナリストだけだよ。恋愛と友情は違う」

わたしは医師からの受け売りを彼女に伝えた。

「あなたもジャーナリストでしょ？」

「そうだった」

わたしはほほえみ、質問をつづけた。

「そんなふうに実験としてつきあっていたら、男性のほうもとまどったろうね」

「とまどうどころじゃなかったでしょうね」

亜矢子はなにかを思い出したように、くすくす笑った。

ついさっきまで悲しみにくれていたのに、この年代の少女の心は風車のようにくるくる回る。

「由紀子が自分に惚《ほ》れてると思い込んでた人ほど、ひどい目にあったみたいよ」

「たとえば、誰かな」

「いっぱいいるわ。由紀子は男には不自由してなかったから」

亜矢子はいたずらをしかけるような目つきで、わたしを見た。

「由紀子の相手を知りたいのね。じゃあ、とびっきりのを教えてあげる。岩左邦馬《くにま》。うちの高校の体育教師よ」

邦馬。K。公園で拾ったライターのイニシャルだ、とわたしは思った。

第七章

十一月二十七日木曜日、堀之内から最初のプロファイリング結果が報告された。

○年齢は二十代後半から三十代前半。おそらく肥満タイプ。独身で、都内に独り暮らし。家族との交渉もない……。

○孤独を好む性格。他人との関係を拒み、自分の感情を外に出したがらない……。

○知能指数が高く、おそらく高学歴で、かなりの教養の持ち主。外出するより自宅で過ごすことを好む……。

○考えられる心理的傾向——ナルシズム、精神分裂病（おそらく初期段階）、乖離性人格障害。幻覚、幻聴、妄想を伴う可能性大……。

「こんなのなら俺でも書けるぞ」村木が報告書をデスクにほうり投げた。「なんの役にも立たんよ」

　午後八時、刑事課にはひさしぶりに全員の顔がそろっていた。配布された堀之内の報告書にそれぞれ目を通した後、口々に勝手な感想を言い合った。

「そうだな」松元が首をひねり、「犯罪心理分析というから、もっと斬新な結果報告が出てくると思ってたけど、わりとありきたりな内容だね」

「この東京に二十代後半の独身男が何人いると思ってるんだ」村木はなおも不満そうに言った。「そいつら全員に聞き込みに行けとでも言うつもりかね」

「カイリセイジンカクショウガイって一体なんだい？」と、下川が訊いた。

「多重人格のことだ」村木が説明した。「一人の人間の心の中に複数の人格があること」

「なら、そう書けばいいじゃねえか」下川はぶつぶつ言った。「どうして専門家ってのは難しく書きたがるのかね」

「難しく書かないと商売にならないからね」

　村木が皮肉な笑みを浮かべ、薄いコーヒーの入ったマグカップに手をのばした。

「乖離性人格障害ねえ。最近はやたらに心の病気が多すぎるね」松元が煙草に火を点け、深々と吸い込んで、「パチンコ依存症とか、買物依存症とか、ありゃ一体なんなんだろう」

「それも医者の商売のためだろう」下川が答えた。「新しい患者を開拓しようって陰謀じゃねえか」

「いや、そうとは限らないよ」村木が口をはさんで、「そういう人たちは自分の意思で自分の行動をコントロールできないのさ。否応なく、パチンコに行ったり、買物をしたくなってしまう。だから、病気ということになる」

「昔は博打《ばくち》好きで浪費癖と言ったもんだけどね、そういうのは」松元は笑った。

「ぼくの知り合いにも買物依存症の女性がいて……」

窓際に立っていた進藤が話題に加わろうとしたが、村木に邪魔された。

「浪費癖は性格だから治す必要はないが、買物依存症は病気だから治療しなくちゃならない。本人がそのことに大きな苦痛を感じながらもやめられないなら、明らかに病気ですよ。酒好きとアルコール依存症の違いみたいなものです」

「私は、なんでもかんでも心の病いにするのは、あまり好きじゃないな」松元はおだやかな口調で、「そんなことを言い出したら、みんなどこかしら病気だ、ということになってしまう」

磯部は上井田警部の言葉を思い出した。

普通とは一体どういう意味なんだろうか。

人々は納得したいんですよ。なんの意味もなく、人を殺す人間がいるとは思いたくない。

「確かに病気が多すぎるきらいはありますね」村木は松元の意見を認めて、「落ち着きのない子供は多動症、性格の悪い奴は人格障害、非行少年は行為障害。すべては軽度の精神障害のせい、ということになってしまう」

「専門家はなんでも難しい言葉にしたがるのさ」下川が自分の意見を重ねて主張した。

「授業に集中できず、突然立ち上がったり、別のことをしはじめる小学生は昔からいた」村木は続けた。「昔はそういう子供にはしつけが必要だと思われていた。しかし、今では精神科医のカウンセリングを受け、リタリンを処方される」

「リタリンってなんだ？」と下川。

「抗鬱剤《こううつざい》だ。脳内にドーパミンを分泌させる薬」村木はにやりと笑って、「平たく言えば、効く時間が短い覚醒剤《かくせいざい》」

「そいつを飲むと、気が散りやすい小学生でも学校の授業に集中できるってわけか」下川はあきれたように首を振って、「そりゃ、シャブ打つと眠らずにガンガン仕事できるってのと変わんねえじゃないか」

「そのとおりだよ。脳内物質さえコントロールすれば、万事オーケイ。俺たちの行動はすべて、偉大なる脳内物質に支配されてるんだ！」

村木は両手を広げて、予言者めいた口調になった。

「そのうち、製薬会社は抗ヤンキー剤なるものを開発するであろう。行為障害の画期的な治療薬。こいつを一日一錠服用するだけで、リーゼントに剃《そ》り込みを入れたり、ビーチ・サンダルを履いてウンコ坐りする症状が改善される」

「今どき、そんなわかりやすい不良はいませんよ」進藤が笑いながら言った。

磯部も同感だった。現代の非行少年は見た目は平凡だが、やることはもっと悪質だ。万引ではなく強盗、シンナーではなく幻覚剤、強引なナンパではなく鉄パイプで殴り倒して強姦し、一対一の喧嘩ではなく集団で一人をリンチする。

そして、たいていの少年犯罪で死人が出た。

見てすぐにそれとわかる不良より、詰《つ》め襟《えり》の学生服の内ポケットにナイフを隠し持つ少年のほうがはるかに恐ろしい。これが磯部の現場の刑事としての実感だった。不良は反省し悔恨するが、彼らは反省や悔恨とはなんのことか知らないからだ。

「抗ヤンキー剤は非行少年に歓迎されるであろう」

村木は若い世代の意見を無視して、予言を続けた。

「たぶん抗鬱剤、つまり覚醒剤みたいなもんだろうからな。不良どもは自分から精神科のクリニックに通い、抗ヤンキー剤を処方してもらう。そして、貯め込んだ錠剤を一気飲みして、頭をぶっ飛ばすのさ」

「そんな薬に俺は断固反対するよ」下川が言った。「これ以上、暴れるガキどもが増えたら、手に負えない」

磯部は堀之内の報告書を熟読しながら、刑事たちの雑談にじっと耳を傾けていた。

「おまえの散歩はあんまり役に立たなかったようだな、坊や」

そんな磯部の様子を見て、下川が笑いかけた。

「坊やはやめてください」磯部は少しむっとしながら、「まだ第一回目の報告書じゃないですか。きっと情報が不十分なんですよ。だから、より情報が入れば、もっと深い分析が……」

その瞬間、窓が一面に白く光り、雷鳴が磯部の言葉をさえぎった。全員の目が窓に注がれた。

「どしゃ降りですよ」進藤が窓の外をながめて言った。「帰りが大変だな、こりゃ」

進藤の言うとおりだった。窓に近づいて外を見ると、目黒通りに並ぶ街灯の光の中、雨が銀色の斜線となって激しく降り注いでいた。雨粒がアスファルトを叩く音、自動車のタイヤが水たまりを蹴散らす音、遠く近くで轟《とどろ》く雷鳴が、打楽器のアンサンブル演奏のように響き渡る。雨水独特の匂いが夜の街に立ち込めていた。

「情報はもう十分あるんじゃないかな。分析に盛り込まれていないだけだ」

と、村木が言った。雷鳴に気をとられていた磯部は、一瞬、それが自分への問いかけであることに気づかなかった。

「分析に盛り込まれていない？」磯部は訊き返した。

「正直に言わせてもらえば、堀之内警視正の分析は肝心な点を見逃してると思うね」

「肝心な点、ですか」

「そうだ」

村木はそう言うと、机の上のハサミを手にとり、磯部に見せた。

「ハサミだよ。おまえが見つけたもう一丁のハサミだ。なぜ現場に二丁のハサミがあったのかが、分析されていない」

「犯人が落としたんでしょう」磯部は即座に答えた。

「そうかな」村木はハサミの刃を閉じたり開いたりしながら、「もう一丁のハサミが遺体のそばや公園の芝生に落ちていたのなら、そう考えてもいいだろう。だが、もう一丁のハサミはどこにあった？　おまえが見つけたんだろう？」

そう、見つけたのは磯部だったから、よく覚えていた。ハサミは遺体から少し離れた茂みの中にあった。

「ハサミは茂みの中にあった」

村木は手にしたハサミの刃先を下に向けて、

「しかも、先端が地面に突き刺さっていた。まるで少し離れたところから、茂みに向かってほうり投げたみたいに」

「犯人が被害者を殺した後、投げ捨てたのでは？」磯部は指摘した。

「なぜ投げ捨てたんだ？　犯人がハサミを二丁用意していたとしよう。被害者を絞殺し、一丁のハサミをのどに突き刺す。ここまではいい。だが、なぜその後、もう一丁のハサミを投げ捨てなければならない？　使わなかったのなら、持って帰ればいいじゃないか。堀之内警視正が言っていたように、ハサミ男は慎重で周到な奴のはずだ。そいつがなぜ自分からわざわざ遺留品を増やそうとする？」

「頭がイカレてるからだろ」下川が肩をすくめて、「どんな不自然な行動をとってもおかしくない」

「そうかもしれない」村木はうなずいて、「だが、問題はどんなふうに頭がイカレてるかだ。どんなにイカレた殺人鬼だって、行動には一貫性があるはずだ。俺たちからは異常な行動に見えたとしても、彼にとっては整合性がある。どんな異常者の行動も論理的なはずだ……たとえ、それが狂った論理でも、な」

村木はハサミの刃を力いっぱい閉じた。金属がこすれてぶつかる鋭い音が響いた。

「このことは堀之内警視正も同意してくれると思うよ。そうでなければ、犯罪心理分析なんて成り立たないからね。当然、ハサミ男の行動にも一貫性があるはずなんだ。しかし、もう一丁のハサミはその一貫性から逸脱しているように思えてならない。俺はその点が気になってしかたないんだ」

「村木さんはどう解釈していますか。そのもう一丁のハサミについて」

黙って聞いていた上井田警部が初めて口をはさんだ。

「わからないんですよ。なんとも解釈がつかない」村木は困った顔つきになって、「だから、堀之内警視正の分析結果に期待してたんです。何か鋭い解釈が書かれていないかと思ってね。でも、報告書には何も分析が載っていなかった。それでつい、悪口を言いたくなったわけです」

「警視正は二丁のハサミに関心を持っていたよ」松元が静かに言った。「私が被害者について報告に行ったとき、そう言っていた。非常に関心がある、という口ぶりだったな」

「彼も注目はしてるんだな」村木は口に手をあてて考え込んだ。「よし、直接意見を聞いてみよう。おい、磯部、堀之内警視正は小会議室にいるんだったな」

村木は立ち上がって、すぐにも堀之内の仮オフィスに向かおうとした。磯部はあわてて制止した。

「堀之内さんはもう帰りましたよ」

「帰っただと？」村木は驚いた声をあげ、磯部を振り返った。

「警視正殿は定時にお帰りか」下川がにやにや笑いになって、「のんきなもんだね」

「昨夜は署に泊まり込みで報告書を仕上げていたんですよ」

磯部は堀之内の名誉のために説明した。

今朝、仮オフィスで会ったとき、いつも身ぎれいな堀之内が無精ひげを生やしていたので、磯部はびっくりしたものだ。

「ひさしぶりに徹夜したよ」

赤く充血した目を磯部に向けて、疲れた微笑を見せた。

デスク上では、インクジェット・プリンタが音もたてずに、報告書のページを次々と吐き出していた。

堀之内はできあがった報告書を磯部に手渡し、捜査一課長に届けるよう頼むと、

「悪いけど、僕は今日、早目に帰らせてもらいますよ。もう年だね。眠くてしようがない」

「それで、いつ帰ったんだ？」村木が訊ねた。

「捜査一課長に口頭で報告した後ですから、午後二時くらいです」と、磯部は答えた。

「それなら四時間は眠れただろう」村木は一人で納得して、「おまえ、警視正の連絡先を聞いてたな」

「まさか、電話しろと言うんじゃないでしょうね？」

磯部はおそるおそる訊いた。村木は何を言い出すかわからなかった。

「警視正の報告書を読んで重大な疑問点に気づいたから、是非ともご意見が聞きたいんだ」

村木は、これは捜査員として当然の義務だ、と言いたげな表情だった。

「安心しろ。呼び出してくれたら、あとは俺が直接訊くよ」

磯部はため息をついた。村木には何を言っても無駄だ。

堀之内から渡されたメモを取り出し、携帯電話の番号をプッシュした。堀之内が携帯の電

源を切っていてくれればいいと願った。

しかし、返ってきたのは堀之内のねぼけ声だった。

「もしもし？」

せっかくの安眠を妨げられたせいだろう。堀之内の声音は実に不機嫌そうだった。

磯部は恐縮のあまり、なぜか声をひそめて、

「お休みのところ、すみません。磯部ですが……」

「磯部くん？　どうしたの。何かあったのかい？」

「実はですね……ええと……」

どう言えばいいかわからず、口ごもった。

すると、村木がいきなり磯部の手から受話器を取り上げた。

「おはようございます、警視正殿。目黒西署の村木巡査部長であります」

村木は立ったまま、受話器に向かって大声で言った。なんて挨拶をするんだ、と磯部はあきれた。

「実はですね、今日警視正殿が提出された報告書について、是非ともお訊きしたいことがありまして……ええ、重要な点なんですよ。ですから、明日まで待てなかったわけでして……もちろんですよ。重大な疑問点です。そうでなければ、お休み中の警視正殿に電話をかけたりはしません……」

堀之内は本当に「重大な疑問点」だと思ってくれるだろうか、と磯部は不安になった。村木が嫌われるのはかまわないが、磯部までうとまれてはかなわない。

「……ええ、わかっております。で、疑問点というのはですね、磯部が発見したもう一丁のハサミについてなんです……警視正殿の報告書には、なぜ二丁ハサミがあったかについては、分析されておられませんでしたね。私はハサミが二丁あったことに非常に関心を……え？　私の考えですか？　まあ、一応はありますが……はい？　ええ、ええ、わかりました」

村木は電話を切り、磯部に手渡した。

「怒鳴《どな》られませんでしたか？」

磯部はこわごわ訊ねた。村木は首を傾げて、磯部を見た。

「直接話したいから、小会議室で待ってろとさ」

「この雨の中、わざわざ署まで来る気かい？」下川は窓のほうを見やって、「本気かよ」

「それだけ警視正も二丁のハサミに関心があるのさ」松元が煙草を灰皿に押しつけた。

松元の言うとおりだった。磯部と村木が仮オフィスで待っていると、堀之内は三十分ほどであらわれた。シアリング・コートの肩がびしょびしょに濡れ、ズボンの裾《すそ》から雨水が滴っていた。

「ずいぶん濡れましたね」

村木が目を丸くして言った。堀之内の格好を見て、電話したことを多少は反省したのだろう。

「ひどい雨ですよ。凍え死ぬかと思いました」

堀之内は笑って、コートを壁にかけ、デスクに腰を下ろした。

「さあ、その二丁のハサミについての考えというのを聞かせてください」

堀之内に促されて、村木は説明しはじめた。もう一丁のハサミがほうり投げられたように見えること、ハサミ男がわざわざ遺留品を増やすとは考えられないことなどを説明して、

「こうした点について、警視正殿はどうお考えですか」

と訊き返した。

「基本的にはあなたの考えに賛成です」堀之内は答えた。「確かに、このもう一丁のハサミは現場の状況の整合性から外れています。僕も分析にはうまく取り入れられなかった。だから、報告書にも書かなかった、というのが正直なところです。実はあなたからそのへんの解釈をご教示いただきたいと思って、こうして飛んできたんですけどね」

どうやら堀之内は、村木が二丁のハサミの謎を解決したと思い込んでいたらしい。

「もちろん、あなたの話はおもしろかったですよ」堀之内はとりなすような笑顔を浮かべて、「もう一丁のハサミがほうり投げられたのではないか、という点とかね。それに、ハサミ男がもう一丁のハサミを落としたのなら、遺体のそばか芝生の上であるべきだという

……」

堀之内は突然言葉を切り、考え込む表情になった。

「もう一丁のハサミ。僕らはずっと『もう一丁のハサミ』と呼んでいますね。まるで被害者ののどに残っていたハサミが最初にあって、次にもう一丁のハサミがつけ加えられたように思い込んでいる。はたしてそういう順序なんでしょうか」

村木と磯部の顔をかわるがわる見て、

「遺体を見た後に磯部が別のハサミを発見したものだから、無意識のうちにその順序で現場にハサミが置かれたと考えがちですね。しかし、そうとは限らないでしょう。茂みで発見されたハサミが最初にあって、それから被害者ののどにハサミが突き立てられたのかもしれない」

「どの順序でも同じじゃありませんか」村木は首をひねって、「なぜハサミ男がハサミを持ち帰らずに茂みにほうり捨てたのか、という謎は残るでしょう」

「いや、こう考えてみてくださいよ」堀之内は村木の顔をじっと見て、「ハサミ男はあの公園で被害者を待ち伏せているとき、ハサミを落とした。そのときは気づかなかったが、被害者を殺し、現場から立ち去った後で気づいた。慎重かつ周到な彼のことです。無意味に遺留品を残すことに耐えられなかったんでしょう。そこで、公園にとって返し、落としたハサミを拾った。しかし、その後、茂みにほうり捨てざるをえない状況に追い込まれた」

「そうか」村木も何かに気づいたようだった。「警察に所持品検査をされるかもしれないと考えたんだ」

「所持品検査?」磯部には話がよく理解できなかった。「どうしてハサミ男が警察に所持品検査されるんですか?」

磯部は首をひねった。答えたのは堀之内だった。

「君がわからないのは変だな。最初に気づいたのは君じゃないか。なぜハサミ男は拾ったハサミを持ち帰らなかったのか? 公園にいるところを人に見られたから、持ち帰れなかったんだ。そこで彼はハサミをほうり捨てた。そして、そのまま公園に留まった」

そこで言葉を切って、堀之内は微笑を浮かべた。

「遺体発見者としてね」

16

亜矢子と会った翌日、東京の空は朝から濁《にご》った灰色の雲におおわれていた。わたしは傘を持って出勤したが、幸い、帰宅するまで天気はもった。しかし、厚ぼったい雲は途切れることなく、まるで腐った池の水面にはびこる、ぬるぬるした藻草のように、一日じゅう空を埋めつくしていた。

夜になると、季節はずれの大雨が降りはじめた。

テレビを点けると、大雨情報が急遽放送されていた。都内各地の現在の様子が映し出された。アスファルト上の浅い水たまりを大粒の雨滴が叩き、街灯や車のヘッドライトの反射をめちゃくちゃに壊している。羽田発の国内便は欠航し、首都高速ではトレーラーがスリップして、玉突き事故を引き起こしていた。

わたしはほの白く光るテレビ画面を見るともなくながめ、ベランダを叩くノイズのような激しい雨音を聞きながら、昨日の亜矢子の話を思い返していた。

わたしには樽宮由紀子のことがわからなくなっていた。

彼女が殺される前、調査し、尾行し、観察していたとき、わたしが思い描いていたのは、ごく普通に幸せな家族のもとで暮らす、勉強好きで利発な少女だった。陳腐なホームドラマのヒロインそっくりの、たわいのない空想だ。

わたしが予定どおり樽宮由紀子を殺していたら、そんな空想はいまもつづいていただろう。スキャンダラスな事実には目のない週刊誌も、ワイドショーも、樽宮由紀子の暗い側面はいっさい報道していないのだから、彼女が複数の男性と、たぶん同時に肉体関係を持っていたことも、彼女のことを陰で淫乱とさげすむクラスメートがいたことも知らずにすんだはずだ。

事実に貪欲な記者もレポーターも、死者を鞭打つことはしない。とりわけ、無動機連続殺人の被害者となった、かわいそうな女の子には。

ハサミ男は残虐な殺人鬼であり、殺された少女は無垢《むく》な存在でなければならなかった。だが、わたしは樽宮由紀子を殺しそこない、こうして彼女の過去を暴いている。彼女を殺した真犯人を見つけ出すという名目で。

いったい、何をやっているんだろう、とわたしは思った。樽宮由紀子のことなど、忘れてしまえばいい。誰が彼女を殺そうが、わたしには関係のないことだ。樽宮由紀子のことは、あのテレビのホームドラマめいた空想のなかに葬ってしまおう。

しかし、一夜明けた金曜日、わたしは昼休みに氷室川出版を出ると、公衆電話から葉桜高校に電話をかけていた。

週刊アルカナの記者だが、岩左邦馬先生に取材を申し込みたい、と告げた。

「いままで話したこと以外に話すことはないよ」

電話口に出た岩左は、じつに不機嫌そうな口調で言った。想像していたよりも若々しい声だ。

「樽宮さんは午後七時ごろに学校を出た。ぼくは校門の近くでそれを見かけた。それ以上のことは知らないね」

どうやら事件のあった日、岩左は樽宮由紀子を目撃したらしい。警察やマスコミからさんざん質問されて、いいかげん、いや気がさしているのだろう。遺体発見者として質問されたわたしには、その気持ちはよくわかった。

「目撃情報についてお聞きしたいわけではありません」

わたしは岩左に言った。

「じゃあ、なにを聞きたいんだ」

「樽宮由紀子さんについてです。先生は樽宮さんと、とても親しかったんでしょう」

岩左は一瞬、言葉を詰まらせた。

「なんのことだ」

とぼけようとしたらしいが、声が低くなっていた。職員室の同僚に聞かれるのを恐れたのだろう。

「樽宮由紀子さんについて調べているので、ぜひ先生のお話を聞きたいんです。明日にでも、学校にうかがいましょうか」

「いや、学校は困る」

岩左はあわてて言った。

わたしは岩左と、明日土曜日の午後二時、武蔵小杉《むさしこすぎ》駅で会う約束をした。

岩左は東横線沿線に住んでいる。わたしは頭のなかにそう書きとめた。

わたしは電話を切り、昼食をすませて、編集部に戻った。

月曜日以来、岡島部長は正社員の件について、特に何も言わなかった。わたしのほうから返事をするのを待ってくれているのだろう。

岩左と約束した十一月二十九日の土曜日、わたしは狂乱の十日間の掉尾《ちょうび》を飾る編集部の掃除を手早くかたづけ、午前中のうちに退社することができた。

いったん部屋に戻り、東横線武蔵小杉駅に到着したのは、午後二時十分前だった。わたしは目印の週刊アルカナを目立つように脇にかかえて、改札口を出た。

「あんたが記者さんか」

近づいてきたのは、インディゴデニムのジーンズを穿き、ウィンドブレイカーを着た三十代の男だった。

わたしは男の顔を見た。

残念ながら、ファストフード店で樽宮由紀子と会っていた男ではなかった。

古武士のような古めかしい名前と、体育教師ということから、筋骨隆々の大男を想像していたが、岩左邦馬は細身でやさしい顔だちをしていた。首のあたりまで髪をのばし、鋭角的な顔に黒縁眼鏡をかけている。体育よりも数学か物理を教える姿のほうが似合いそうだった。

わたしは岩左とともに駅から街路に出た。

武蔵小杉駅のそばに送電設備があった。わたしは小西美菜を思い出した。もしかしたら、彼女もわたしの空想とは異なる私生活を送っていたのかもしれない、とふと思った。

岩左はわたしを駅の近くのドーナッツショップに連れていった。赤い袖に緑のポケットの制服を着た女性店員がカウンターに立ち、笑顔でわたしたちを迎えた。

店内は古き良きアメリカ風に装飾され、英語のＦＭ放送が流れていた。ＤＪがジャネット・ジャクソンの〈ミス・ユー・マッチ〉をオールディーズと呼ぶのには、なんとも抵抗があった。

しかし、コーヒーがほどよい濃さなのは、ありがたい。

「あんた、由紀子の葬式に来てたな」

奥のテーブル席につくと、岩左はわたしの顔をじろじろながめながら、そう言った。渡した名刺と週刊アルカナにはまったく無関心だった。

「あれも取材だったのか」

わたしはあいまいにうなずいた。まったく気づかなかったが、岩左も樽宮由紀子の告別式に出席していたらしい。

「で、ぼくに何を聞きたいんだ」

「樽宮由紀子さんのことです」

そう言って、わたしはショルダーバッグから小型テープレコーダーを取り出した。岩左が即座に、録音は困る、と言った。わたしはテープレコーダーをバッグに戻して、

「あなたは樽宮さんと親密だったんでしょう」

「誰から聞いたか知らんが」

岩左は両のこぶしを握りしめた。

「くだらん噂を記事にしたら、名誉毀損で訴えるぞ」

「わたしが聞いたのは、あなたが樽宮さんと肉体関係を持っていたということだけです。それ以上のことは知らない」

「それがくだらん噂だ」

「そうかな。あなたはいま〈由紀子の葬式〉と言った。呼び捨てにできる程度には親密だったはずだ」

「どうしても記事にしたいわけか」

岩左はあざけるように言った。

「たいしたもんだな。ハサミ男の被害者は高校の体育教師とできていた、と書きたいんだな。殺された由紀子のことを暴きたてて、なんになるんだ。まったく、おまえらマスコミときたら、ハイエナのような連中ばかりだな」

その言葉で記憶がよみがえった。岩左は、樽宮由紀子の出棺のとき、門の外から狙うカメラの列をののしっていた男だ。悲しみに比例した、深い憎しみが表情にあらわれていた。あの感情は本当のものだろう。

岩左が樽宮由紀子を殺したとは思えなかった。

「あなたは煙草を吸うのかな」

わたしは念のため、訊いてみた。

岩左は、なぜそんな質問をするのかわからない、という表情で首を横に振った。持参したライターを見せても、なんの反応も示さず、煙草は吸わないからライターは持っていない、と答えた。

わたしは心のなかでため息をついた。

だが、彼から情報を得ることはできる。

「記事にするつもりはありません。ただ、樽宮さんについて、あなたの意見を聞きたいだけだ」

「ぼくの意見？」

「彼女は多くの男性とつきあい、肉体関係を持っていたようだ。そのことを、あなたはどう思っていたのかな」

「由紀子は愛情に飢えてたんだ」

岩左は即答した。ずっと以前、樽宮由紀子が殺される前、おそらくは彼女との関係が終わったときから、考えつづけたあげくに得た結論のようだった。

「由紀子について取材してるんなら、あの子の家庭環境のことも知ってるんだろう」

「ああ。両親は再婚だそうだね」

「両親が離婚したのは、由紀子が三歳のときだ。以来、十四歳まで、あの子は母親ひとりの手で育てられた。わかるだろう。由紀子は父親の愛情に飢えていたんだよ」

医師なら、インチキ精神分析のひと言で切って捨てるところだった。おそらく、こいつは馬鹿だな、と断定するだろう。

だが、わたしは岩左に話をつづけさせることにした。

「だから、年上の男性と次々と交際した、というわけか」

「そうだ。あんたも葬式で由紀子の母親を見ただろう」

岩左は不愉快そうな顔つきで、わたしに問いかけた。

「ああ」

「実の娘があんなひどい殺され方をしたのに、涙ひとつこぼさない。平然と、立派な御礼の言葉まで話してみせる。ぼくには信じられなかったよ。あの冷たい母親から、由紀子は十分な愛情を与えられなかったんだ」

外見とはうらはらに、岩左は熱血漢であるらしい。うれしいときは高らかに笑い、悲しいときは涙をこぼす。そうしない人間は冷血動物だ、と思い込んでいるようだった。なるほど、彼は立派な体育教師になれるだろう。生徒たちには体育のほかに、愛と勇気も教えてくれる。

「樽宮さんがそう言っていたのか。母は冷たい人間だったと」

わたしは念のために訊いてみた。

「いや、由紀子は自分のことを話したがらなかった」

岩左はうらめしげに答えた。

要するに、岩左の話は彼の空想にすぎなかった。幸せな家庭の利発な少女、というわたし自身の空想と大差ない。そして、わたしは他人の空想には興味がなかった。

「あなたは樽宮さんに十分な愛情を与えられたのかな」

と、わたしは訊ねた。

岩左は自嘲するような口調で、

「与えたかったよ。与えたかったけど、ぼくじゃ、もの足りなかったんだろうな。すぐにふられた」

「父親の代わりにはなれなかったわけだ」

「そのとおりだよ。もういいだろう」

岩左はいきなり立ちあがった。

「わかってると思うが、ぼくの話を記事にしたら……」

「記事にはしないよ。約束する」

「あんた、ひどく生意気な口のきき方をするな」

岩左はわたしをにらみつけ、そんな捨て台詞を残すと、立ち去ろうとした。

わたしはその背中に問いかけた。

「ほかに樽宮さんとつきあっていた男を知らないか。できれば、あなたのように年上の男性がいいんだが」

岩左は振り返って、馬鹿にするような笑いを浮かべた。

「知ってても、あんたに教える気はないね」

それが本当の捨て台詞だった。岩左は足早に店を出ていった。

わたしは店員に冷めたコーヒーのおかわりを頼むと、皿に残ったドーナッツをかじった。

FM放送のDJが、つづいてのオールディーズナンバーはネナ・チェリーの〈バッファロー・スタンス〉、と紹介していた。

第八章

「名前は日高光一《ひだかこういち》。年齢は二十六歳」

松元が手帳を広げて、そう読み上げた。

警視庁が捜査員にモバイル端末を支給する時代になっても、松元は手書きのメモにこだわっていた。手帳にボールペンで書くのがいちばん簡単で便利だというのだ。

確かにそうかもしれない。口の悪い人間は「電子警察手帳」とも呼ぶモバイル端末は、松元の手帳のように、丸めてズボンのポケットに突っ込んでおくわけにはいかない。手帳の黒革の表紙はくしゃくしゃにしわだっていた。

「十一月十一日夜、目黒区鷹番四丁目付近を歩いているとき、西公園で被害者の遺体を発見」

「時刻は午後九時四十分頃でしたね」村木が言った。

「一一〇番通報の時刻は、そうだ」

「そんな夜遅くにあんな人気《ひとけ》のない道を歩いていた理由は？」

「友人の家に遊びに行った帰りだったそうだ」

「裏はとりましたか？」

「とってるわけないだろう」松元は苦笑した。「相手は遺体発見者だぞ。容疑者じゃない」

「確かに、そこまで調べる暇はなかったでしょうね」堀之内が口をはさんで、「捜査員は凶器の出所や不審者の洗い出しで手一杯でしたから、遺体発見者の証言まで裏づけ調査する余裕はない」

「だが、日高はもう遺体発見者じゃない」村木が堀之内のほうを向いて言った。「容疑者です」

十一月二十九日土曜日の午後、磯部、村木、松元の三人は堀之内の仮オフィスに集まっていた。

ハサミ男であるかもしれない遺体発見者、日高光一について、最初に証言を聞いた松元の話を聞くためだった。

磯部はいちばん端の椅子に坐って、なぜか仲間はずれにあっているような気分になっていた。堀之内と村木の会話を聞くと、特にそう感じた。

昨夜の話し合い以来、堀之内と村木はすっかりうまが合ってしまったらしい。たぶんお互いの能力を認め合うことができたのだろう。村木がいつもの調子でなれなれしい口をきいても、堀之内は受け入れていた。

今朝、磯部が出署してくるなり、村木はこう言った。

「おい、磯部、堀之内さんの連絡先を貸せ」

呼び方がマルサイから堀之内さんに変わっていた。なんでも堀之内から、村木も電話してよろしい、との許可がくだったという。

この分だと犯罪心理分析官助手を解任される日も近そうだ、と磯部はがっかりした。きっと村木が代わりにその大役につき、僕はハサミを持って文房具店めぐりをすることになるのだろう。

そのほうが僕には向いているかもしれない。

だが、この寒い中、東京都にある無数の文房具店を回って歩くかと思うと、磯部の気持ちは暗かった。

「容疑者は言いすぎだな」堀之内がしゃべっていた。「日高がハサミ男だというのは、まだ僕らの推理にすぎません。何一つ物的証拠はないんですから」

「状況証拠すらないに等しいな」松元が後を引きとって、「単なる推理、憶測だよ。これじゃ参考人として呼ぶこともできない」

「松元さんの印象はどうでしたか」村木が訊ねた。「証言を聞いたときの印象を教えてくださいよ。人物を見きわめるのは、松元さんの得意分野でしょう？」

「そうだな」

松元は手帳をデスクに置き、腕組みして、あの夜のことを思い出しているようだった。

やがて、口を開いた。

「確かに不審な点はあったよ。話を聞いている間じゅう、私のほうを見もせずに、ずっと遺体のあるあたりを見つめていたからね。何かに気をとられているようで、話もうわの空だったし」

「ほうり捨てたハサミが発見されないかと心配していたんじゃないかな」

村木がそう訊くと、松元は眉根を寄せて、

「それはわからないな。死亡時刻は遺体の発見時刻よりずいぶん前だと見当をつけていたから、そのときは日高は事件と無関係と判断していたんだよ。特に注意もせずに、ただ証言を聞いただけだから、なんとも言えない」

「犯行直後だったら、日高を疑っていましたか」

村木がそう訊くと、松元はうつむいて考え込んだ。

「疑っていたかもしれないね」考えた末に、松元はようやくそう言った。「人殺しができる人物かどうかは断言できない。でも、何かしら怪しい雰囲気はあった。正直に言うと、なんというか、つかみどころのない男だったな。何を考えているのか、何を思っているのか、さっぱりわからなかった」

「日高がハサミ男かもしれないと思いますか」

　村木は重ねて問いかけた。

「そこまではわからない。だいたい、私はハサミ男本人を尋問したとしても、相手が何を考えているか理解できないと思うよ。私は古い人間だからね」

　松元は自嘲気味に笑って、

「この日高という男に不審を抱いたのも、単に最近の若い人の気持ちがわからなくなっているだけかもしれない。あまり私の印象を信用しないほうがいい」

「いや、松元さんの勘《かん》はあてになりますから」村木が元気づけるように言った。

「勘は信用できない」松元はあっさり答えた。「信用できるのは事実に基づいた推理だけだよ」

「じゃあ、俺たちの推理が正しいと思いますか」

「正しいかもしれんし、間違ってるかもしれん。私にはわからんよ。ただ、今のところ証拠が何もないことは確かだ」

「だから、捜査一課長にも報告できない」堀之内がつぶやくように言った。

「そうですね」村木がうなずいて、「捜査一課長は俺たち所轄署の刑事の憶測なんて相手にしないでしょう。逆に、犯罪心理分析官の推理は真剣に受け止めすぎる」

「そのとおりです」

堀之内は感心した表情で村木を見た。

「僕から遺体発見者が怪しいと報告したら、捜査一課長はいきなり日高を重要参考人として呼びかねない。彼は一連のハサミ男事件のせいで、かなり焦っていますからね」

「あれだけマスコミに叩かれたら、焦りたくもなりますよ」松元が一課長に同情するように言った。「去年から十回以上、記者会見をしてるんじゃないかな」

磯部も捜査一課長の記者会見をテレビで見たことがあった。

「広域連続殺人犯エ十二号の捜査は着実に進展しており……」

「まだ公表はできないが、有力な情報も多数集まり……」

「捜査員全員が全力をつくし、この凶悪な事件の一刻も早い解決を……」

十本以上束ねられたマイクに向かって、そんな前向きで建設的な台詞を語りながらも、村木がパンチ・ドランカーのブルドッグと形容した捜査一課長の顔は苦渋に満ちていた。

磯部の目には、自分でも信じていないし、目の前に詰めかけた記者たちも信じるわけがない言葉を連ねることに、すっかり嫌気がさしているように見えた。

「そして、記者会見のたびにマスコミから批判される」村木が言った。「テレビでは発言の一言一句をあげつらわれ、週刊誌は無能呼ばわりする。一刻も早く犯人を逮捕しろ、と上層部からは毎日のようにせっつかれる。いくらこわもての捜査一課長殿だって、胃に穴が開きかねない」

「しかも、あの人は僕のことを易者か何かと勘違いしています」堀之内は苦笑して、「僕の報告書に、ハサミ男の名前と住所と電話番号が書かれていないのを不満に思っているかもしれない。いや、これは冗談ではなく、真面目な話です」

「そんな捜査一課長殿に、ハサミ男は日高光一なる人物かもしれないと報告したら、とんでもないことになるな」

村木は考え込む表情になって、

「重要参考人で引っぱって、落としの名人の手で自供させればいい、と思うかもしれない。そんなことして、もし俺たちの推理が大はずれだったら、マル……いや、犯罪心理分析官の面目丸潰れだ」

「マルサイでかまいませんよ。べつに気にしませんから」堀之内は笑って、「面目を潰すくらいなら、まだいいですよ。今あなたが言ったようになって、もしも冤罪《えんざい》事件に発展でもしたら、僕は確実に免職だし、下手をしたら犯罪心理分析官制度も廃止されるかもしれません」

「だから、堀之内さんからも報告はしたくない」村木が言った。

「おっしゃるとおりです。自己保身と言われてもしかたありませんが」

「憶測で行動しないのは、警察官として当然のことですよ」松元が静かに言った。

沈黙が流れた。

「よし、俺たちで調べよう」

村木が何か決心したように言った。

「調べるって、何を調べるんです?」磯部は初めて発言することができた。

「日高が本当にハサミ男かどうか、俺たち刑事課で調べるんだよ。決まってるだろうが」

「そんなこと、できるのかい?」松元が驚いて、「私たちにはちゃんと任務が与えられてるじゃないか。刑事課の人間だけで勝手に動き回るわけにはいかないぞ」

「そう。あなたたちが日高について捜査するには、捜査一課長の許可が必要ですよ」堀之内が指摘した。「捜査本部長は彼であって、上井田警部殿ではない。そして、許可を得るためには日高のことを捜査一課長に報告しなければならない。そうじゃありませんか?」

「ところが、そうじゃない」村木はにやりと笑って、「ここに磯部がいる」

僕がどうしたって? 磯部はとまどった。

「磯部はあなたの助手に任命され、あなたの命令で自由に行動できる」村木は堀之内に説明した。「しかも、上井田警部の口ぞえのおかげで、俺たち刑事課の人間がパートナーとしてつくことができます」

「そうか。磯部くんと一緒なら、刑事課の人間が自由に捜査できるわけだ」

堀之内はそう言って、村木を感嘆の表情で見つめた。

「あなたは頭が切れますね。失礼ながら、所轄署にあなたのような人がいるとは思ってませんでした」

「堀之内さんほどじゃないですよ」村木は笑った。

この二人は本当に仲良くなってしまったらしい。磯部はほんの少しだけ村木に嫉妬した。

「まず、明日にでも、俺が磯部と一緒に日高に会ってきます」村木は続けた。「捜査一課長には、ハサミ男のプロファイリングのために遺体発見者の証言を聞きに行かせた、と報告してください。その後は現場近くで日高の目撃証言がないかを……」

「そいつはだめだ」松元が注意した。「日高の顔写真がないぞ。遺体発見者の写真なんて撮ってないからな」

「そうか。写真は絶対必要だな」

村木は額を押さえて、知恵を絞るような顔つきになった。

「よし、こうしよう」やがて村木は顔を上げて、「堀之内さん、捜査一課長には、遺体発見者の証言は非常に重要なので、磯部にパートナーを二人つけた、と言ってください。もう一人のパートナーの名前は進藤です」

「また進藤の趣味が大活躍か」松元がほほえんだ。「あいつ、警察学校で学んだことより、大学時代、写真部だったことのほうがよっぽど役に立ってる。芸は身を助ける、だな」

「俺たちは捜査本部の方針を無視して、日高を追う」

村木は松元と磯部をかわるがわる見つめて、そう宣言した。

「いわば正規軍から離れて、遊撃隊になるわけだ。これからはゲリラ戦だ」

「メグロ・ストリート・イレギュラーズというわけですね」

磯部がなんの気なしにそう言うと、村木と松元が眉をひそめた。

それればかりか、磯部にとっては大変意外なことに、堀之内までが、何を言ってるんだ、という表情になった。

警察官がミステリを馬鹿にして読まないのはべつにかまわない、と磯部は心のなかでぼやいた。

しかし、シャーロック・ホームズすら読んでいないのは、あまりにも非常識すぎる！

17

探偵ごっこは終わりだ。

武蔵小杉駅前のドーナッツショップを出ると、わたしは自分にそう言いきかせた。

今日は土曜日だから、帰りにドラッグストアに寄って、鎮痛剤を買う予定だった。鎮痛剤の商品名も、致死量が何箱分に相当するかも、すでに調べてあった。値段は、しめて一万円をこえた。薬物自殺は金がかかる。わたしは昨日、キャッシュカードで預金を引き出さなければならなかった。

今度こそ、たぶんだいじょうぶだ。おそらく無事に死ぬことができるだろう。

万が一、自殺に失敗し、医師があらわれて、さらに捜査を進めろ、と言ったとしても、わたしは拒否するつもりだった。感情的にしゃべる人間を相手にすることに飽き飽きし、疲れ切っていた。

それに、いくら医師がうるさく言ったところで、わたしにはこれ以上の調査をおこなう手だてがなかった。真犯人を求めて、わたしがつかんだ細く頼りない糸は、岩左のところで切れてしまった。

かといって、亜矢子にもう一度会うのは危険だ。彼女は週刊アルカナ編集部に電話して、自分を取材した記者が存在しないことに気づいたかもしれない。

したがって、もう樽宮由紀子の交際相手を探ることはできない。わたしがそうしたくないのではなく、不可能なのだ。

できれば医師の顔を見たくはなかったが、もし会わなければならなくなったら、そう言ってやろう。

わたしは武蔵小杉駅から渋谷行きの電車に乗り込んだ。

もう東横線に乗ることもないだろう。運よく今夜死ぬことができれば、東横線はおろか、どこの路線の電車に乗ることもありえない。運悪く生きのびたとしても、樽宮由紀子の痕跡が残る場所に近づく気はなかった。

だが、ひとつだけ心残りがあった。

わたしは学芸大学駅で電車を降りた。東横線沿線に別れを告げる前に、〈おふらんど〉の自家製ミートパイをもう一度だけ食べておこう、と思ったからだ。

「いらっしゃい」

扉の鈴がかろやかに鳴り、店主が笑顔でわたしを迎えた。

もう改札口を見張る必要はないので、カウンター席に腰を落ちつけた。木のカウンターは毎日磨きあげているらしく、浮き出した木目が茶褐色に光っていた。

カウンターの奥、コーヒーカップや皿がおさめられた棚も、店内に並んだ四つのテーブル席も、すべて同じ色調の木製だった。壁と床も木でできているように見えたが、鉄筋コンクリートの雑居ビルのなかだから、こちらは木目調のボードとフローリングだろう。

色ガラスの笠をかぶったガス灯風の照明器具が天井からぶら下がり、壁には写真複製の絵画が数点飾られていた。わたしは美術にはうといので、誰のなんという絵かは知らない。

遠目に一枚の絵を見やると、紗がかかったような色調で、雪山に横たわった女性が描かれているようだった。眠っているのか、死んでいるのか、両目をつぶっている。雪山遭難を描いた絵なのだろうか。それにしては、女性の衣服が薄着すぎるように思えた。

店内には、わたしのほかに誰も客がいなかった。

「おひさしぶりですね」

店主は水の入ったコップをわたしの前に置きながら、にこやかに言った。

最後に来店したのは、もう二週間以上前だというのに、店主はまだわたしの顔を覚えていた。

「ずいぶん覚えがいいんですね。たった三回来ただけなのに」

皮肉のつもりだったが、丸顔の人のよさそうな店主には通じなかったらしい。

「それはそうですよ。ミートパイをほめてくださったお客さんを忘れるはずがありません」

店主はうれしそうに笑った。

まあ、いいさ、とわたしは心のなかでつぶやいた。もうこの店に来ることもないだろう。

わたしは店主のたぐいまれなる記憶力に敬意を表して、ミートパイとコーヒーを注文した。

中世音楽の古楽器演奏らしきBGMを聴きながら、しばらく待つと、できたてのミートパイとコーヒーがあらわれた。

少し不作法だと思ったが、わたしはミートパイを手でつかんで、端からかじった。やはりトマトソースがおいしかった。

「いかがですか」

店主がわたしの顔をのぞき込んだ。わたしは、トマトソースがとても美味である、と端的に感想を述べた。

「自家製ですからね」

店主は心もち胸を張り、満足した表情で、わたしの批評を受け入れた。

もうひと口、ミートパイをほおばった。唇の端にトマトソースがついたので、人差指でぬぐい、指先をなめた。

ふと見上げると、店主がそんなわたしの様子をじっとながめていた。

「失礼。行儀が悪かったかな」

わたしはカウンターの紙ナプキンを抜いて、指をふいた。

「いえいえ、いいんですよ。どうぞ、お好きなように召しあがってください」

店主が両手を大きく振って、そう言った。

じろじろ見られながら、お好きなように召しあがれるものか。この店はよほど客が来ないらしい。店主は暇そうな様子で、わたしの前から離れる気配はなかった。

「いつ来ても、この店は空いてますね」

この皮肉も、店主には通じなかった。

「ええ、こういう小さな店ですし、このあたりは静かな街ですからね。わたしも、常連さんが何人かついてくだされば、それでいいと思ってるんですよ。べつに大繁盛させたいとは思わない」

店主は壁に飾られた複製画に視線を向けて、

「まあ、一週間くらい前までは、すごかったですけどね」

「すごかった?」

「このあたりは大変だったんですよ。ほら、例のハサミ男の事件です」

「ああ、あの事件ね。テレビで見ましたよ」

わたしは用心深く、あいまいに返答した。樽宮由紀子のことはもう考えたくなかったので、深入りしたくもない。

しかし、店主にとって、ハサミ男の事件は、ぜひとも客に話したい最新の話題であるようだった。

「遺体が発見されたのは、このすぐ近くなんですよ。歩いていける距離です。殺された女の子の家も近かったから、警察やマスコミが来て、大変でした。事件直後はヘリコプターが何機も飛んで、全部のテレビ局が一斉に中継してましたし、そのあとも、記者だのレポーターだのがいっぱい押しかけてきました」

店主は肩をすくめて、

「一気にこのあたりの人口が倍に増えたかと思いましたよ。そのくらい、大騒ぎだったんです。やっと落ちつきましたけどね」

「そのころは、この店も大繁盛だったわけだ」

カメラとメモ帳をかかえた記者たちで店内がごったがえし、店主がおおわらわで何十人分ものミートパイをオーブンで焼いている光景を想像して、わたしは笑い出しそうになった。

「あんな連中はお断りです」

だが、店主はなぜか不快そうな表情になった。

「他人の不幸を興味本位で調べまわるような連中はね。ユキちゃんもかわいそうに」

ユキちゃん。

わたしは思わず、食べる手を止めて、店主の顔を見上げた。

店主は依然として複製画を見つめながら、なにかを追想しているような表情になっていた。樽宮由紀子の思い出をよみがえらせているのかもしれない。

彼も樽宮由紀子の交際相手のひとりだったのだろうか。

「ユキちゃんって、誰ですか」

わたしは静かに訊ねた。

「え？　ああ、ハサミ男に殺された女の子ですよ。よく店に来てくれていたんです」

「常連だったんですか」

「まあ、そうですね。彼女もミートパイをほめてくれました」

店主はわたしの皿のミートパイを見下ろした。

たぶん嘘ではないだろう。樽宮由紀子は店主ではなく、おいしいミートパイのほうに興味を持っていたに違いない。

五十歳近いと思われる店主は、十代の少女とセックスしたがるタイプには見えなかった。十代の少女に誘惑されたら、逆に悲しみやさびしさを感じるたぐいの男性だろう。

「ミートパイとハーブティーの組み合わせが、ユキちゃんのお気に入りでした」

店主はおだやかな微笑を浮かべ、回想をつづけた。

「いい子でしたよ。とても美人だったけど、それを鼻にかけるような雰囲気はまったくなくて、わたしみたいなおじさんの話も、にこにこしながら聞いてくれた。最近の若い女の子には、わたしなんかには理解しかねるところが多いけど、ユキちゃんはそうじゃなかった。年に似合わず、落ちついていてね。なんというか、まるで娘みたいに思っていたんです、わたしは」

店主の目にかすかな怒りの色が浮かんだ。

「それが、あんなひどい目にあうなんて」

わたしは黙って、コーヒーをすすった。

樽宮由紀子はひとりで〈おふらんど〉に来ていたのだろうか、とわたしは考えていた。それとも、彼女の交際相手との待ちあわせ場所に使っていたのか。

わたしは、かまをかけてみることにした。

「確かに、この店は彼氏とデートするにはいいでしょうね。雰囲気があるし」

「いや、ユキちゃんはたいていひとりでしたよ。いつもカウンター席に坐ってました」

店主はあっさり答えた。

わたしは半分がっかりし、半分ありがたく思った。やはり探偵ごっこは終わりだ。

「ただ、一度だけ、彼氏みたいな人を連れてきたことがありましたね。ずいぶん前ですけど」

「そうなんですか」

わたしは気のない返事を装った。回想に耽《ふけ》る店主は、特にうながさなくても、話をつづけた。

「同じ年ごろの男の子とやってきて、珍しくテーブル席に坐ったんです」

店主は奥の空いたテーブル席に目をやって、

「男の子のほうが真剣な顔で何やら話していてね、てっきり愛の告白かと思いましたよ」

同世代の彼氏なら、樽宮由紀子に会って告白しようがしまいが、どうでもよかった。イニシャル入りのガスライターを持っているわけがないし、ファストフード店で目撃した男でもない。

ただ、店主の言葉が気になった。

「告白じゃなかったんですか」

「ええ。次にユキちゃんが店にひとりで来たとき、訊いてみたんですよ。この前、いっしょに来た彼氏はどうしたの、ってね。そうしたら、ユキちゃんは笑って、彼氏じゃないわ、弟よ、って言いました」

弟。樽宮健三郎。告別式の日、祭壇から走り去った少年。

わたしは、激しい感情をあらわにして、会葬者のあいだを駆け抜ける少年の姿を思い出した。

「そうか、ついにユキちゃんにも彼氏ができたかと思ったのに、とわたしが言ったら、ユキちゃんは首をかしげて、弟でも彼氏にできるんだけどね、って答えました。ちょっと、どきっとしましたね。まあ、にこにこ笑ってたから、冗談なんでしょうけど」

弟でも彼氏にできる。確かにそうだ。樽宮由紀子と健三郎は血がつながっていないのだから。

健三郎。K。しかし、いくら煙草好きの高校生でも、イニシャル入りのガスライターを持っているわけがない。

しかし、だからといって、健三郎が真犯人ではないとも断定できなかった。

そこまで考えて、わたしはじつにいやなことを思いついた。

一弘のイニシャルもKだった。あのガスライターは一弘のものかもしれない。義理の弟を彼氏にできるなら、義理の父親を彼氏にしてもおかしくなかった。

わたしはため息をついた。わたしの空想は、幸せな家族を描くホームドラマから、陰惨な因果物語へと飛躍していた。

「今日のミートパイはお口に合いませんか」

店主が心配そうにわたしの顔をのぞき込んだ。皿の上では食べかけのミートパイが冷めかけていた。

わたしは急いで笑顔をつくると、最後のひと切れを口に入れ、

「おいしいですよ。ただ、じっと見られてると食べにくくて」

「すみません」

店主は頭をかいて、

「お客さんがあんまりおいしそうに食べてくださるものですから、ついついうれしくなって

しまって……つまらないおしゃべりがすぎましたね」

店主はわたしの前から離れようとした。

わたしは彼を呼び止めた。

「ひとつだけ質問していいですか」

「なんでしょうか」

「〈おふらんど〉って、どういう意味なんですか。辺鄙《へんぴ》な土地、かな」

「なるほど、〈オフ・ランド〉ですか。そういう解釈は初めて聞いたな。はやらない店には、そのほうがふさわしいかもしれない」

店主は感心したように笑って、

「じつはフランス語なんですよ。〈捧げ物〉という意味です」

わたしにとって、店主から得た情報は、欲しくもない捧げ物だった。

18

「薬物ってのは不思議だね」

口から汚らしい吐物をしたたらせながら、医師がつぶやいた。

「鎮痛剤を飲みすぎると頭が痛くなり、吐き気止めを飲みすぎると吐く。試したことはないが、きっと下剤を飲みすぎると便秘になり、下痢止めを飲みすぎるとおなかがピーピー鳴りだすんだろう」

わたしは、うるさい、と怒鳴ろうとした。

だが、ベッドから上半身を出し、ビニール袋に嘔吐している最中では、そうもいかない。頭が鈍く痛み、吐き気はとめどなく襲ってきた。

「ということは、たぶん青酸カリを飲みすぎると、ものすごく健康で長生きできるんじゃないかな。青酸カリ健康法。あなたも試してみませんか」

医師は右手の親指と中指でこめかみを押さえて、

「きみね、自殺するのはかまわないけど、中枢神経を抑制する薬を使うのはやめてくれないかね。頭がくらくらして、身長十フィートになって歩いているような気分だ」

「うるさい」

ようやく吐くものがなくなって、わたしは大声を出すことができた。

「怒鳴る元気があれば、だいじょうぶだな」

医師は安心したような、にこやかな笑みを浮かべた。

「だが、明日は一日じゅう、頭がボーッとしてるぞ。まあ、日曜日だから、いいけど」

「言っておくが、わたしは樽宮健三郎に会いに行ったりしないぞ。絶対にだ」

わたしはベッドに両手をついて、顔を起こすと、医師にそう宣言した。視野が定まらず、医師の姿が二重に見えた。

「ぼくがわざわざ言わなくても、きみは会いに行くさ。ひどく興味をひかれているからね」

「樽宮由紀子の家族に興味なんかない」

「ぼくに嘘をついてもむだだね」

医師はあざ笑うように言いはなった。

わたしはもう一度怒鳴ろうとしたが、意識が遠のいていった。

ドアチャイム。

目を開くと、冬の日ざしが天井に弱々しい光の帯をつくりだしていた。すでに日は高く昇っているに違いない。

ドアチャイムが鳴っている。

夢ではなかった。日曜日だというのに、いったい誰だろう。

わたしはベッドから起きあがったが、あやうく床に倒れるところだった。医師が言っていたとおりだ。頭の芯がしびれていた。

なんとか玄関までたどり着き、ドアスコープに右目をあてて、外を見た。

コートを着たふたりの男がドアの向こうに立っていた。年上はアフロヘア、年下は頼りなさそうな顔つき。

樽宮由紀子の告別式で見かけた葬儀屋だ。

わたしは思わずベッドを振り返った。もしかしたら、わたしはすでに死んでいて、葬儀屋が迎えに来たのかと思ったからだ。

しかし、ベッドの上にわたしの死体はなかった。かけ布団がめくれ上がり、近くの床に吐物の入ったビニール袋が落ちているだけだ。

またドアチャイムが鳴った。

「ちょっと待って」

わたしはドアごしに声をかけ、急いでビニール袋を拾いあげた。ふらつく足どりで洗面所に行き、袋ごと吐物をゴミ箱に捨てて、タオルで口元をぬぐい、うがいをした。

鏡で自分の顔を確認する。

だいじょうぶ。汚れてはいない。

わたしは壁につかまりながら、玄関に戻り、ドアを開いた。

ふたりの男はわたしを見るなり、互いに顔を見合わせた。

「ごめんなさい。おやすみ中でしたか」

と、アフロヘアがすまなそうに言った。その視線はわたしの服装に注がれていた。わたしは自分の胸元を見下ろした。起きたばかりだったので、わたしはまだパジャマを着ていた。幸い、吐物の染みはついていなかったが、昨晩、苦しさのあまり引きむしったのか、いちばん上のボタンがちぎれていた。

あまりみっともいい格好ではなかった。

「いま何時ですか」

と、わたしは訊ねた。頼りなさそうな若者が腕時計を見た。

「午後一時半です」

わたしは目を細くして、空を見上げた。薄曇りの空に濁ったような陽光がさしている。鎮痛剤を飲んでから十二時間以上たつのに、まだ気分はすっきりしていなかった。

「ありがとう」

わたしは若者に礼を言うと、アフロヘアのほうを向いて、

「で、あなたがたは誰?」

「目黒西署のムラキ巡査部長です」

アフロヘアはそう名のり、若者のほうを手で示して、

「こっちはイソベ巡査。例の目黒区の事件を捜査していまして、遺体を発見したときの状況をもう一度お話しいただきたいと思って、おうかがいしたんですが」

この売れないソウル・シンガーと無能な若手マネージャーのようなコンビが、私服刑事だって？　わたしは驚き、そして少し不安を感じた。鎮痛剤で頭がもうろうとしているときには、刑事の質問に答えたくない。

「警察手帳を見せてもらえますか」

わたしはムラキに告げた。ムラキはスーツの内ポケットから手帳を出し、わたしに見せた。

偽刑事ではないかと疑ったわけではない。時間を稼ぎたかっただけだ。

もちろん、気分が悪いからまた別の日にしてくれ、と言うのは簡単だ。だが、へたなことを言って、疑われるのは避けたかった。いやなことは早めにすませたほうがいい。

「わかりました。どうぞ」

わたしはうなずき、ドアを大きく開いた。

すると、ムラキは急いで両手を振って、

「いえ、お部屋に上がるのはちょっと……外でお話をうかがいますよ」

わたしはムラキの顔を見た。どうも様子がおかしかった。ふたりともあわてているように見えた。

「シャワーを浴びたいから、用意するのに時間がかかりますよ」

と、わたしは告げた。かまいません、とムラキがほっとした表情で答えた。

ドアを閉めて、バスルームに向かった。

わたしは疑われているのだろうか。あの刑事たちは、何かたくらんでいるように思えた。罠かもしれない。

罠に対抗するには、こちらも頭を働かせる必要があった。わたしはパジャマと下着を脱ぎすてると、熱いシャワーと冷たいシャワーを交互に浴びた。

少しは頭のなかのしびれがとれたようだ。

セーターとジーンズに着替え、ジャケットをはおって、ふたたびドアを開けた。

「お待たせしました」

「お手数かけてすみません」

ムラキが人なつこそうな笑みを浮かべた。だが、目つきは鋭く、いかにも頭の回転が早そうだ。要注意人物だった。

わたしはふたりとともにアパートの階段を降りた。途中、足元がふらつき、壁に手をついた。

「だいじょうぶですか」

イソベがわたしの顔をじっと見て、そう言った。

「二日酔いなんでね」

と、わたしは答えた。まったく嘘というわけではない。アルコールではなく、鎮痛剤の二日酔いだ。

イソベが返事に納得したかどうかはわからなかった。

「警察署に行くんですか」

アパートを出ると、わたしはムラキに訊ねた。

「いえいえ、そこまでご足労いただく必要はありません」

ムラキはそう答えて、高架線の下の通りを見わたした。

「喫茶店かどこかでお話をうかがえれば……あそこなんか、どうです」

ムラキが指さしたのは、通り沿いの喫茶店だった。黒梅という雑誌記者に取材されたときに入った店だ。

「あそこは高いですよ」

と、わたしは言った。ムラキは笑って、

「ご心配なく、コーヒーくらいおごりますよ」

軽い口調で言った。

値段が高いくせに、たいしたコーヒーじゃない、と忠告してやりたくなったが、やめにした。自分で金を出さずにすむのなら、もう一度くらい飲んでもいいだろう。

わたしたちは白亜の洋館風の建物に入り、通りに面した窓ぎわの席に坐った。ムラキはわたしの意思も訊かず、テーブルにつくなり、ウェイトレスにコーヒーを三杯注文した。

「じゃあ、遺体を発見した夜のことを、もう一度話していただけますか」

ムラキがのんびりした口調で言った。

わたしは話しはじめた。警察に一回、黒梅に一回しゃべったとおりの話だった。あの夜、たまたま目黒区鷹番を歩いていたら、公園で妙なものを発見した。近づいたら、若い女の子の死体だった。

こういうときは、嘘をつこうとしてはいけない。わたしは正直に、そして率直に語った。ただ、話したくないことは口にしないだけだ。できれば、話したくないことは、あらかじめ忘れてしまうのが望ましい。

そして、幸いなことに、この場合、警察に話したくないことは、ひとつだけだった。

わたしが樽宮由紀子を以前から知っていたことだ。

わたしはほとんど真実である証言を繰り返しながら、目の前のふたりの刑事を観察していた。

ムラキの年齢は三十代後半だろうか。こんなくしゃくしゃにパーマする美容師はいないから、たぶん生まれつきの癖毛なのだろう。楕円《だえん》形の顔に、細いたれ目が八の字形にくっついている。口元にはずっと笑みを浮かべていた。

わたしはこういうにやにや笑いをする男をよく知っていた。医師と同じ性格。頭がよくて、皮肉屋。

イソベのほうは、おそらく、わたしより年下だろう。真ん中から分けた髪の下に、逆三角形の顔。背もムラキより高く、なかなか整った顔だちの二枚目だった。

にもかかわらず、一見して頼りなさそうに見える理由は、童顔のせいもあったが、その目にあった。いつも目が泳いでいるのだ。

いまも、わたしの顔をちらちら見ては、窓のほうを向いたり、天井を見上げたり、ゆったりかまえたムラキに比べて、じつに落ち着きがない。

いや、とわたしは思いなおした。イソベは普段からこうなのではなく、緊張しているだけかもしれない。

しかし、なぜ緊張する必要があるのか。たかが遺体発見者の証言を聞く程度で、こんなに視線が定まらなくなるものだろうか。イソベはムラキより若かったが、初めて事情聴取に来た新米刑事とは思えなかった。

重要な任務なので、あがっているのかもしれない、とわたしは思った。捜査を進めるうえで鍵となる、きわめて重要な任務に赴いた、若手刑事の反応。

それはどんな任務だろうか。

たとえば、容疑者の証言を聞くことが、そうだ。

わたしはいっそう気をひきしめた。

「なるほど、わかりました」

わたしが証言を終えると、ムラキが大きくうなずいた。

「あの、ひとつうかがっていいですか」

イソベが待ちかねたように、質問してきた。

「あんな遅い時刻に、どうして鷹番にいらしたんですか？　それも、人通りの少ない路地に」

ムラキが眉根をよせて、イソベのほうを向いた。何を言い出すんだ、と言いたげな表情だった。

それとも、まだ核心に触れるのは早すぎる、と言いたいのか。

「知っている人が近くに住んでいたので、その家に行っていたんです」

と、わたしは答えた。これも嘘ではない。ただし、「知っている人」とは樽宮由紀子で、「家に行く」とはデゼール碑文谷の玄関の前で待ちぶせすることだったが。

「どういう関係の方ですか？」

イソベはなおも訊いてきた。ムラキは明らかに困った表情になっていた。

「そこまで話す必要がありますか。プライベートなことだから」

わたしはそう言って、イソベの顔をにらんだ。イソベは、すみません、と小声で言って、うつむいてしまった。

若手刑事さん、質問がストレートすぎるよ、とわたしは心のなかでつぶやいた。

ムラキのほうは、はるかに老練だった。

イソベをたしなめるように、低い咳ばらいをひとつ入れると、わたしに向きなおり、

「一部マスコミでも報道されましたから、ご存じかもしれませんが、現場でもう一丁のハサミが発見されたんです」

注意しろ、とわたしは自分自身に警告した。おまえが知っていていいことと、知っていてはいけないことを峻別しろ。そして、知っていてはいけないことは忘れて、あとは正直に答えろ。

「週刊誌で読みました」

わたしは正直に答えた。

「現場で遺体を発見されたとき、もう一丁ハサミがあったことにお気づきでしたか」

ムラキはついに核心に触れてきた。これが罠《わな》だった。

週刊アルカナの独占スクープ記事では、現場にもう一丁のハサミがあったことは報じられていたが、どこで発見されたかまでは書かれていなかった。

もちろん、もう一丁のハサミは公園の茂みのなかで発見されたはずだ。わたしがそこにほうり捨てたのだから。

しかし、わたしがそんなことを知っているはずがなかった。無残な殺され方をした少女を見つけ、うろたえている人間が、茂みをかき分けてのぞき込むわけがない。

わたしはもう一丁のハサミについては、何も知らない。

「気がつきませんでしたね。女の子の遺体を見て、気が動転していたものですから」

わたしは目を伏せて、あの夜のことは思い出したくない、といった様子を装った。うまくいったかどうかはわからないが、ムラキは、お察しします、と答えた。

「わかりました。ご協力ありがとうございます」

ムラキは人差指で頭をかきながら、事情聴取をしめくくった。

「あの、あなた、被害者の告別式に来てましたよね」

突然、イソベが訊いてきた。

ムラキが弱りきった顔つきになった。パートナーがあまりに性急に質問しようとすることに、困りはてていたのだろう。

「ええ。彼女を弔いたいと思ったので……それが何か？」

わたしがそう言うと、イソベは、いえ、と答えるだけだった。

約束どおり、ムラキがコーヒー代を払い、わたしたちは喫茶店の前で別れた。

少し歩いたところで振り返ると、歩道の上で、ムラキがイソベの頭を叩いているのが見えた。

あの若い刑事はきっと、あとでこっぴどく叱られるだろう。

部屋に戻り、ドアを閉めたとたんに、膝がぐらぐらになった。刑事の質問に集中していたあいだはなんとかもったが、鎮痛剤の影響はまだ抜けきっていなかった。

床に膝をつき、這うように部屋のなかに入った。

だが、まだ横になるわけにはいかない。

わたしは奥の本棚に近づき、本のページのあいだから、樽宮由紀子の申込用紙のコピーを取り出した。

どうやら、わたしは警察からある程度の疑念をいだかれているらしい。こんなものが部屋にあってはまずい。

わたしはコピーを両手で破りすてようとしたが、ためらう気持ちがあった。この情報はまだ必要だ、と思った。樽宮家に電話をする機会がありそうな気がした。

医師の言うとおりだ。わたしはあいかわらず、樽宮由紀子とその家族に興味をひかれていた。

警察に疑われているというのに、探偵ごっこをつづける気なのか？　あまりにも危険すぎる。

だが、なにが危険だというのだろう。

わたしはべつに警察に逮捕されてもよかった。わたしはすでにふたりの少女を殺している。わたしは小西美菜を殺し、松原雅世を殺した。警察がわたしを追うのは、当然の義務だった。

それに、なんなら、樽宮由紀子殺しの罪まで引きうけてもかまわない、とわたしは思った。

しかし、わたしはいままで、警察に捕まらないように細心の注意を払ってきた。その方針は最後まで貫こう。

どんなに勝ち目のないゲームでも、始めた以上は全力をつくすべきだ。それに、逮捕されて死刑になったとしても、望みどおり死ねることには違いない。

わたしは樽宮家の住所と電話番号をメモ用紙に書きうつした。申込用紙のコピーはショルダーバッグに入れた。警察が本気で疑っているなら、わたしが出したゴミ袋をあさりかねない。コピーは明日、出勤途中にどこかの駅のゴミ箱に捨てるつもりだった。

それから、黒梅夏絵の名刺を探し出し、週刊アルカナ編集部に電話をかけた。日曜日でも、忙しい週刊誌記者はたぶん働いているだろう。

「はい、週刊アルカナです」

中年の男の声が返ってきた。わたしは黒梅を呼び出した。

「いまちょっと出てるね。折り返し電話させますよ」

わたしは電話番号を告げ、電話を切った。

五分もたたないうちに、電話のベルが鳴った。

「もしもし、お電話いただいたそうですけど」

黒梅は携帯電話からかけているらしく、雑踏の喧噪が背後に聞こえた。

なるほど、彼女はフリーライターだから、雑誌社に席はない。週刊アルカナ編集部に電話が入った場合は、とりあえず不在と答えて、彼女の携帯電話に連絡するシステムになっているのだろう。

「お話ってなあに？　あなたから聞いた話が記事になっていなかった件なら、ごめんなさいね。突然、スクープ情報が入っちゃったものだから、しかたなかったのよ。あなたもあんまり取材に乗り気じゃなかったみたいだから、かまわないでしょ？」

黒梅は一気にまくしたてた。

「お願いがあるんだ」

「お願い？」

「被害者の樽宮さんの家の連絡先を教えてくれないかな。初七日をすぎたから、一度、位牌に手を合わせたいと思ってね」

「律義な人ね、あなたって」

黒梅は半分あきれたような声で、

「でも、教えられないことは、わかってくれるわよね。事件関係者の連絡先を軽々しく教えるわけには……」

「今日、わたしのところに刑事が事情聴取に来たんだ。おもしろいことを話していたよ」

「え？」

「週刊アルカナに載っていた、もう一丁のハサミについて、警察も多大な関心を持っているらしいね。詳しいことを教えてくれた」

「その、詳しいことって、いったい何かしら」

黒梅の口調が一変した。記事になりそうな話を見つけたジャーナリストの口調だった。

「樽宮さんの連絡先、教えてくれるだろう？」

わたしは言った。黒梅はしぶしぶ住所と電話番号を告げた。

「週刊アルカナの先週号に書かれていた憶測は全部間違いだったようだね」

わたしは黒梅に独占スクープ情報を伝えた。

「もう一丁のハサミは被害者に突き刺してあったのでも、遺体のそばに落ちていたのでもない。遺体から少し離れた公園の茂みのなかで発見されたんだ。警察はこのもう一丁のハサミをきわめて重視している」

「それ、本当でしょうね」

黒梅が疑わしそうに訊いた。

「刑事がそう言っていただけで、本当かどうかは知らない。なんなら、警察回りの記者に頼んで、確認してみたらいい」

「言われなくても、裏はとるわ」

黒梅は電話を切った。

わたしは受話器を置き、よろめきながらベッドに行くと、あおむけに倒れこんだ。

これで、わたしが樽宮家の住所と電話番号を知っていることの説明がつく。

そして、黒梅がわたしの情報を記事にしてくれれば、もう一丁のハサミが茂みで発見されたことは、週刊アルカナの何十万もの読者の知るところとなる。ハサミ男を特定する決め手にはならない。

黒梅は記事の情報ソースを明かさないだろう。彼女は見かけによらず有能そうだから、その点は信頼できた。

万が一、黒梅がわたしから情報を得たと警察に明かしたときは、いま電話で言ったとおり、刑事が事情聴取に来たとき話した、と説明するつもりだった。今日の話の内容は録音されていない。ふたりの刑事が話していないと反論しても、証明することはできない。

なんなら法廷で争ってもいいくらいだ。

あのイソベとかいう若い刑事なら、口をすべらせることだってありうる。裁判官はきっとそう判断してくれるだろう。

第九章

十一月三十日日曜日の午後四時、事情聴取を終えて、磯部、村木、進藤の三人が目黒西署に帰ってくると、刑事課室には下川がひとりぽつんと坐っていた。

「おい、どうだった」

三人が部屋に入るなり、下川は待ちかねたとばかりに席から立ち上がり、声をかけてきた。

刑事課が独自にハサミ男の捜査をおこなうと聞いて、いちばん張り切ったのが下川だった。重大事件を自分の裁量で捜査できることがよほどうれしかったのだろう。磯部と村木が日高光一に会いに行くと知って、捜査本部から命じられた聞き込みが終わった後も居残っていたようだった。

「なにか成果はあったか？」下川は息せき切って訊いてきた。

「まあまあだな。最初はこんなもんだろう」

村木はそう答えると、磯部のほうを皮肉な目で見て、

「それに、おもしろいこともあったし。なあ、磯部？」

「はあ」磯部は答えた。なさけない声だ、と自分でも思った。

「なんだ、おもしろいことって？」と下川。

「あとでゆっくり話してやるよ。とりあえず、堀之内さんに報告しなくちゃいけないからな。おい、磯部、進藤、行くぞ」

村木について廊下を歩きながら、磯部は少し落ち込んでいた。帰り道で村木にさんざん言われただけでも、いいかげん嫌になったのに、刑事課全員の笑い物になるのはたまらなかった。

あんな質問しなけりゃよかった、と磯部は後悔した。

「磯部先輩、大丈夫ですか？」

と、カメラを首からぶら下げ、自慢の望遠レンズが入ったケースを大事そうにかかえた進藤が話しかけてきた。口元がほころび、今にも笑い出しそうだ。

こいつまでおもしろがってやがる、と磯部は憤慨した。

三人は仮オフィスに入った。堀之内はパソコンに向かい、何やら作業をしていた。村木の顔を見ると、すぐに笑顔になって、

「お待ちしてましたよ。日高はどうでしたか?」

「松元さんが言ったとおり、何を考えてるかよくわからない奴でしたね」

そう答えて、村木は椅子に腰かけた。磯部も隣に坐った。

進藤は入口近くに、カメラを持って立っていた。坐ってよろしい、と堀之内から命じられるのを待っているのだろう。

だが、堀之内は村木の話に夢中で、進藤の存在にすら気づいていないようだった。

「証言は松元さんが聞いたとおりのものを繰り返しただけでした」村木は話を続けた。「日高がハサミ男だとしたら、かなり頭がいい奴ですね。下手に自分の行動すべてを説明づけようとはせず、曖昧なところは曖昧なまま残しています。こちらとしても、突っ込みようがない」

磯部は日高の姿を思い出していた。年齢は二十六歳だから、磯部より一つ下のはずだ。しかし、日高はずっと年上に見えた。たぶん生え際が後退し、薄くなりかけた髪のせいだろう。体重は九十キロか、百キロか、見当がつかなかった。

肥満するのも無理はないだろう。日高は運動好きなタイプにはまったく見えなかった。今が冬であることを割り引いても、肌の色が白すぎた。たぶん太陽の下に出ることが好きではないのだろう。アウトドア・スポーツなど、憎悪の対象でしかないのではないか。

だが、そんなある意味では人畜無害とも見える容貌とはうらはらに、日高はどことなく無気味な雰囲気を持っていた。特にその目がそうだった。どちらかといえば温厚そうな全体の印象を裏切る、鋭いといってもいい目つきをしていた。

日高はその目つきを隠すためか、少し伏し目がちになって、淡々と証言した。実に正確な証言だった。見たことと聞いたことを順序立てて語り、自分の推測や想像をはさむことはなかった。日高は刑事にとって理想的な証人だった。

だが、少女の遺体、それもものどにハサミを突き立てられた遺体を発見した人間が、あれほど平然としゃべれるものだろうか。あまりに残酷な光景に、二度と思い出したくない、と感じるのが普通ではないか。日高はあまりにも冷静だった。

「知人に会いに鷹番に行ったという話は？」

「それも曖昧なまま残した点の一つです。嘘かもしれない。友達が多そうな男には見えなかったから」村木は片頬だけで笑って、「汚いアパートに住んでましてね。日高の言う知人が実在したとしても、たぶん彼女ではないでしょう」

村木らしい見方だな、と磯部は思った。

ひそかに顔写真を撮るために、日高をアパートの外に連れ出さなければならなかった。しかし、たとえその必要がなくても、村木は「外で話をしましょう」と言っただろう。

日高がドアを開くと、まず見えたのは玄関先に置かれた古新聞の束だった。土間にはスニーカーが脱ぎ捨てられたままにころがっていた。村木は即座に、独身男の小汚い部屋に入るのはごめんだ、と思ったに違いない。

だが、磯部の見方は少し違っていた。磯部も独り者で、仕事柄、何日も部屋に帰らないことも多く、掃除もままならない。だから、独身男性の部屋がどういうものか、村木よりもよく知っていた。

磯部の判断基準からすれば、日高の部屋はむしろ整頓されている部類に入った。

特に古新聞の束がきちんと紐でくくられ、崩れないように角のところで結ばれていることは、几帳面な性格を物語っていた。新聞とチラシが別々にまとめられていることから考えても、日高は神経の細かい男のように感じられた。

「知人の名前や連絡先は言いましたか」

「言わなかった。こちらもそれ以上は訊けません。今のところは、ね」

「まだ、容疑者ではありませんからね」堀之内はうなずいた。

「参考人ですらない」村木は堀之内にうなずき返し、「警察に協力してくれる善良な市民のプライバシーを詮索《せんさく》はできません」

「すると、あまり得るところはなかったようですね」堀之内はがっかりしたようにつぶやいた。

「そうでもありませんよ」村木は自信に満ちた表情で、「例のもう一丁のハサミについて訊いたとき、日高は動揺しました。ほんの一瞬ですが、それまで落ち着きはらっていた視線が動いた」

本当に一瞬だけだった。村木がもう一丁のハサミのことを話したとたん、日高はふっと視線をそらせた。何か不安を感じたような表情がよぎった。だが、すぐにまた目を伏せ、無表情に戻った。

「もう一丁のハサミが突破口になるということですね」

「ハサミが茂みの中で見つかったことは、マスコミに知らせていません。知っているのはハサミ男本人だけだ」

「確かに日高がそう証言すれば、一つの証拠にはなる」堀之内は考え込んで、「しかし、本人の証言だけでは足りないでしょう」

「そのほかの証拠はこれから調べればいい。日高の写真を持って、靴底をすり減らしますよ」

村木は進藤のほうを振り返った。

「おい、進藤」

「はい」進藤は直立不動の姿勢になった。

「警視正殿の前だからといって、そんなに緊張しなくていい」

村木は苦笑して、堀之内に向き直り、

「彼が進藤巡査です。まだ若いけれど、大学時代は写真部でね。コンクールに入選したこともあるそうです。そうだろ、進藤？」

「はい、入選いたしました」

進藤の返事はあいかわらず堅かった。

堀之内は、こんな男で大丈夫なのか、という表情になっていた。

村木は堀之内の心の内を察したらしかった。

「こんな奴でも写真の腕は確かなんですよ。いままでも何回か役に立ちました。遠くから望遠レンズで容疑者の顔を撮るくらい、朝飯前です」

そう、これまで何度も使った手だった。ごく事務的な事情聴取と見せかけて、容疑者を部屋の外に連れ出す。あらかじめ話を聞く場所は決めておく。喫茶店の窓際の席や公園のベンチなど、遠くから見通せる場所がいい。

そして、進藤が望遠レンズを使って顔写真を撮影する。

大学時代にコンクールに入選したという写真は、岩の上に身を起こし、耳をそばだてている野兎《のうさぎ》を撮影したものだった。

もっとも、磯部が「兎の写真」と言うと、普段はおとなしい進藤が珍しく腹を立てたものだ。それはどこかの山岳地帯にしか生息していないなんとかウサギであり、登山者はもちろん、地元の人間でもめったに目にすることはできず、こんなに鮮明な写真を撮ることはまさに奇跡と言ってもいいのだそうだ。進藤は大学二年の夏休みを全部費やして山にこもり、こなかった。

磯部には写真に関する批評眼はない。進藤一世一代の傑作も可愛い野兎の写真にしか見えの写真を撮った。


しかし、この撮影のときにも使ったという、まるで小型のバズーカ砲のような望遠レンズが実にすばらしいことはよく知っていた。なにしろ、筋向かいのビルから路上の容疑者を写しても、聞き込みに十分使えるだけのクローズアップ写真が撮れるのだ。

「日高の顔をちゃんと撮ったよな、進藤?」村木が心配そうな顔つきで言った。

「ええ。任せてください」

進藤は自分の腕前を証明しようと思ったのか、持っていたカメラをかまえてみせた。さすがにセミプロ級だけあって、ファインダーをのぞく格好がさまになっていた。

村木が右手でピース・サインを出した。進藤はシャッターを押し、フラッシュが光った。

「先輩、いいポーズですよ」ようやく緊張が解けたのか、進藤が笑いながら言った。「もう一枚」

村木は今度は両手でピース・サインをつくった。ダブル・ピース。感覚がおじさんだ、と磯部はあきれた。堀之内も苦笑いを浮かべていた。

「写真ができたらパネルにしてくれ。家に飾るから」

村木は進藤にそう言いながら、立ち上がった。堀之内に笑いかけて、

「明日から日高の写真を持って現場周辺を聞き込みますよ。どんなに周到な犯人でも、誰にも見られていないわけがない。腰を据えて回れば、絶対に目撃証言は得られます」

「期待してますよ」堀之内が答えた。

三人は堀之内の仮オフィスを出た。

廊下を少し行ったところで、村木が進藤をにらみつけた。

「おまえ、本当にちゃんと撮ったんだろうな」

さすがの村木も、先ほどの進藤のおどおどした様子に不安を感じたらしい。目が真剣だった。

「撮りました」進藤も真面目な表情で答えた。

「写ってませんでしたじゃすまないぞ。ピンボケでもしててみろ、絞め殺すからな」

「はい」

進藤は少ししょげているようだった。

先輩刑事の失態を笑ったりすると、こういう目に合うんだ、と磯部はひそかに思った。

人間の手の指が合わせて十本だからといって、頽廃と混乱が百年ごとの世紀末に訪れるとはかぎらないように、月が変わるごとに季節が移りゆくわけではない。

だが、十二月一日になると、いっそう肌寒さが増し、本格的な冬が到来したように感じられた。

19

朝のニュース番組では、気象予報士が、関東地方の初雪は十二月上旬で、積雪量も平年より多めになるでしょう、と予言した。

そして、今年は東京でもホワイトクリスマスが期待できそうです、と笑顔でつけ加えた。

わたしは雪が大嫌いだった。雪は汚い。地表に積もり、泥やほこりやゴミにまみれた雪はもちろんのこと、空から降ってくるときから汚れている。なぜなら雪は雨水が凍ったものだからだ。酸性雨が降る街なら、雪だって酸性のはずだ。

雨は夜ふけすぎに雪へと変わるだろう。窒素酸化物混じりのクリスマスイブ。

よく、降り積もったばかりの処女雪を手ですくって、うれしそうに口に含む人がいるが、そういう人は雨上がりの水たまりに口をつけて飲めるのだろうか。やっていることは同じなのだが。

　わたしはそんなことを考えながら、学芸大学駅前の小広場に立っていた。駅構内のデジタル時計は午後五時を表示していた。改札口からは仕事帰りのサラリーマンや制服姿の中高生の姿が目立ちはじめていた。告別式の日、裏葉色のブレザーを着ていたから、健三郎は葉桜高校に通っているはずだ。たぶん樽宮由紀子と同様、東横線で通学していると考えていい。

　健三郎があらわれたのは、午後五時十五分ごろだった。プラットホームから階段を降りてくる、ブレザー姿の健三郎が見えた。

　まだ義姉の死から立ちなおっていないのだろう、大柄な少年は暗い視線をまっすぐ前に投げかけていた。

　改札口を抜けたところで、わたしは健三郎を呼び止めた。

「樽宮健三郎くんですね。週刊アルカナの者です。きみに話を聞きたいんだけど」

と、わたしは名のった。目の前に立つと、健三郎はわたしより頭ひとつ分ほど背が高かった。

　健三郎は返事もせず、まるで害虫をながめる駆除業者のようなまなざしでわたしを見下ろすと、すぐに立ち去ろうとした。

「きみもミートパイが好物なのかな」

　わたしは健三郎のほうを見もせずに、つぶやくように訊ねた。

健三郎は立ち止まり、不審な表情でわたしを振りかえった。

「なんだって」

「きみはお姉さんと〈おふらんど〉という喫茶店に行ったことがあるそうだね。あそこのミートパイはなかなかいける。お姉さんも気に入っていたようだ」

健三郎はわたしを見つめていた。凍りついたような表情は変わらなかった。たぶん、樽宮由紀子の死以来、ずっとこんな表情をしているのだろう。

「きみは真剣な顔で、お姉さんと話していた。いったい、なんの話をしていたのかな」

「どうして、あなたにそんなことをしゃべらなければいけないんですか」

健三郎はけわしい表情になった。

「話したくないなら、話さなくていいよ」

わたしは健三郎を残して、歩き出した。健三郎がわたしを無視して帰宅すればいい、と思っていた。

だが、健三郎はわたしのあとをついてきた。

彼を〈おふらんど〉に連れていくのは、あまりにも残酷すぎる。わたしは別の喫茶店を探した。

「いったい、何が知りたいんですか」

テーブルにつき、注文を聞いたウェイトレスが去ると、健三郎はそう訊いてきた。

「知りたいことはひとつだけだ」

わたしは、まだ幼さが残る少年の顔を見つめて、

「きみはお姉さんとセックスしたことがあるのかな」

健三郎の顔に憤怒の表情が浮かんだ。テーブルの上で、右のこぶしがきつく握りしめられた。

わたしは殴られてもいいと思っていた。

だが、健三郎はかろうじて自制したようだった。

「なんて質問をするんだ」

と、吐きすてるように言い、こぶしのかわりに軽蔑《けいべつ》のこもった視線でわたしを殴りつけた。

「お姉さんとは寝てないのか」

「そんなことするわけがないだろう。相手は姉だぞ」

「だが、血はつながっていない。それに彼女は美人で、誘われれば誰とでも寝る女だった」

葉桜高校に通う健三郎が、そのことを知らないはずがない。わたしはあえて残酷な言い方をした。

今度こそ殴られるだろうと思った。

しかし、健三郎は唇を嚙みしめ、わたしをにらみつけるだけだった。コーヒーを運んでき

たウェイトレスがたじろいだほど、憎悪のこもった視線だったが、手は出さなかった。

わたしは少年の自制心の強さに感心した。

「由紀子さんの悪口は許さない」

ウェイトレスが去ると、健三郎は押し殺すような声で言った。

由紀子さんか、とわたしは思った。少年はいまだに樽宮由紀子を姉とは思えないままでいるようだ。樽宮由紀子を愛していたのは、たぶん事実だろう。姉ではなく、ひとりの女性として。

だが、それは殺意に変わるような愛ではない。むしろあこがれに近い感情だろう。樽宮由紀子と寝ていないというのも、おそらく本当だろうと思われた。

万が一、健三郎が樽宮由紀子に殺意をいだいたとしても、この直情型の少年が、殺人をハサミ男のしわざに見せかけようなどと思いつくはずがなかった。彼ならきっと、義姉を殺したあと、自分から警察に電話するだろう。

わたしは傷ついた子供をいじめるのに耐えられなくなっていた。もうやめにしよう。

「すまなかった」

わたしは謝った。

「しゃべりたくないならかまわないが、〈おふらんど〉で彼女に何を話していたのかな」

「由紀子さんに、もっと心を開いてくれ、と頼んだんだ」

手もつけないまま冷めていくコーヒーを見つめながら、健三郎は話しはじめた。

「べつに由紀子さんが、ぼくたちを嫌っていたわけじゃない。家に来たときから、由紀子さんは明るかったたし、食事のときや一家で出かけたときなんかは、楽しそうにおしゃべりに加わった。最初のころは、ぼくも気がつかなかった。すっかりぼくらになじんでくれていると思っていた」

「何に気がついたのかな」

「由紀子さんが自分からは話しかけないことに、だよ」

健三郎は苦しげな顔つきになって、

「ぼくや親父が話しかけると、にっこり笑って、返事をしてくれる。でも、自分からぼくたちにはいっさい話しかけない。それどころか、廊下ですれ違ったときも、まるでぼくらが存在しないかのように、すっと通りすぎるだけなんだ。無視しているのでもない。本当にぼくらがいることに気づかないみたいだった」

しばらく沈黙が流れた。コーヒーの湯気が消えていた。

「ぼくは心配になって、とし恵さんに訊いてみた。由紀子さんは新しい家族のことを嫌ってるんじゃないだろうか？　でも、とし恵さんは、あの子は昔からああなのよ、引っ込み思案なのね、と答えるだけだった。まったく気にしていないどころか、由紀子さんには触れたくないという素振りだった。ひどく冷たい感じだった。ぼくはますます気になって、学校帰りに由紀子さんに会った。そして、彼女に連れられて、喫茶店に入った」

「そして、ぼくらに心を開いてくれ、と言ったのか」

「そうだ。ぼくらは家族になったんだから、そんなに殻《から》に閉じこもらずに仲良くしよう、と言った。すると、由紀子さんは笑って、殻になんか閉じこもっていないわ、閉じこもる場所なんてないもの、と答えた」

「どういう意味かな」

「わからない。ただ、拒絶されたということだけはわかった。そして、そのあとも、由紀子さんの態度はまるで変わらなかった」

健三郎はテーブルの上を見つめたまま、

「それで終わりさ。それだけの話だ」

「お父さんは、由紀子さんの態度をどう思っていたのかな」

「親父は何も気づいていないよ。いままで三人は息子ばかりだったから、きれいな娘ができて満足してただけだ」

「そうか」

健三郎の言葉を信じれば、一弘も真犯人ではなさそうだった。わたしは自分の陰惨な空想が裏切られて、ほっとしていた。

樽宮家はとても幸福な家族だった。もちろん、健三郎が気づいたような、多少のひび割れはあるが、完璧な幸福など、テレビのホームドラマのなかにしか存在しない。

ただ、樽宮由紀子は幸福な家族には興味がなかったのだろう。おそらく家族そのものに対しても。

「どうしてこんな話を聞きたいんだ」

と、健三郎がわたしの顔を見て、訊ねてきた。

「ハサミ男事件の周辺取材だよ」

「ぼくの話を記事にする？」

「安心しろ。記事にはしない」

「テレビも雑誌も、みんなうわべしか見ていない」

健三郎はいらいらした表情になった。

「誰も由紀子さんを本当に理解しようとしない。頭がよくて、素直な美人でしたって書くだけだ」

「それがジャーナリズムだ」

と、わたしは答えた。たぶん少年は、自分だけは樽宮由紀子を理解していた、と思いたいのだろう。

「被害者は善良で、加害者は邪悪でなければならない。特に今回のような事件ではね」

「みんな偽善者だよ。おもしろがってるくせに、うわべだけはもっともらしいことを言いやがって」

健三郎はジャーナリズムへの不満をわたしにぶつけた。

「人を殺すのはよくありませんだと。なぜよくないのか、説明してみろよ。べつに人を殺したってかまわないじゃないか。あなただって、そんなこと説明できないだろう」

わたしはほほえましくなった。健三郎は姉の死から立ちなおるため、ニヒリストになろうとしているらしい。

だが、感情の起伏の激しい子供はニヒリストにはなれない。

健三郎の口調は、親が返事に窮するとわかったうえで、「赤ちゃんはどうやってできるの?」と訊く小学生そっくりだった。自分では知識豊富で、セックスのことをよく知っているつもりなのだ。そのくせ、もちろんまだ童貞で、包皮も剝《む》けていない。

「べつに人を殺してもかまわない。きみの言うとおりだよ」

わたしは思ったとおりを答えることにした。

「殺したければ殺せばいい。いろんな男と寝たければ寝ればいい。家族と話したくなければ話さなければいいし、義理の姉とセックスしたければすればいい。単純なことだ。何かをしたいけれどできない、何かを実行したいけれど許されない、と言って苦しんだり、悩んだり、あるいは逆にひそかに楽しんだりするのは、愚か者のすることだ。やりたいことをやればいいんだよ。自分の責任においてね」

わたしの返事はお気に召さなかったようだ。

もっとほかの答えを期待していたらしい健三郎は、黙り込んだまま、じっとわたしの顔を見つめていた。

第十章

メグロ・ストリート・イレギュラーズの捜査活動は、十二月から本格的に開始された。

磯部は連日、日高の写真を持って、パートナーとともに聞き込みに回った。

村木は心配していたが、進藤の腕は確かだった。写真は、日高がふと顔を向けた瞬間を見事に真正面からとらえていた。写りもきわめて鮮明で、聞き込み用だけでなく、ポートレートにも使えそうなくらいだ。

一度に二人しか人員を割けないので、通常の聞き込みとは異なり、磯部とパートナーはそれぞれ単独で行動した。

目撃証言を得るには、とにかくできるだけ多数の人にあたるしかない。

まず、小売り店や食べ物屋など、日高が立ちよりそうな場所に入り、写真を見せ、見かけたことがないかどうか訊ねる。忙しい時間帯に行ったり、昨夜奥さんと喧嘩でもしたのか、店員がひどく不機嫌なときには、露骨に面倒くさがられることも珍しくない。

「三週間ほど前に店に来なかったかだって？　そんなこと覚えてるわけないでしょう」

「悪いけど、今、ランチ・タイムで忙しいんですよ。また今度にしてくれないかな」

「知りませんねえ。もう一度見てくれ？　何度見たって知らないものは知らないよ」

一般の住居を回るときはもっと大変だった。面倒くさがられることもそうだが、逆に妙に関心を持って、話し込まれるのも困り物だった。

「知らないわねえ。道を歩いてる人の顔なんて、じろじろ見ないもの。忙しいから帰ってくれる？」

「へえ、こいつがハサミ男なの？　違う？　ねえ、本当のところは、どういう奴なのかしら。教えてよ。今もちょうどワイドショーを見ていたところなのよ。恐いわねえ。あんな危ない奴がこのあたりを歩いていたら……」

「俺、警察嫌いなんだ。帰れよ」

もちろんこちらは警察官だから、向こうも一応は丁寧な言葉づかいをする。飛び込みのセールスマンなら、頭ごなしに怒鳴りつけられるところだろう。

それでも、いかにも嫌そうに応対する相手に何度も写真の人物の確認を頼むのは、あまりいい気持ちがするものではなかった。

それでも顔だけはしっかり笑顔を浮かべ、頭を下げて、協力をお願いする。

「お忙しいところ、すみません。もう一度だけ、写真を見てくれませんか？　いつ見かけたか正確に思い出せなくてもかまいません。見覚えがあるかないかだけでも。申しわけありませんが、もう一度だけ」

神経にこたえる仕事だった。いつもの聞き込みなら、先輩刑事がある程度肩代わりしてくれた。村木は皮肉なユーモア感覚で、松元は好々爺《こうこうや》めいた笑顔で、下川は卑屈にも見える低姿勢で、相手の胸元に入り込み、うまく証言を引き出すことができた。

だが、経験の浅い磯部にそんなテクニックはない。一人で聞き込みを進めるには、とにかく頭を下げて、相手に食い下がるしかなかった。

月曜日は松元とデゼール碑文谷と遺体発見現場のあたりを調べ、火曜日は村木と葉桜高校周辺を歩き回った。

だが、まったく収穫はなかった。日高光一らしき人物を見かけたという証言は一つも得られなかった。

「まあ、そんなに焦るな」

聞き込みからの帰り道、いらだつ磯部に村木はそう言ったものだ。

「まだ始めて二日目じゃないか。相手は一年以上も捜査の網を逃れてるんだ。たった二日で捕まえられるわけがないだろう」

村木は余裕の笑みすら浮かべていたが、目黒西署に戻って、捜査本部が大騒ぎになっているのを知ると、表情がこわばった。

「見ろよ、これ」

下川が苦虫を嚙み潰した顔で、村木に一冊の雑誌を手渡した。

明日発売される週刊アルカナの最新号だった。

村木は週刊誌のページを開いた。磯部が横からのぞき込むと、巻頭記事の見出しが目に飛び込んできた。


公園の茂みの中で発見されたハサミの謎とは？

捜査本部も多大な関心

「畜生！」

村木は週刊誌をデスクに叩きつけた。磯部は感情を剝き出しにする村木を初めて見た。

「捜査一課長が激怒してるぜ」下川が言った。「一体どいつが極秘の捜査情報を漏らしたのか、絶対に探し出すと息巻いてる」

「生贄《いけにえ》が捧げられないと、ブルドッグの怒りはおさまらないか」

村木は週刊アルカナの表紙をにらみつけながら、椅子に腰を下ろした。

「だが、見つからないだろうな。誰も捜査情報を漏らしてないだろうから」

「どういう意味だ？　じゃあ、なぜこんな記事が出た？」

「ハサミ男本人が週刊誌に情報を流したのさ」

「日高が？」

「たぶんそうだ。俺は奴にもう一丁のハサミについて質問した。もちろん、どこでハサミが発見されたかは一言もしゃべってない。どこにあったかは、奴の口から聞きたかったからな」

村木は右手で天然パーマの髪をかきむしった。

「奴は気づいたに違いない。もう一丁のハサミが公園の茂みの中で見つかったことを知っているかどうかが、ハサミ男を特定する決め手になりかねないことを。だから、その情報を週刊誌に流した。もう一丁のハサミの発見場所を周知の事実にするために……頭のいい野郎だぜ、まったく」

「記事を止められなかったんですか」磯部が訊いた。

「捜査一課長は止めようとしたよ」下川が肩をすくめた。「週刊アルカナの記者が一課の刑事に記事内容の確認をとったのを聞いて、即座に圧力をかけようとした。その結果、捜査本部が記事を止めようとしたことまで、記事そのものに書かれている」

「週刊アルカナらしいな。警察の圧力には屈せず、か。ジャーナリストの鑑《かがみ》だ。ピュリッツァー賞をやりたいね」村木が皮肉を言った。「当然、記事の情報源も教えなかっただろうな」

「教えなかった。それどころか、記事を書いた記者が誰かすらわからない。そうやって捜査本部がじたばたすればするほど、向こうはこいつが本物の極秘情報だと確信を抱いたわけだ」

「だから、でかでかとぶち上げた」村木は天を仰いだ。「ワイドショーも追随するだろう。ハサミ男の思惑どおりってわけだ。こうなったら目撃証言をつかむしかないぞ」

水曜日の午前中、磯部が下川とともに目黒西署を出ると、入口前はカメラとレポーターであふれていた。日に日に少なくなっていた取材陣が、週刊アルカナのスクープのせいで、一気に倍以上にふくれ上がっていた。

おそらく捜査一課長は、またもや記者会見を開かなければならないだろう。

磯部は下川とともに学芸大学駅に向かった。今日は駅周辺を聞き込む予定だった。

「おまえは駅の南側を回れ。俺は北側を回る」下川はそう指示した。「正午に改札口のあたりで落ち合おう」

磯部は前日にも増して、力を入れて聞き込みにあたった。そっけなく扱われても苦にならなかった。なんとしてでも日高の目撃証言を得たいと願っていた。

だが、苦労のかいもなく、日高光一を見かけたという証人は一人もあらわれなかった。

正午、磯部が学芸大学駅の改札口に向かうと、下川がすでに立っていた。よれよれのコートのポケットに両手を突っ込んで、磯部を見るなり、

「腹減ったなあ。早くどこかで飯にしようぜ」

気楽な口調で言った。

「今日は愛妻弁当じゃないんですか」と、磯部はからかった。下川は署ではたいてい弁当を持参していた。

「こんな町なかで弁当箱を広げられるかよ。それに、たまには店屋物も食べたくなるさ」

「贅沢《ぜいたく》だなあ。僕なんかほとんど外食だから、逆にうらやましいですよ」

「おまえも早くいい人を見つけて結婚するんだな」

下川はにやにやした。からかったつもりが、これじゃ藪蛇《やぶへび》だ、と磯部は後悔した。

磯部と下川は昼食をとる店を探した。

雑居ビルの入口に立てられた喫茶店のメニューが磯部の目にとまった。自家製ミートパイ。値段も安いし、自家製という言葉に心をそそられた。

〈おふらんど〉という店名は一体どういう意味なのだろうか。

「ここにしませんか」磯部は下川を誘った。

「ミートパイだと?」下川は顔をしかめた。「そんなもんで腹がふくれるかよ。そば屋にしよう」

しかたなく、磯部は下川と近くのそば屋に入った。ミートパイに未練はあったが、立ち食いそばでないだけましだろう。半日歩き回って、昼食のときまで立ちっぱなしではたまらない。

二人は奥のテーブルに腰を落ち着けた。白い布巾をかぶった女性が注文を取りに来た。

「月見うどん」下川が品書きを見ずに注文した。

「ええと」磯部は壁に掲げられた品目を一通り見てから、「穴子《あなご》天ざるを一枚ください」

注文を書きとめた女性店員が立ち去ると、下川はテーブルに身を乗り出して、

「おまえ、まさか俺におごってもらえると思ってないだろうな」

「自分で払いますよ」磯部は苦笑した。

「それならいい」下川はほっとした顔になった。

月見うどんが先に運ばれてきた。下川は汁の表面が真っ赤になるほど七味を振りかけ、割《わ》り箸《ばし》でぐるぐるかき回してから、すすり込みはじめた。

「聞き込みはどうでした」磯部は訊ねた。

「まあまあだな」

下川は汗だくの顔を器から上げもせずに答えた。辛さに弱いのなら、あんなに七味をかけなければいいのに、と磯部は思った。

だが、続く下川の言葉を聞いて、そんな気楽な感想は吹き飛んでしまった。

「奴を見たって証言があったよ」

「本当ですか」磯部は驚きの声をあげた。「どこで？」

「向こうのハンバーガー屋だ。十月中頃って言ってたから、被害者が殺されるずいぶん前だな。だが、有力な目撃証言には違いない。なんたって……」

穴子天ざるが運ばれてきたので、下川は言葉を切った。

磯部のほうは昼食などどうでもよくなっていた。

「すごいな」磯部は割り箸も割らずに話を続けた。「僕のほうは日高を見かけた人間なんて一人も見つからなかったですよ」

下川は手を止めて、じっと穴子天ざるを見つめていた。

「下川さん？」

「うまそうだな、それ」下川は笑って、「一切れよこせよ」

「有力な目撃証言だったんですか」

穴子のてんぷらと引き換えに、磯部はさらに情報を求めた。

「まあな」下川は月見うどんのつゆに穴子をひたし、「なにしろ日高の目撃証言は初めてだから」

「やったじゃないですか。堀之内さんも喜びますよ」

「そうだな」

下川は穴子を口いっぱいにほおばった。

午後、目黒西署に戻って報告すると、磯部の予想どおり、堀之内は興奮の色を隠せない様子だった。

「とうとう目撃者が見つかりましたか」堀之内は目を輝かせて、下川を促した。「詳しく話してください」

「目撃者は学芸大学駅前の商店街にあるハンバーガーショップの店員であります」

下川はあいかわらず、警視正に対して堅苦しい言葉づかいを崩さなかった。

「日時は十月中頃。詳しい日付までは覚えていませんでした」

「日高は一人で来店したんですか」

「そのようですね」

「ファストフード店なら毎日百人近く客が来るでしょう」堀之内が首をひねって、「一ヵ月以上前、一人で来店した人間をよく覚えていましたね」

「そこが問題なんです。ですから、証言の信憑《しんぴょう》性という点では、いささか疑わしい」

「裁判になったら、弁護人はそこを突っ込んでくるだろうな」同席していた村木が口をはさんだ。「なぜ店員は覚えていたんだ？　なんて言ってた？」

下川はしばらく黙り込んで、店員の返事を思い出しているようだった。

「かなり目立ったらしい」ようやく、そう答えた。「どう目立ったかは、店員自身もうまく説明できないようだった」

「容貌や雰囲気が印象に残ったというわけですか」堀之内は日高の写真をデスクから取り上

げ、「確かに覚えやすそうな外見ですものね」

たぶん日高の体格のことを言っているのだろう。

「この証言はあまり役に立たないな」村木が言った。「信頼できないし、鷹番近くの友人の家から帰るとき、たまたまハンバーガーが食いたくなったと言われたらおしまいだ。長さん、有力な目撃証言は言いすぎだぜ」

「そうだな」下川はあっさり同意した。「初めて目撃者が出たもんだから、つい柄《がら》にもなく興奮して、磯部にそう言っちまったんだよ。すまん」

「まあ、信憑性に乏しいにしても、目撃者があらわれたのは喜ばしいことです。その意味では成果があがったといえますよ」堀之内はにっこりほほえんで、「まだ三日目ですからね。そのうち、より事件の核心に触れる目撃者が見つかるでしょう」

堀之内に慰められて、下川はほっとした様子だった。

報告は終わった。

刑事課に戻ると、下川は磯部をじろりと見て、

「おまえが、有力な証言を見つけました、なんて警視正殿に言うからだぞ。これで警視正殿ににらまれたらどうする」

自分が言い出したことなのに、そんな逆恨みを口にした。

「そう言ったのは、長さんじゃないですか」磯部は反論した。「それに実際、大収穫ですよ。

幸先がいいじゃありませんか」

「まあ、確かにそうだけどな」

下川はそう言い残すと、先に席についた村木のほうに近づき、何やら話しはじめた。たぶん明日以降の捜査方針について打ち合わせているのだろう。

こうしてメグロ・ストリート・イレギュラーズは、ついにハサミ男の痕跡をつかむことに成功した。捜査網はハサミ男をとらえつつある。事件の解決もそう遠いことではないであろう。

20

わたしは彼女とともに、ポプラの木々にはさまれた赤い煉瓦道を抜け、高校の正門から坂道へと歩き出した。

太陽は坂の頂上あたりに沈もうとしていた。暗いオレンジ色の夕焼けが燃えあがり、立ちならぶ建売住宅を角ばったシルエットに変えていた。

あなたとこうして話したいと、ずっと思っていたわ、と彼女がささやくように言った。

わたしもだ。もっと早くきみに会いに行けばよかった。

そうね、ちょっと遅すぎたわね。

彼女はほほえんだ。長い黒髪が風に乱れ、裏葉色のブレザーがはためいた。

たくさんの人からきみの話を聞いたよ、とわたしは言った。みんな、いろいろな話をしてくれた。きみを淫乱と呼ぶ者もいた。開放的な現代の女子高生と考える者もいた。父親の愛に飢えていると分析する者もいた。とてもやさしい子だったとなつかしむ者もいた。家族に心を開かなかったとつぶやく少年もいた。

誰もが本当のきみを知りたがっているようだった。

みんなはあなたのことも知りたがっているわ。彼女は答えた。

でも、きみのことを、本当に理解していた人はいたんだろうか。

わたしはそう言って、壁に目をやった。木目調の壁には写真複製の絵画が数点かかっていた。

みんながそれぞれに理解していたのよ。そして、彼らは彼らなりに正しく理解していた。すべての人が話したあたしが、本当のあたし。誰も間違ってはいないわ。

ねえ、食べないの？

食べるさ。ここのミートパイは絶品だ。店主が勧めるだけのことはある。

不思議な絵ね。彼女は自分のミートパイには手をつけずに、壁の複製画をながめていた。雪山のなか、女の人があおむけになって、宙に浮かんでいる。いったい、なんの絵かしら。

ジョヴァンニ・セガンティーニの「淫蕩《いんとう》の罪」だ、とわたしは解説した。十九世紀末の象徴主義の画家だよ。彼はイタリアに生まれ、インドにあこがれ、スイスの高山にこもり、山小屋で若くして死んだ。このコレクションから察するに、どうやら、店主は象徴主義がお好きらしいね。〈おふらんど〉という店名も、ポール・ヴァレリーの「消えた葡萄酒《ぶどうしゅ》」の一節からとったのかもしれない。

わたしは少し考えた。あるいは、ミステリファンなのかな。同じ一節から題名をとった、有名なミステリがあるから。

あなたって博識なのね。彼女は笑った。ねえ、あなたはどう思ってるの。何をかな。

みんなは、あなたのことは本当に理解しているのかしら。

きみの言うとおり、それぞれに正しく理解しているんだろう。

わたしは黒い影となってそびえるマンションを見上げながら、そう答えた。部屋の灯《あか》りはすべて消え、五〇三号室の窓だけがぽつりと光っていた。

テレビのニュースキャスターも、ワイドショーのゲストコメンテイターも、新聞や週刊誌の記者も、そして刑事たちも。

あなたは自分を理解してほしいと思ってる？

わからない、とわたしは正直に答えた。そんなことは考えたこともない。

でしょうね。彼女は公園の芝生にあおむけになり、目を閉じた。だと思ったわ。

ひとつだけ教えてくれないか。わたしは眠りかけた彼女をゆり起こして、そう訊ねた。

きみは弟にこう言ったそうだね。殻になんか閉じこもっていない。閉じこもる場所などないから、と。

いったいどういう意味なのかな。

言ったとおりの意味よ。彼女は手で目をこすりながら、上半身を起こした。

よくわからないんだ。

そう、あなたにはわからないでしょうね。

彼女は供花《くげ》で飾りつけられた祭壇の前に立ちあがった。読経が聞こえてきた。左右には遺族が坐り、顔を伏せていた。

あなたがうらやましいわ。

うらやましい？

ええ。あなたには閉じこもる場所があるもの。

彼女は静かにほほえんだ。背後の遺影がまったく同じ微笑を浮かべていた。

それに、守ってくれる人もいる。とっても強い人。

わたしには、彼女が誰のことを言っているかわからなかった。

あたしからも、ひとつ訊いていい？　彼女が言った。

いいよ。

あなた、いつもそんな格好なの？

そうだけど、変かな。

まあ、悪くはないけど。

彼女はわたしを上から下までながめた。

いつも白衣を着て、丸いサングラスをかけているのは、ちょっと変ね。それに、どうしてそんな、白髪のおじいさんみたいな顔をしているの？

これは夢だ。

わたしは自室のベッドの上で目覚めた。

まだ夜は明けていなかった。部屋のなかは暗闇と静けさにつつまれていた。遠く、かすかに自動車の走る音が聞こえてくるだけだった。

妙な夢を見た。樽宮由紀子について調べたりしたからだ。わたしは樽宮由紀子に取《と》り憑《つ》かれたような気持ちになっていた。いいかげん、終わりにしなければならない。

今日、十二月五日金曜日、わたしは樽宮家に電話をかけ、樽宮由紀子の位牌に手を合わせたいという口実で、とし恵に会うつもりだった。平日の日中を選んだのは、健三郎と顔を合わせたくないからだ。

月曜日に健三郎の話を聞いたあと、ひとつ思いついたことがあった。

ファストフード店で樽宮由紀子が会っていた男は、彼女の実父ではないだろうか。三歳のとき両親が離婚した、と岩左は言っていた。それならば、ときどき実の父親と会うことがあっても、べつに不思議ではない。ふたりで軽い食事をとり、明るく笑いあう光景も納得がいった。

ただ、樽宮由紀子の告別式の日、彼の姿が見あたらなかったことだけが、わからなかった。なぜ実の娘を弔いに来なかったのか。何か事情があって、遠慮せざるをえなかったのだろうか。

これ以上、樽宮家の家庭の事情を探る気はなかった。ただ、樽宮由紀子の実父が告別式に来たかどうかを、とし恵に確かめたいだけだ。

もし、わたしの想像どおり、何かの事情で彼が娘を弔うことができなかったのなら、それでいい。あの男は樽宮由紀子の実父だったのだ。離婚のせいで離れ離れになった実の父娘が、駅の改札口で待ち合わせ、楽しいひとときをすごす。いい話ではないか。

今日、わたしは樽宮由紀子を架空のホームドラマのなかに葬り去るつもりだった。

午前十時近くまで、わたしはベッドのなかですごした。

ふさぎこんだ気分をふるいたたせ、なんとか起きあがると、樽宮家に電話をかけた。

「はい」

告別式であいさつしていた声が返ってきた。

お嬢さんの遺体を見つけた者です、とわたしはとし恵に告げた。週刊アルカナの記者と名のらずにすむのは、ありがたかった。嘘をつくことには飽き飽きしていた。

「一度、お嬢さんの仏前にお参りさせていただきたいのですが、午後にでもおうかがいいしてよろしいでしょうか」

ぶしつけな願いを、とし恵は快諾した。

では、午後一時ごろに、と約束して、電話を切った。

一張羅《いっちょうら》の黒のスーツを着て、デゼール碑文谷に到着したのは、約束の時刻の五分前だった。わたしはコンソールから503を入力し、とし恵をインターホンに呼びだした。

自動ドアのロックが解除される低い音が響いた。策略を使わず、正々堂々と電子門番に迎えられるのは初めてだった。

エレベーターで五階に上がり、五〇三号室のドアチャイムを鳴らした。

ドアが開いた。

とし恵は髪を後ろで束ね、ざっくり編んだ黒のセーターを着て、茶褐色のパンツを穿いていた。

間近で見ると、とし恵と樽宮由紀子との類似はいっそうきわだっていた。樽宮由紀子も四十歳近くまで生きていたら、こんなふうに見えたのだろう、とわたしは思った。

「どうぞお入りください」

とし恵はそう言って、わたしを招き入れた。

「由紀子は奥の部屋にいます」

まるで、樽宮由紀子が奥の部屋に坐って、わたしを待ちかねているかのような言い方だった。

間取りは3LDKか、4LDKだろうか。ぴかぴかに磨《みが》きあげられたフローリングの廊下を、とし恵のあとについて進み、広々とした対面式のキッチンや、白いソファが置かれたリビングルームや、固く閉ざされた木の扉を通りすぎた。この扉のどれかの向こうに、樽宮由紀子の部屋があるのだろう。

　樽宮由紀子の位牌は畳の部屋に安置されていた。

　おそらくは来客の寝室に使う部屋なのだろう。整理ダンスがひと棹立っているだけの、殺風景な部屋だった。

　樽宮由紀子はこの家の最初の死者なので、仏壇はなかった。壁に接して置かれた黒塗りの座卓の上に、遺影と位牌といくつかの仏具が並んでいた。

　わたしは部屋に上がり、遺影の前に正座した。とし恵は廊下に立ったまま、わたしの背中をながめているようだった。

　卓の上のマッチで線香に火を点け、位牌の前に立てた。

　位牌には、由光智善大姉《ゆこうちぜんたいし》、と戒名《かいみょう》が書いてあった。

　樽宮由紀子は明るく、頭がよく、善良な少女だった、という意味だろう。告別式で読経していた僧侶がつけたのだろうか。

　両手を合わせ、目を閉じた。

　だが、告別式で焼香したときと同様、祈りも弔う気持ちもわき起こらなかった。わたしの心のなかには、何もなかった。ただ、両手を合わせ、目を閉じただけだった。

　最後に遺影に一礼し、わたしは立ちあがった。

　とし恵はあいかわらず廊下に立ったまま、わたしをじっと見つめていた。

「娘のために、わざわざありがとうございます」

廊下に出たわたしに、とし恵は頭を下げた。

「いえ、こちらこそ、平日のこんな時刻に突然お邪魔して、申しわけありません」

「あなたにこんなことをお願いできる筋合いじゃありませんけど……」

「なんですか」

「あなたは娘を見つけた人なんでしょう」

とし恵はわたしの顔に見入って、

「娘を見つけた場所に案内してくれないかしら。娘がどんなふうだったか、詳しく知りたいの」

なぜ、とし恵は初対面のわたしにこんなことを頼むのだろう。

わたしは黙ってうなずいた。なぜか、断ることはできない、と感じていた。

とし恵はセーターの上にカーディガンジャケットをはおり、わたしとともに部屋を出た。

エレベーターのなかでも、路地を歩いているときも、黙り込んだままだった。

わたしはおよそ一ヵ月ぶりに公園にやってきた。

すでに入口をふさぐ立入禁止の黄色いビニール・テープは剝《は》がされていたが、人影はなかった。

犬を散歩させる老人も、ベビーカーを押す主婦も、サッカーに興じていた子供たちも、みんな遠くへ行ってしまった。いまはただ、冷たい風に吹かれて、茂みの枯葉が地面に舞っているだけだ。公園には誰もいない。人々が帰ってくるには、まだ時間がかかるだろう。

「由紀子はどこにいたの」

色あせた芝生の上に立ち、寒風に身をふるわせながら、とし恵が訊ねた。

わたしは樽宮由紀子を見つけた茂みを指さした。

「あのあたりです」

「あそこに倒れてたのね」

「ええ。あおむけになって」

「絞め殺されて、首にハサミが刺さっていた」

「そうです」

「由紀子はどんな顔をしていたの」

とし恵はジャケットの前を両手で押さえて、わたしに向きなおった。

「あたしが警察の遺体安置所で見たときは、もう目をつぶってたけど」

「きっと警察の人間が閉じたんでしょう。目は見開かれていた」

「苦しそうだった？」

「とても苦しそうでした。表情が歪んでいた」

「歪んでたわね。それは知ってる」

とし恵は、娘の表情を遠く見通そうとするかのように、両目を細くした。

「そんなに苦しんで、悲鳴をあげても、犯人は許してくれなかったのね」

「悲鳴をあげる暇はなかったでしょう。それに、ビニール紐でのどを絞められたら、声は出せない」

わたしは自分の経験を語った。

「あなた、何者なの」

とし恵はわたしの顔を真正面から見つめて、静かに言った。

「遺体発見者です」

「なぜ、あたしに会いに来たの」

「お嬢さんの位牌に手を合わせたかったからです」

「本当かしら」

とし恵は皮肉な笑みを浮かべて、

「死んだ人間を弔いたがる人には見えないわよ、あなた」

そうかもしれない、とわたしは認めた。

「息子に妙な質問をした雑誌記者って、あなたでしょう」

とし恵が訊いた。わたしは真実を話すことにした。

「そうです」

「本当は雑誌記者なの？　でも、そうも見えない」

とし恵はいらだたしそうに首を振り、

「あなたは誰。なぜ、娘について調べてるの」

答えられない質問だった。わたしは「なぜ」とは問わない。わたしが考えるのは「どうやって」だけだった。

「わかりません」

と、わたしはやはり真実を答えた。

「娘が死んだのは、あたしのせいだと思う？」

「あなたのせいなんですか」

「そうかもしれない」

とし恵はふたたび茂みのあたりに目をやった。

「あの子があんなふうになったのは、あたしのせいかもしれない。だから、こんなかわいそうな死に方をしたのかも……」

とし恵は殺人を告白しているのではなかった。自分と娘との関係を後悔しているだけだった。

「由紀子について調べたんだったら、いろいろ聞いているでしょう。悪い噂を、いろいろと」

「ええ」

「あたしのせいなのかしら」

「そう考える人もいました。愛情が足りなかったのだと」

「愛情が足りない、か。あれ以上、どうやって愛せばよかったの」

とし恵は突然、激情に駆られた。樽宮由紀子そっくりの瞳から、涙がこぼれ出した。

「あたしはあたしなりにあの子を愛していた。でも、あの子にはそれがわからなかったみたい。いつも冷たい目をして、あたしを見つめてたわ。昔からそう。あたしが父親を捨てたことを恨んでたのよ。あなたもそう思ってるんでしょう?」

とし恵はどんな返事を期待していたのだろう。

そうだ。あなたの愛情が足りなかったからだ。あなたは母であることよりも女であることを選んだ。それが由紀子さんを追いやったのだ。彼女には父親が必要だった。そして、それ以上に母親が必要だったのだ。

と、むなしい怒りに打ちふるえればいいのだろうか。

それとも、
違う。由紀子さんはあなたの愛情を感じていた。そして、あなたを愛していた。ただ、彼女はそれを表現するすべを知らなかっただけだ。由紀子さんの死はあなたとは関係ない。そんなに自分を責めてはいけない。

と、同情と共感を伝えるべきなのか。

だが、怒りも同情も共感も感じられなかった。

わたしと彼女のあいだには、なんの思いの結びつきも、なんの心のつながりもなかった。

わたしの肺のなかには、とし恵に伝える言葉は何ひとつ存在していなかった。

わたしは彼女に何も答えることができなかった。

そうかい。では、ぼくが代わりに返事をしてやろう。

正直いって、ぼくは自己憐憫《れんびん》や甘美な追憶に耽る人間は好きになれない。

どうして彼らは、自分勝手な空想をひろげて、樽宮由紀子と自分との関係を肯定したがるのだろうか。

もしそんな自己愛べったりの空想にひたることが、死者を葬るということなら、ぼくは樽宮由紀子を葬ろうとは思わない。

ぼくはとし恵に答えた。

「可能性は八つある。すなわち、
（1）あなたは彼女を愛していた。そして彼女はあなたに愛されていると感じていた。だから彼女はあなたを愛していた。
（2）あなたは彼女を愛していなかった。そして彼女はあなたに愛されていないと感じていた。それでも彼女はあなたを愛していた。
（3）あなたは彼女を愛していた。しかし彼女はあなたに愛されていないと感じていた。それでも彼女はあなたを愛していた。
（4）あなたは彼女を愛していなかった。しかし彼女はあなたに愛されていると感じていた。だから彼女はあなたを愛していた。
（5）あなたは彼女を愛していた。そして彼女はあなたに愛されていると感じていた。それでも彼女はあなたを愛することができなかった。
（6）あなたは彼女を愛していなかった。そして彼女はあなたに愛されていないと感じていた。だから彼女はあなたを愛することができなかった。
（7）あなたは彼女を愛していた。しかし彼女はあなたに愛されていないと感じていた。だから彼女はあなたを愛することができなかった。
（8）あなたは彼女を愛していなかった。しかし彼女はあなたに愛されていると感じていた。それでも彼女はあなたを愛することができなかった。

この八つ以外に可能な組み合わせはないから、どれでも好きなものを選べばいい。きみの心の傷とやらを癒《いや》してくれるものをね。これでいいかな。ぼくは新聞の人生相談係じゃないから、うまく返答しかねるな」

「なんですって……」

とし恵は眉をひそめて、わたしの顔を見つめた。

「あなた、何を言ってるの」

「単純な順列組み合わせの問題だよ。2の3乗イコール8。ただ、それだけのことだ。簡単だろ？」

わたしは口をつぐんだままだった。代わりに誰がしゃべっているのか、わたしにはわかっていた。

「悪いけど、ぼくはきみの苦悩には興味がないんだ。家庭の悲劇とやらにもね。ただ、この事件に関心をひかれているだけなのさ。たぶん、娘さんもきみの苦悩になんか興味を持っていなかったと思うよ。まあ、これはぼくの想像にすぎないがね。きみは娘さんに愛されたかった。そして、愛されないのなら、憎んでほしかった。そうじゃないかね」

「そうかもしれないわ」

「だが、娘さんはきみを愛さないし、憎んでもくれない。まったく無関心だ。愛や憎悪に裏づけられた無関心、きみに何か無言のメッセージを投げかける態度だったら、たぶんきみも耐えられたんだろう。だが、そうじゃなかった。たんに無関心なだけだった。その結果、きみは自己愛べったりの苦悩にひたりこみ、娘と距離を置くようになった。正解だよ。それでよかったんだ。きみと娘さんとの関係は良好だった。なぜそれ以上のことを望むんだね」

わたしは樽宮由紀子の死体のあった茂みのあたりを見つめて、話が終わるのを待っていた。

「たぶん、きみは娘さんを少しこわがっていたんだろう。彼女はまるで空飛ぶ円盤に乗ってやってきた火星人みたいに見えたかもしれない。でも、それでいいじゃないか。火星人だって、ちゃんと生きていけるさ。特にこの街ではね」

「そうかもしれない」

「あなたも火星人のお仲間なのね。しゃべり方でわかるわ」

やっと話が終わったので、わたしはそう答えることができた。

とし恵はため息をつき、

「あなたが誰でもかまわない。でも、これ以上、あたしたちに関わるのはやめて。あなたには理解できないかもしれないけど、あたしたちはあの子の死で傷ついているのよ。お願いだから、そっとしておいて」

「わかっています」

と、わたしは答えた。

「ただ、ひとつだけ教えてくれませんか。あなたの前の夫、つまりお嬢さんの実の父親は、告別式にお見えになりましたか」

「もちろん来てたわ。あたしより悲しそうだった。男のくせに、ぼろぼろ泣いてた」

とし恵は自分のつま先を見下ろし、

「なさけない人。昔とちっとも変わらない」

とし恵はわたしには知るよしのない記憶にひたっていた。

わたしは礼を言い、彼女を残したまま、公園をあとにした。

第十一章

水曜日以降、毎日聞き込みに出かけたにもかかわらず、日高光一を目撃した人間はなかなか見つからなかった。下川が学芸大学駅前のファストフード店で得たという証言が唯一のものだった。

「聞き込みには腰を据えて取り組まないとな」

くわえ煙草で目黒区鷹番の路地を歩きながら、松元がいらだちを隠せない磯部を諭した。

「なんせ一度に二人でしか回れないんだ。捜査本部総動員でローラー作戦をやるのとはわけが違う。時間がかかって当然だよ。それに、一つでも目撃情報があったってことは、二つ目も三つ目もあるってことだ。気長に行こう」

松元は携帯灰皿に煙草の灰を落とした。

十二月六日土曜日の午後、磯部と松元は遺体発見現場である鷹番西公園にやってきていた。

すでに月曜日に日高の写真を持ってこの周辺を回ったことがあったが、聞き込み捜査は一度だけではすまない。何度も足を運んで、不備な部分をすべて潰していく。これが鉄則だった。

二人は公園の前で別れた。磯部は住居表示地図のコピーを片手に、住宅やマンションを回った。

すでに話を聞いた家にも、もう一度足を運んだ。以前訪れたときには不在だった住人が、日高光一を目撃しているかもしれない。土曜日を選んだのは、会社や学校に行っている人間も在宅しているだろうという心づもりからだった。

住宅表示地図のコピーにどんどん赤い斜線が引かれていったが、日高光一を見かけた人物はあらわれなかった。

成果があがらないいまま、家を一軒一軒訪ねていくのはつらい。しかも、朝からこの寒さだ。用心して下にセーターを着込んできたのに、寒気が毛糸の編み目の隙間から忍び入ってくる。

磯部は普段の捜査以上に疲労を感じ、足どりは自然と重くなっていった。

善良な青年が気を滅入らせていると、自然が思わぬ美を提示して、彼の心を慰めてくれた。

午後四時すぎ、松元と待ち合わせの約束をした西公園へ向かっていると、白いものがあたりにちらつきはじめた。

雪だ。磯部は思わず立ち止まり、空を見上げた。

白くふわふわした雪片が、後から後から落ちてくる。まるで雲の上で無数の天使が激しく身をゆすりながら踊っていて、その背中の翼から次々と羽毛がこぼれ落ちてきたみたいだった。雪は灰色に曇った空一面に舞っていた。

十二月上旬に初雪とは珍しい。東京生まれの磯部も、こんなに早く初雪を見たのは初めてだった。

そういえば、もうそろそろクリスマスだな。磯部は忘れかけていた季節感を取り戻した。もしかしたら、今年のクリスマスは彼女と一緒に過ごせるだろうか……。

磯部は頭を振り、無益な空想を追い払った。ロマンティックな気分はお呼びではない。東京に降る雪は、恋人たちには素敵な光景かもしれないが、地道な捜査に歩き回る刑事にとっては邪魔なだけだった。空気は冷え込むし、傘やコートは降りかかった雪で重くなるし、足元はどろどろで歩きにくくなる。いいことは一つもない。

少し遅れて到着すると、松元はすでに公園の入口前で待っていた。

髪やコートの肩にかかる雪を払いもせず、両手を後ろに組んで、人気のない公園を見つめている。視線はちょうど被害者が発見されたあたりを指していた。

「事件が忘れ去られるまで、この公園には誰も来ないだろうね」

近づいた磯部のほうを向くこともなく、そうつぶやいた。

「そうでしょうね。忘れ去られるまで、どのくらいかかるかな」

「人によるだろうな。親御さんは、いつまでたっても忘れられないかもしれない」

松元は磯部に笑顔を見せて、

「どうだった？」

「だめです。奴はよほど注意を払っていたようですね。まったく目撃者がいない。松元さんのほうはどうでした？」

「目撃者がいたよ」松元はあっさり答えた。

「本当ですか」

磯部は歓喜の声をあげたが、すぐに思い直した。下川の例もあるから、喜ぶのはどんな目撃証言か聞いてからのほうがいい。

「どういう証言ですか」

「つい最近、彼が公園のあたりを歩いているのを見たらしい」

「つい最近？」磯部は考え込んで、「それじゃ、なんとも言えないですね。いくらでも言いわけはきく」

被害者のことが気になって、遺体を発見した場所に手を合わせに来た、と言われればおしまいだ。

磯部が欲しかったのは、もっと決定的な目撃情報だった。日高が被害者の後をつけていたという証言なら言うことはない。日高と被害者を同時に見かけたというものでもいい。

「そうだな。言いわけするのは簡単だ」

松元は、ふたたび公園の茂みのあたりに目をやって、

「どんなことでも説明はできる。だが、不審な行動であることは確かだな。彼に説明を求めることはできるだろう」

「署に呼ぶってことですか」

松元の尋問の名人芸が日高に通用するだろうか、と磯部は疑いを抱いた。

「そんなに簡単に自供する奴とは思えませんが」

「そうだろうな。だが、私たちが彼を疑っていると知らせることはできる。彼にとってはショックだと思うよ」

確かにそうだ、と磯部は思った。ハサミ男は一年以上もの間、捜査の網をかいくぐってきた。たとえまだ疑惑にすぎないにしても、警察の手がのびていることを知ったら、いくら冷静沈着な人間でも不安を感じるだろう。

奴が感じる初めての不安が突破口になるかもしれない。

面と向かって、「おまえがハサミ男だろう！」と言ってやったら、日高はどんな顔をする

だろう。

愕然とするか、頬をこわばらせるか、冷や汗を垂らすか、あるいは無表情を貫くのか。

磯部には想像もつかなかった。

「そうですね。いい考えだと思います」と、磯部は言った。

磯部と松元が目黒西署に帰った頃には、すでに日は落ちて、あたりはすっかり暗くなっていた。

堀之内に報告する前に、二人は刑事課室に立ち寄った。禁煙の仮オフィスに行く前に、松元が一服したがったからだ。

刑事課室には村木が一人残っていた。椅子の背に寄りかかり、手にした大判の写真をながめている。デスクの上にも何枚か写真がちらばっていた。

二人に気がついて、村木は手を振った。

「よお、どうだった？」

「また目撃者が出たよ」

松元はそう答えながら、自分の席についた。コートのポケットから煙草の箱を取り出す。

「手柄に免じて、喫煙を許可しよう」村木は笑いながら、「また目撃者が出たか。よしよし、と」

村木はふたたび写真に見入った。

なんの写真だろう、と磯部は思った。日高の写真なら、あんなに何枚も見比べるはずがない。

磯部の視線に気づいたのか、村木は顔を向けて、

「気になるかい？」

「ええ。なんですか、それ？」

「おもしろい写真さ。鑑識から取りよせたんだ。おまえにも見せてやるよ」

村木は磯部を手招きした。磯部は村木の隣の椅子を引いて、腰を下ろした。

「ほら、見ろよ」

手渡されたのは、血痕が付着したハサミの写真だった。鑑識が撮影した凶器の写真だ。

「もう一枚ある。これだ」

村木が見せたのは、やはりハサミの写真だった。こちらは土に汚れている。磯部が発見したもう一丁のハサミの写真だった。

「どうだ？」と、村木が訊いた。

「ハサミの写真が二枚ですね」磯部はわけがわからないまま返事をした。

「そのとおり」

村木は磯部から写真を取り戻すと、両手に一枚ずつ持って、

「こっちは凶器のハサミの写真で、こっちはおまえが茂みの中で見つけたハサミの写真」

磯部には村木の意図がつかめなかった。

「そこでクイズだ」村木はふたたび磯部に二枚の写真を渡すと、「この二丁のハサミは一体どこが違うでしょう?」

磯部は二枚の写真をじっくり見比べた。同一メーカーで製造された、同一品種のハサミだった。見た目には同じハサミにしか見えない。

「答えは?」

「凶器のハサミのほうには血痕がついています」

「そりゃそうだ」村木は拍子抜《ひょうしぬ》けしたようだった。「おまえ、あたりまえのこと言うね」

「製造番号が違うんですか」

「大量生産品の文房具に製造番号なんて彫ってあるかよ」村木は笑って、「文房具屋に毎日出かけた俺が言うんだから、間違いない。信用しろ」

「それじゃ、ほかに違いはないと思います。同じハサミです」

「そうだ。俺も最初はそう思った。だが、この写真をじっくり見ているうちに、そうじゃないことに気がついた」

村木は椅子を引いて、磯部の前に身を乗り出した。手にした写真のハサミの先端を指して、

「ほら、先端が尖らせてあるだろう?」

「最初の被害者に突き刺すのに苦労したから、やすりか何かで尖らせるようになったんでしたね」磯部は堀之内の話を思い出した。「でも、両方とも尖らせてありますよ」

「両方とも尖らせてある。だが、微妙な違いがある。ほら、色合いが少し違うだろう?」

磯部は目を凝らして、村木が指さすハサミの先端に見入った。

確かに色調がほんの少し異なるような気がする。目の錯覚かもしれないと思うほど、ごく微妙な違いだった。

「鑑識で写真を撮るとき、ライトの加減でこうなっただけじゃないですか」磯部は顔を上げて言った。

「そうかもしれない。だから、俺は鑑識に頼んで、先端のクロースアップ写真を送ってもらった」

村木はデスクの上から別の二枚の写真を取り上げた。

「これならはっきり違いがわかる。まずこっちだ」磯部に一枚渡して、「見ろよ。すごいぜ。まるで千枚通しの先みたいに、つるつるに削ってある。ほら……」

村木の言うとおりだった。大写しになったハサミの先端は、鋭く尖らせてあったが、その表面はなめらかだった。でこぼこしたところなど、どこにもない。

「ステンレスのハサミをこれだけつるつるに尖らせるのに、どのくらい時間がかかると思う?」

村木がささやくように言った。

日高が棒やすりを握り、ハサミの先端を少しずつ尖らせていく光景を想像して、磯部は少しぞっとした。

「一方、こっちのハサミはどうか」村木は磯部にもう一枚の写真を渡した。「一見同じように尖らせてある。なかなかの出来ばえだ。だが、完璧じゃない。見ろよ」

村木は写真を指さした。

「でこぼこしてるだろ？」

そう、こちらのハサミの先端は波立っていた。やすりの歯の跡が残って、ちょうどナイフで削った鉛筆の先のようになっている。先端の尖り方も均一ではなく、少し曲がっていた。

「この意味がわかるか？」村木が訊ねた。

磯部は黙ったまま、首を横に振った。

本当は村木が言いたいことは半ばわかっていた。だが、あまりに途方もない話なので、返事ができなかった。

「俺は鑑識から、江戸川区で発見された二番目の犠牲者に突き刺してあったハサミの写真も取りよせた」

村木はデスクに残った最後の一枚の写真を手に取った。

「これだ。見てのとおり、先端はこっちのハサミと同様、つるつるに尖らせてある。まさにパラノイアックな仕事ぶりだ」

村木は言葉を切り、磯部の顔を見つめた。

「わかるだろ？」

「二丁のハサミはそれぞれ別の人物が尖らせた」磯部はやっとの思いでそう答えた。「しかし、そんな……」

「ご名答だ」

村木は磯部の困惑を無視して、話しつづけた。ハサミの先端が大写しになった二枚の写真を両手に掲げて、

「こっちはハサミ男が尖らせたハサミだ。だが、こっちはそうじゃない。ハサミ男を真似た誰かが尖らせたものだ。そいつは一所懸命ハサミ男を真似ようとした。だが、根気が足りなかった。無理もない。俺だって、ステンレスのハサミをこんなふうに尖らせろと言われたら、音を上げるだろうからな」

「ちょっと待ってくださいよ。そうすると、日高は本物のハサミ男じゃないってことですか？」

磯部は必死で思考をめぐらせながら、あえぐように言った。

「日高はハサミ男の真似をしようと思っていて、自分で尖らせたハサミを持ち歩いていた。そうしたら、偶然にも本物のハサミ男が殺した死体を発見した。そこで、自分が疑われない

ように、持っていたハサミを茂みに捨てた。そういうことになりますよね。でも、そんな偶然が起こるわけが……」

「俺が考えているのは、もっととんでもない偶然だよ」

村木の目が光った。

「おまえは二丁のハサミを取り違えてるよ。いいか。被害者ののどに突き立てられていたのがこっち、ハサミ男を真似た誰かが尖らせたハサミだ。そして、おまえが茂みの中で発見したのが、本物のハサミ男のハサミだ」

「なんですって？」磯部は思わず大声をあげた。「そんな馬鹿な！」

21

土曜日の午後、アルバイトから帰宅したわたしは、カーテンレールで首を吊ることにした。

疲れていたのは、仕事のせいではない。氷室川出版はまた鬱期に入っていて、佐々塚の命じる雑用程度しかすることはなかった。

疲労はもっと精神的なものだった。昨日、とし恵と話したときから、わたし自身の心も鬱状態になってしまったらしい。

ベランダの窓を開き、アルミサッシに乗った。窓枠に背中をもたれさせて、バランスをとりながら、首とカーテンレールをスポーツタオルで結んだ。それから、両手で窓枠を持ちながら、ゆっくり床の上に降りた。

両足が床についた。

思わず笑ってしまった。これでは、タオルを首に巻いて床に立っているのと変わらないではないか。首吊り自殺も満足にできないのか。

灰色の空から白いものが舞い降りてきた。

なぜ空が見えるのだろう？

気がつくと、わたしはベランダにあおむけに倒れていた。呼吸は荒く、心臓の鼓動が恐ろしく速まっている。背中と尻が痛い。

なぜベランダに倒れているのか。

なんとか顔を上げて、開けっぱなしの窓を見た。カーテンレールがぐにゃりと曲がり、真ん中あたりで折れていた。その端に白いスポーツタオルが垂れさがっている。

どうやら、両足が床についたにもかかわらず、頸動脈を絞めあげられて、意識を失ったらしい。カーテンレールが体重に耐えられれば、たぶん無事に死ぬことができただろう。

しかし、カーテンレールはへし折れ、わたしは窓からベランダに後ろ向きに倒れた。背中と尻には青あざができているだろう。コンクリートの上にあおむけに落ちたのだから、頭蓋骨を割っていないのが不思議なくらいだ。

でぶは首を吊って死ぬこともできないのか、とわたしは悲しくなった。

空から落ちてくる白いものは、東京の初雪だった。わたしは両目を閉じて、雪が顔に降りかかるままにまかせた。

「首を吊った人間の耳には、このうえなく美しい天上の音楽が聞こえてくるそうだが」

デスクから振りむいて、医師がにこやかに言った。

「何か聞こえたかね。たとえば、山下達郎の〈クリスマス・イブ〉とか」

「いや、何も聞こえなかった」

「ビーチ・ボーイズの〈リトル・セイント・ニック〉は？　ポール・マッカートニーの〈ワンダフル・クリスマスタイム〉は？」

「どうしてクリスマスソングばかりなんだ」

わたしはいらだっていた。

「もうクリスマスシーズンだからね。ぼくなら天国のＤＪにスリー・ワイズ・メンの〈サンクス・フォー・クリスマス〉をリクエストするね。あの曲なら安らかに昇天できそうだ。地獄はくっきり見え、天使がハープを弾き、元気百倍。天使たちが曲にのって、レコード針の上でダンスしてくれるかもしれない」

Thanks for Christmas
Thank you for the love and happiness
It's snowing down
All around

Thanks for Christmas
Thank you for the winter's friendliness
It's snowing down

All around the world
クリスマスをありがとう
愛と幸福をありがとう
雪が降っている
あたり一面に

クリスマスをありがとう
冬のやさしさをありがとう
雪が降っている
世界じゅうに

「そう、気象予報士の言うとおりだった。東京じゅうがすっかり雪なのだ」

医師は芝居がかった身ぶりで、まるで朗読するかのように語りはじめた。

「雪は首吊り自殺に失敗したハサミ男の横たわるベランダに降っている。聞き込みに歩きまわる哀れな刑事たちの上にも降っている。悲しみからまだ立ちなおれない家族の住むデゼール碑文谷の屋上にも降っている。私立葉桜学園高校のポプラ並木の赤煉瓦道にも降っている。学芸大学駅前の喫茶店〈おふらんど〉の窓にも降っている。誰もいない鷹番西公園にも、今日も誰かの葬儀がしめやかにおこなわれているであろう春藤斎場にも、そして、どこにあるのか知らないが、樽宮由紀子の眠る墓の上にも降りつもっている」

「いったい、なんの話だ」

「ジェイムズ・ジョイスの『死者たち』のもじりだよ」

首を吊って失神までしたのに、まだ医師のくだらない引用を聞かされなければならないのか。わたしは嘆いた。

「カーテンレールなんて、折れやすいもので吊るからだ」

医師は声をあげて笑った。

「今度、首を吊るときは、もっとじょうぶなものにしたまえ。葉桜高校の並木なんていいんじゃないかね。奇妙な果実がポプラの木からぶら下がってる、ってわけだ」

なんの話だ、と訊く気力も起きなかった。

「あるいは、街灯かな。知ってるか？　フランス革命のとき、民衆は路地の街灯を使って、貴族を絞首刑に処したそうだよ。シゾー・オム、ア・ラ・ランテルヌ！」

「なんだって？」

「フランス語で〈ハサミ男を街灯に吊せ！〉という意味さ。なにしろ、きみは現在のところ、民衆の敵ナンバーワンだからな。鷹番西公園の街灯で吊し首にされてもしかたがない。

もっとも、フランス革命当時の街灯というのは、壁から突き出したガス灯だったらしい。現代日本の、豆もやしみたいな形の水銀灯では、リンチのためにロープを引っかける適当な場所がない」

医師はボールペンの先でこめかみをかきながら、

「きみが逮捕されたときの光景が目に浮かぶよ。カメラのフラッシュ、テレビ用の強烈なライト、レポーターのわめき声。重々しい表情の刑事に連れられて、きみはパトカーに乗り込む。手錠にかかるモザイク。きみは後部座席でうなだれているかな。それとも昂然と胸を張って、不敵な表情で前を見つめているか？」

医師は例の益体《やくたい》もない空想に耽っているようだった。ただでさえ気が滅入っているというのに、くだらない話を聞かされてはたまらない。

「レポーターがこの部屋や氷室川出版やきみの実家に押しよせる。きみがどれほど異常な人物だったか、いかに危険な怪物かを検証するため、あらゆる証言や情報が総動員される。そういえば燃えないゴミの出し方が異常だった、と階下の住人は言うだろう。正社員になりたがらないからおかしいと思った、と岡島部長は顔をしかめるだろう。佐々塚はなんて言うだろうな。父親は沈痛な表情で黙り込むだろう」

「わたしには父親などいない」

「おや、そうかい。それなら、自称父親でもいいさ。学生時代の友人はきみの猟奇性を物語る思い出をモザイク顔でしゃべりまくるだろう。友人などいないと言うなら、自称友人と言いなおすよ。きみが他人と打ちとけない子供だったとか、中学時代に変なことを言ったとか、高校の卒業文集に妙なことを書いたとか、さまざまな証言が飛び交う。いまにして思えば、というわけだ。きみの子供時代の写真は一枚いくらで売れるかな？　同級生は煙草代くらいは稼げるだろうさ」

医師は両手をひろげ、天をあおいだ。

「心理学者に犯罪学者、元刑事に元検事、ノンフィクション作家にミステリ作家、ゲストコメンテイターがよってたかって、きみを解剖する。かくかくしかじかの幼児体験や心的外傷により、きみの精神構造はねじ曲がり、歪み、重篤な精神障害を引き起こして、危険きわまりない怪物が召換された、というわけだ。かくしてハサミ男生まれき。すべては幼児期の育て方に問題がある。世の母親がたは恐怖のあまり、育児ノイローゼにおちいるかもしれない」

医師はいつもにまして饒舌《じょうぜつ》だった。なぜだろう、とわたしはいぶかしんだ。

「なぜおしゃべりになってるかって？　恐いからに決まってるだろう。逮捕されるのが恐いからだよ」

と、医師は答えた。わたしは笑い出しそうになった。

「恐いだと？　あんたが恐がるわけがないだろう」

「そう思うか」

医師は静かに答えた。なぜか真面目な口調だった。

「そうだろうな。きみはそう思うだろう。なぜなら、きみには恐怖というものが理解できないのだから」

医師は丸い黒眼鏡をはずし、白衣の裾でレンズを拭いた。

「きみには理解できないだろう。恐怖も、悔恨も、罪の意識も」

黒眼鏡の下からあらわれた瞳が、おだやかな光を帯びて、わたしを見つめていた。

「樽宮健三郎くんが〈なぜ人を殺してはいけないか〉と訊いていたね。きみはじつに卓抜な比喩を思いついた。包茎の小学生か。まさにそのとおりだ。そして、きみは答えた。〈殺したければ殺せばいい〉とね。これまた、きみの言うとおりだよ。理論的にはそうさ。だが、実践的には、そうはいかない」

医師は頭を少しかしげ、目をつぶった。

「人を殺人から遠ざけるのは、ほんのちょっとしたことなんだよ。死を目のあたりにしたときの不快感、血の臭いをかいだときのいやな感じ、死体に触れたときの無気味さ、そういったごく些細な事柄だ。決して大文字の倫理や道徳ではない。そんな、何かを禁じる観念なんてものは、ごく簡単に反転し、人を倒錯した喜びに導いてしまう。タブーを犯すからこそ楽しく、逸脱しているからこそうれしく、狂っているから自分はなにか他人より特別な存在だと思い込む。そういう頭の悪い連中は腐るほどいるさ」

医師の声にはかすかに怒りがこもっていた。

「そうじゃないんだ。問題はもっと微妙な点にある。なぜ人を殺してはいけないのか？　それは、人が死ぬところを見るのが不愉快だからさ。倫理や道徳とは関係ない。やさしさとも人間愛とも、同情とも共感とも無関係だ。たんなる不快感。ゴキブリを叩きつぶしたときに感じる気持ち悪さと、本質的にはまったく変わらない」

医師は両目を開いて、

「わかるか？」

わたしは黙って首を横に振った。

「わからないだろうな」

医師はゆっくりうなずいた。

「少女を絞め殺したときに感じる不快感を、きみは理解できない。鬱血して赤黒くふくれあがった顔を、きみは見ない。のどの奥から押し出されたかすかなうめき声を、きみは聞かない。ハサミの先端が肉に食い込み、硬い部分にあたって止まる感触を、きみは感じない」

ため息をつくと、

「だが、ぼくはそれらを見、聞き、感じ、恐れ、悔い、罪の意識にとらわれる。ぼくの両手は血に染まっている。少女たちの顔を思い出すと、息が止まりそうになる。警察に逮捕され、実家の家族が苦しむことを思うと、夜も眠れない」

医師は言葉を切り、顔を伏せた。

「こう考えたことはないかね？」

不意に顔を上げると、

「ある抑圧のせいで、こんな老人めいたご面相になってはいるが、本来は、ぼくのほうが中心的な人格なのだと。きみはぼくがつくり出した妄想人格にすぎない。そう考えたことはないか」

わたしにはあいかわらず、医師が何を言いたいのか、まるで理解できなかった。

「きみは狂っていないし、病んでもいない。なぜなら、きみ自体が狂気であり、病気だからだ。ぼくはたぶん頭がおかしくなっているし、深く心を病んでいるのだろう。きみはぼくの病気の〈症状〉なのさ」

医師はわたしの顔を見すえて、

「きみは強い。強すぎるくらいだ。なぜ少女たちを殺すのか考えたこともない。どうやって少女たちを殺すかしか考えない。一方、ぼくは弱い。きみに比べたら、恐ろしく弱いんだ。だから、こうしてこの部屋に閉じこもっている。そして、きみが少女たちを殺すのを止めることもできない」

医師は自嘲的な笑い声をあげた。

「おもしろいね。きみの心の暗闇のなかに怪物はいない。なぜなら、きみこそがぼくの怪物だからさ。ぼくはきみの言うことに逆らえないんだ。壁に血文字で〈誰かぼくを止めてくれ〉と書いてやろうかな」

「小難しい話はやめてくれ」

わたしはいらいらしながら言った。まったく、医師の言うことはいつもわけがわからない。

「ぼくの話は理解できないだろうね。だと思ったよ」

医師は両手でゆっくりと黒眼鏡をかけながら、詩の一節らしきものを暗唱した。

僕はあなたの話す巧みさのために
なにも理解することができない
鶩の唄の意味がわからないやうに

「北園克衛の『夏の室』だよ」

と、医師が説明した。

「キタソノカツエって、誰だ」

とうとうがまんできなくなって、わたしは訊ねた。

医師はいつものような、わたしをからかう表情に戻って、

「ハヤカワ文庫でエラリー・クイーンの装丁をしていた人だよ。お父さん、ぼくには引用癖がついたようです！　せがれを大学にまでやって、得たものはそれだ」

わたしには医師の引用癖にこれ以上つきあう義理はなかったので、即座に面談を切りあげた。

カーテンレールは完全に折れていて、もう使いものにならなかった。なんとか元に戻らないものかと、いろいろ試してみたのだが、取りかえるしかなさそうだ。ついにわたしは自分で修理するのをあきらめ、カーテンをはずすだけにとどめることにした。

窓の外はすっかり暗くなり、街灯に照らされた雪は、次第に小降りになっていた。この分だと、積もることはなさそうだ。わたしは安心した。

そのとき、ドアチャイムが鳴った。

わたしは玄関に行き、ドアスコープに右目をあてて、外をうかがった。

そこにはひとりの男が立っていた。どこかで見たことのある顔だった。公園で事情聴取を受けたときにいた、刑事のひとりかもしれない。また証言を聞きに来たのだろうか。

いや、もしかしたら、医師が恐れていたとおり、刑事はわたしを逮捕しに来たのかもしれない。

それならそれでしかたがない、とわたしは思った。彼らがわたしを捕まえたいなら、そうするがいい。どうせ最初から、勝ち目のないゲームだったのだ。

わたしはドアを開いた。

男はわたしを見るなり、こう言った。

「きみがハサミ男だったんだね。さあ、ぼくといっしょに来てくれないか」

22

その声を聞いて、わたしは男が誰かを思い出した。

気の弱そうな、かぼそい声。白豚のように醜く太った体つき。薄くなりかけた髪の毛。たぶん量販店のバーゲンか何かで買ったに違いない、安物のダウン・ジャケット。

どうかしたんですか、と言いながら、芝生の上を近づいてくる人影が頭に浮かんだ。

「あなたは公園でわたしといっしょに死体を見つけた人ですね」

わたしは樽宮由紀子の死体を発見した夜、公園で聞いた男と刑事との会話を思い起こして、

「確か、ヒダカさんだったかな」

「そうだ。おひさしぶりだね、安永知夏《やすながちか》さん」

ヒダカはこわばった表情で言った。わたしはその名前で呼ばれるのが好きではなかった。

「いったい、なんのつもりですか。遅くに女性の部屋に来て、妙なことを言わないでほしいな」

「ごまかしたって、だめだ」

ヒダカは微笑を浮かべた。無理してつくった笑いに見えた。

「ぼくは見ちゃったんだよ。あの夜、きみがハサミを捨てるのをね。なんなら警察に通報してもいいんだよ。さあ、いっしょに来てくれるね」

「話があるなら、ここで話そう」

「だめだね。ハサミ男の部屋で話すだって？　そんな危ないことはできない。何が置いてあるかわからないからな」

この男は、わたしが整理ダンスのなかに、血のついた斧や弾をこめた散弾銃を隠し持っていると思っているのだろうか。押入に女子高生の死体がぶら下がっている光景を想像しているのかもしれない。わたしは吹き出しそうになった。

「わかった。ちょっと待ってくれ」

わたしは部屋の奥に入り、セーターの上にジャケットをはおると、ショルダーバッグを手にとった。

そのとき、丸テーブルの上に置いてあったガスライターが目にとまった。

頭にひらめくものがあった。

わたしはガスライターをバッグにしまい、玄関のヒダカのほうを振り返った。ヒダカは緊張の面もちで、わたしの行動を逐一《ちくいち》監視しているようだった。

「さあ、行こうか」

わたしはにっこり笑った。

アパートの外に出ると、雪はもうやんでいたが、歩道はうっすらと白くなっていた。車道に積もった雪は、すでに自動車のタイヤに何度も踏みにじられて、泥まみれのわだちが傷痕のように残っていた。

ヒダカの軽自動車は、歩道に片側のタイヤを乗りあげて、駐車してあった。

「さあ、乗るんだ」

ヒダカはわたしの肩を押して、うながした。

わたしは助手席に乗り込んで、シートベルトをしめた。

「交通法規を守る殺人鬼か。立派だね」

ヒダカは運転席に坐ると、からかうように言って、車を発進させた。

東京に初雪の降った夜だというのに、白豚男とドライブか。わたしは苦笑した。ヒダカはわたしを警戒しているのか、横目でちらちらわたしを見ながら運転していた。このうえ、事故でも起こされたらかなわない。
二、三十分ほど走って、軽自動車は鉄筋アパートの前の駐車場に入っていった。
アパートは二階建てで、吹きさらしの通路の蛍光灯がうすぼんやりした光を投げかけ、横一列に並ぶ灰色の扉を浮かびあがらせていた。

わたしはヒダカのあとについて、鉄製の階段を昇った。行きついた部屋のネームプレートには、日高光一、と書いてあった。

日高は扉の鍵を開け、先に部屋に入った。

汚い部屋だった。土間には無造作にくった古新聞が放置され、靴は脱ぎっぱなしで、廊下の隅にはほこりがたまっている。一応は掃除をしているようだが、適当に掃除機をかけただけだろう。拭き掃除までしているとは思えなかった。

わたしも決してきれい好きとはいえないが、ここまで部屋を汚してはいない。だが、男性のひとり暮らしなら、これが普通なのかもしれない。

「入れよ」

と、土間に立ったまま、日高が横柄に言った。わたしは靴下の裏が汚れるのを心配しながら、廊下に上がった。日高が鍵を閉める音が聞こえた。

廊下を進むと、その先はキッチンだった。

日高はテーブルのそばに立って、わたしに向きなおった。

わたしはあたりを見まわした、テーブルの上には大きな電気ポットと電気炊飯器があり、流しにはフライパン、片手鍋、シチュー鍋、行平鍋《ゆきひら》が置いてあった。

感心なことに、日高は一応は自炊もするらしい。しかし、シチュー鍋と行平鍋は新品同然に見えたし、逆にフライパンには油汚れがこびりついていた。

日高は何も言わずにわたしを見つめていた。

「話があるんじゃないのか」

がまんしきれなくなって、わたしは訊いた。

「信じられないよ」

日高はなぜか夢見るような口調になっていた。

「ハサミ男が女性だったなんて……それも、こんなにきれいな人だったなんて……」

日高はわたしとセックスしたいのだろうか。それなら早くそう言えばいいのに。警察に通報すると脅して、強姦する必要はない。コンドームさえつけるなら、白豚男にのしかかられても、わたしはまったくかまわなかった。あえぎながら腰を動かしているときなら、日高は無防備になるだろう。

だが、日高はまた黙り込んで、わたしの顔に見入った。

わたしは肩にかけていたショルダーバッグを下ろすと、なかに手を差し入れた。日高がたじろぎ、身がまえた。

「心配するな。ハサミなんか入っていないよ」

と、わたしは日高をなだめて、

「それに、取っ組みあいになったら、きみの勝ちだ。男の力に女がかなうわけがない。そうだろ？」

そう言って、わたしは公園で拾ったガスライターを取り出した。右の手のひらにのせて、日高の前に差し出す。

「ほら、これを返してほしいんじゃないのか」

日高は眉根をよせてガスライターをながめ、わたしのほうに一歩踏み出した。

わたしはガスライターを握りしめると、日高の鼻を思いきり殴りつけた。

日高は声をあげて、両手で顔を押さえた。口のあたりに鼻血が流れるのが見えた。わたしは右足で日高の股間を蹴りあげた。

最後に、テーブルの電気ポットをつかみ、側頭部を殴りつけると、日高はキッチンの床に倒れて、動かなくなった。

わたしはショルダーバッグをテーブルに置き、ビニール手袋を出して、すばやく両手にはめた。体をまるめるようにして倒れている日高にかがみ込み、指先を頸動脈にあてる。脈があった。失神しているだけで、まだ死んではいない。

縛るものを探したが、キッチンには見当たらなかった。わたしは流しにあった万能包丁をつかむと、隣の部屋に入った。

そこは日高の寝室兼書斎のようだった。掛け布団が起きたときのままになっているベッド、書物が乱雑に突っ込んである本棚、そしてパソコンとオーディオ機器が置いてあった。

わたしは包丁でパソコンとオーディオの電源コードを切断すると、キッチンに戻った。

日高は重すぎて、わたしの力では椅子に坐らせることができなかった。

しかたなく、テーブルの脚に背中をもたれさせ、パソコンの電源コードで後ろ手に縛りあげた。オーディオの電源コードは両足首を縛るのに使った。

最後に流しから持ってきたタオルで、口にさるぐつわをした。

わたしはテーブルのわきに立ち、出来ばえを確認した。

日高はテーブルの脚に縛りつけられ、鼻と左のこめかみから出血していたが、まだ目を覚まさなかった。

わたしは少し考え、電気ポットの蓋をはずすと、熱湯を頭からかけた。

奇妙な悲鳴をあげながら、日高は意識を回復した。血が熱湯に洗われて、頬と顎が薄いピンク色に染まっている。皮膚にへばりついた髪の毛から湯気が立ちのぼっているのが、どことなくユーモラスに映った。

わたしは万能包丁を持って、日高の前にしゃがみ込んだ。

「訊きたいことがあるから、さるぐつわをはずすよ。でも、大声を出したりしたら、この包丁を口に突っ込むからね」

日高は何度もうなずいた。わたしはさるぐつわをはずした。

「きみが樽宮由紀子を殺したのか」

「タルミヤ……誰のことだ？」

「きみとわたしが公園で発見した女の子だよ」

「彼女はきみが殺したんだろう？」

日高はあっけにとられたような表情になっていた。嘘をついているとは思えなかった。

「いや、わたしは殺していない。本当にきみが殺したんじゃないのか?」

わたしは困惑して、

「きみはハサミ男に興味を持ち、自分も同じような殺人を犯したいと思っていた。そして、あの夜、樽宮由紀子を絞め殺し、ハサミをのどに突き刺した。きみは現場を立ち去ったが、しばらくして、思わぬことに気づいた。ガスライターを落としてきたことに、だ。きみのライター、しかも光一のKのイニシャルまで入っている。きみは急いで現場に戻ったが、そのときにはわたしがすでに死体を発見していた。そこで、きみは何くわぬ顔で遺体発見者の一人になりすますことにした」

珍しいことに、筋道だった推理がすらすら口をついて出てきた。わたしは夢中でしゃべりつづけた。

「遺体発見者として、その場はなんとかやりすごしたが、きみは不安だった。警察はきみのガスライターを見つけ、いつかきみのもとを訪れるにちがいない。だが、いつまでたっても、警察はやってこない。ガスライターが見つかったという報道もない。では、ガスライターはどこに行ったのか。もうひとりの遺体発見者、つまりわたしが拾ったにちがいないときみは確信した」

日高は呆然とした顔つきで、わたしの話を聞いていた。

「なぜ、もうひとりの遺体発見者はガスライターを拾いながら、警察に届け出ないのか。きみはいぶかしく思ったに違いない。やがて、週刊アルカナの記事で、そのとき、わたしが公園の茂みに何かを捨てたことを思い出した。わたしが本物のハサミ男であることに気づいた。もう一丁のハサミが茂みから発見されたことを知ったきみは、わたしが本物のハサミ男であることに気づいた。もうひとりの遺体発見者はハサミ男であり、やましい身の上だから、警察に届け出られないのだ、とね。そこで、きみは証拠となるガスライターを取り戻し、わたしを口どめするためにやってきた」

わたしは息をついて、

「そうじゃないのかな」

「違う。違うよ」

日高は恐ろしい勢いで首を横に振った。

「きみが何かを捨てたのを見たのは、そのとおりだ。そして、週刊アルカナの記事を読んで、それがもう一丁のハサミで、きみがハサミ男だと知った。だけど、ぼくは女の子を殺してなんかいないし、ガスライターを落としてもいない。だいたい、ぼくは煙草を吸わないから、ライターなんて持ってないよ」

わたしはがっかりした。われながら名推理だと思ったのに。

やはり、わたしは探偵には向いていない。推理というのは、まるでジグソーパズルのようなものだ。せっかく、うまくはまる断片を見つけたと思ったら、真ん中がすっぽり抜けている。

「じゃあ、なぜわたしに会いに来たんだ」

「きみに興味を持ったからさ」

日高はわたしを見上げて、

「公園できみに会ったときから、ずっと気になっていたんだ。きれいな人だな、と思ってね。そして、きみがハサミ男だとわかってから、ますます関心がわいてきた。どうして、あんなきれいな女性に残酷な人殺しができるんだろう、と思った。それで、無性にきみに会いたくなったんだ」

やれやれ、どうやら日高もハサミ男のことをもっと知りたい連中のひとりらしい。わざわざわたしに会いに来て、なんの話をするつもりだったのだろう。女の子を絞め殺すとどういう気持ちになるものですか、とてもインタビューしたかったのだろうか。

「どうやって、わたしの住所を調べたんだ」

「〈ハサミ男〉ホームページに載ってたよ」

そんなホームページがあるとは知らなかった。ハサミ男はサイバースペースでも人気者なのだろう。ハサミ男ファンのネットサーファーたちは、彼に関することなら、遺体発見者の氏名と住所といった些細な情報にいたるまで、なんでも知りたがっているというわけだ。プライバシー侵害で訴えてやりたいところだが、ハイテクノロジーを駆使する匿名の連中相手では無理だろう。岡島部長のぼやきが身にしみた。

「わたしがハサミを捨てたことを警察に言ったか」

「言ってないよ」

日高はまた激しく首を横に振った。まるでおもちゃの人形のような動作だった。

「一度、この部屋まで刑事が質問しに来たけど、そんなことはひと言もしゃべってない」

「どうして？　通報するのは市民の義務じゃないのか」

わたしは素直に訊いたつもりだったが、日高は皮肉と受けとめたらしい。

「そんなことするはずがないじゃないか。これからも絶対にしゃべらないよ。約束する。だから、お願いだ。殺さないでくれ……」

日高は必死に懇願した。

わたしは頭をかき、日高の前から立ちあがると、包丁をテーブルに置いた。

ジャケットを肩から床に落とし、両手でセーターの裾をつかんで、頭から引き抜いた。

ブラウスを脱ぎ、ベルトをはずして、ジーンズを下ろした。

最後にブラジャーをとり、パンツを脱いだ。

衣服をすべてまとめて、テーブルにのせた。

わたしはビニール手袋と靴下しか身につけていなかった。

日高は、これから何が起こるのかわかっていないようだった。それにもかかわらず、不思議なことに、なぜか瞳に期待の色が浮かんでいた。

「きみが何を期待しているか知らないけど」

わたしはテーブルの包丁をつかんだ。

「服を脱いだのは、汚したくなかったからだよ。このセーター、気に入ってるんだ」

日高は口を大きく開けて、悲鳴をあげようとした。

わたしは約束どおり、日高の口に包丁を突き刺した。

23

幸い、日高の返り血はほとんどかからなかった。

最悪の場合、この部屋のバスルームでシャワーを浴びなければならないと覚悟していたのだが、ありがたいことに、その必要はなかった。部屋の汚さから判断して、ユニットバスには湯垢《ゆあか》がついているに違いない。そんなところに足を踏み入れるなんて、考えただけでもぞっとした。

わたしは流しで両手を洗い、テーブルの上の衣服を身につけると、足元にうずくまる日高を見下ろした。

日高は両目を見開いたまま、息絶えていた。

口とのどから流れた血が、胸元を赤く染めていた。

切先が首の後ろに突きぬけそうなほど、包丁を口の奥深くに刺したとき、日高は反射的に歯をくいしばった。おかげで、万能包丁の刃が下顎に食い込んで、引き抜くのに苦労させられた。日高の下唇は歯茎ごと切り裂かれ、そこから鮮血がしたたった。

たぶん即死だとは思ったのだが、念のため、のどもかき切っておいた。包丁は置き場所がなかったので、日高の肥満した腹に突き刺した。

わたしは流しの布巾を手にとると、電気ポットを拭きはじめた。この部屋に来て、わたしが手袋なしで触れたのは、このポットだけだ。

拭いているうちに、布巾の表面が黒くなってきた。どうして、他人のポットの拭き掃除をしなければならないのだろうと、わたしはいやになってきた。

そのとき、声がかかった。

「ポットの底を忘れるなよ」

驚いて顔を上げると、流しの前に医師が立っていた。

いつものとおり、新品の白衣を着て、丸い黒眼鏡をかけている。医師が自分の部屋の外に出てくるのは、珍しいことだった。

「きみはポットの底をつかんで、この男を殴った。底にも指紋がついてるよ。ご用心、ご用心」

にやにや笑いながら、医師はそう忠告した。

わたしは黙って医師をにらみつけると、ポットを持ちあげて、底を拭いた。

医師は両手を背中で組んで、日高の死体に近づいてきた。

「あいかわらず残酷なことするね、きみは」

かがみこんで死体をながめると、顔をしかめて、

「べつに殺す必要はなかっただろう。こいつは馬鹿だけど、人畜無害だよ。仮に警察に通報

されたとしても、物証はないんだから」

「口封じのために殺したわけじゃない」

「理由はないってわけか。さすがハサミ男だね」

医師は肩をすくめて、日高の寝室兼書斎に入っていった。

「こりゃすごいな。パソコン、大型ディスプレイ、レーザープリンタ、高速モデム、大容量ハードディスクが二台、光磁気ディスクドライブ、CD－ROMドライブ、DVDドライブ、それから、ぼくも知らないハイテク機器が山ほど。日高ってやつは、たいしたコンピュータ・マニアだね。なんの仕事をしてたか知らないが、収入のほとんどを費やしてたんじゃないかな」

机からぶら下がる電源コードの切れ端を見て、

「それもコードを叩き切られちゃ、ただの鉄屑だな」

医師はパソコンとオーディオ機器の並ぶ机の前を離れ、本棚を見上げた。

「ひどい本棚だな。漫画と実用書ばっかり。しかも、整理のしかたがめちゃくちゃだ。コンピュータ・マニアってのは、ペーパーメディアはどうでもいいと思ってるのかね。こういう本棚の持ち主は、惨殺されてもしかたがないな」

「いいかげんにしろ」

わたしは医師ののんきな行動にいらだっていた。

「そろそろこの部屋から出るぞ」

「ひさしぶりに外に出てきたんだから、ゆっくり見物くらいさせろ」

医師は気楽な口調で、

「さっきのきみの推理だけどね、大変おもしろく拝聴させてもらったよ。きみもなかなかやるもんだね。じつにユニークな推理だ。名推理といってもいい。それが事件の真相だったら、もっとよかったんだけどな」

「早く出よう」

わたしは医師をせかした。

「誰か来たらどうするんだ」

「もう遅いよ。もうすぐお客様がやってくる」

医師は本棚を見上げたまま、あっさり答えた。

「なんだと」

「きみは車に乗っているあいだ、日高にばかり気をとられていたようだな」

医師はわたしを振り返り、にやにや笑った。

「だから、気がつかなかったんだ。ここに来るまで、ずっと車であとをつけられてたよ。きみを尾行してたんだろう」

わたしは玄関に走り、ドアを細く開いて、外を盗み見た。

駐車場に停まった一台の車の車内灯が点いている。運転席に人影が見えた。こちらをうかがっているように思えた。

ドアを閉め、鍵をかけて、キッチンに戻った。

医師は白衣のポケットに手を突っ込んだ格好で、冷蔵庫の前をぶらぶらしていた。

「冷蔵庫を開けてくれないか。なかを見てみたいんだ」

わたしは冷蔵庫を開けた。

扉のラックには紙パックのオレンジジュースと牛乳、それに缶ビールが並んでいた。庫内には納豆《なっとう》、粗挽《あらび》きソーセージ、レトルトカレーなどが雑然と詰め込んであった。

「レトルトカレーを冷蔵する馬鹿があるか」

医師はあからさまに軽蔑した言い方で、

「思ったとおり、すぐに食べられるものしか入ってないな。こんなのは自炊のうちに入らないよ。貧しい食生活だねえ。独身男性の生活ってのは、こんなもんかね。まったく知らない世界だから、興味があるな」

「次は押し入れをのぞくか」

わたしは皮肉を言った。

「男所帯の見物をしてるうちに、外の男がやってくるぞ。どうするつもりだ」

「お客様がおいでになったら、丁重にお招きしなさい」

医師は、冷蔵庫を閉めるように、と手で合図して、

「けっして、いきなり襲いかかったりしないように。ぼくもぜひお会いして、話をうかがいたいからね」

「外にいる男を知ってるのか」

「ある意味ではね。きみも知ってると思うよ。会って話をするのは初めてだけどね」

そのとき、ドアチャイムが鳴った。

「ほら、おいでなすった」

医師はわくわくした表情になっていた。

「いよいよクライマックスだ。これを見逃さないために、ぼくはわざわざ出てきたんだよ」

わたしは玄関に向かった。ドアに耳を押しつけ、外の様子をうかがう。

低く押し殺した声が聞こえてきた。

「なかにいるのはわかってるよ、ハサミ男くん。きみとぜひ話がしたいんだ。開けてくれるだろう？　きみは頭がいいから、面倒はかけないよね」

わたしはドアスコープから外を見た。

自分の目が信じられなかった。

いったい、彼がなぜここにいるのだろう。

丁重にお招きしろ、と医師は言っていた。男の顔を見て、わたしもその気になった。

こうなったら、指紋が残るなどと言っている場合ではない。わたしは男に怪しまれないように、ビニール手袋をとると、ドアを開けた。

厚手のコートを着込んだ男は、ドアの陰から険しい顔をのぞかせた。

だが、わたしの顔を見ると、意外そうな表情に変わった。

「あ、安永さん、ご無事でしたか。それはよかった」

男はとってつけたように、人のよさそうな笑顔をつくり、

「やつはどこですか」

「やつって、誰のことですか」

「ハサミ男ですよ。あなたを無理やりこの部屋に連れてきた男、日高光一です」

「キッチンにいますよ」

わたしは落ちつきはらって答えた。

男はわたしの顔をまじまじと見つめると、靴を履いたまま部屋に上がり、廊下の奥へと向かった。

わたしは男のあとについていった。

キッチンに入ると、日高の死体の前に立ちつくす男の背中が見えた。

わたしは流しにゆっくり近づいた。流しにはもう一本、包丁がある。

「動くな」

男の声がわたしを制止した。

振り返った男の手には拳銃が握られていた。

これは予想外の展開だった。

「襲いかかろうなんて、考えないほうがいい。手を上げるんだ」

わたしは両手を上げて、男を見つめた。

「そうか……そうだったのか」

男は射抜くような視線でにらみつけてきた。

「ぼくとしたことが、くだらない先入観にとらわれていた。マスコミが〈ハサミ男〉なんてあだ名をつけるからだ。そんな呼び名は無視して、虚心に検証しなければならなかったのに、無意識のうちに引きずられていた」

くやしそうに下唇を嚙んで、

「そうだったのか。なぜ被害者に性的暴行が加えられていなかったのか。なぜ犯人の体液が残っていないのか。なぜ犯人は被害者の肉体になんの興味も持っていないのか、これですべて説明がつく。ハサミ男は女だったからだ。それもこんな美人だったとはね」

男は自嘲気味の笑いを漏らした。

「長いあいだ、ずっときみに会いたかったよ、ハサミ男くん」

「ぼくも会いたかったよ、樽宮由紀子殺しの真犯人くん」

冷蔵庫の横から、医師が声をかけた。男の顔色が変わった。
そう、彼は学芸大学駅前のファストフード店で樽宮由紀子と会っていた男だった。

24

「ぼくはこういう場面が嫌いだね」

　こんな緊迫した状況だというのに、医師はのんびりした口調で話しはじめた。

「探偵が犯人を追いつめる。犯人が探偵に拳銃を向ける。だが、すぐに探偵を撃ち殺したりはせず、長々と悲しい話をしはじめる。うんざりだな。神様もこういう場面が嫌いだから、すぐにぶち壊しにしてしまうのさ」

「言っている意味がわからないな」

　男は当惑しているようだった。

「『湖中の女』の一節だよ。きみはレイモンド・チャンドラーを読んだことがないのかね？それとも、フィリップ・マーロウは嫌いかな。じゃあ、クリストファー・マーロウはどうだい」

　医師は高らかに朗唱した。

　おまえに命じる、姿を変えて出なおしてこい、
　その醜い姿でおれに仕えようとはもってのほかだ。

さあ、警視庁の刑事に化けて出てこい、警察官の姿が真犯人にはいちばんよく似合うのだ。


「いいかげんにしろ」

わたしはがまんしきれずに怒鳴った。

「こんなときに引用癖なんか出すな」

男はなぜか哀れむような表情になっていた。

「ああ、きみが考えていることは、うすうす見当がつくよ」

医師はほがらかに笑いながら、

「多重人格を疑っているんだろう。残念ながら、そうじゃないな。多重人格の場合は、個々の人格間のコミュニケーションは存在しないとされている。しかし、ごらんになったとおり、ぼくは彼女と会話もできるし、記憶も共有している。むしろ、妄想人格と言ったほうがいい」

「きみが彼女の妄想人格というわけかな」

「逆だよ」

医師はなぜか悲しげな表情になった。

「彼女がぼくの妄想人格なのさ。ぼくは抑圧された自我だ。まあ、そのへんのところは、きみのほうが専門家じゃないかね。ぼくらが逮捕されたら、じっくり診断してくれよ」

男はいっそう鋭い目つきになった。

医師と会話しながら、男はわたしから目を離そうとはしなかった。冷蔵庫のそばに立つ医師のほうに目をやったら、そのすきに飛びかかってやろうと思っていたのだが、用心深い男だ。

「どうやら、きみはなんでもお見通しらしいね」

と、男は低い声で言った。

「なんでもってわけじゃないさ」

医師は肩をすくめて、

「ぼくはきみの名前も住所も知らないよ。ぼくが知っているのは、きみが警察官で、一連のハサミ男事件に深く関わっている人間だということだけだ。だから、もしかしたらプロファイラーじゃないかと想像しただけさ。警視庁ではなんと呼んでいるか、知らないけどね」

「犯罪心理分析官だよ。なかにはマルサイなんて不愉快な呼び方をする人間もいるがね」

「サイはサイコロジーの略か？」

「サイコアナリシスの略だ」

「まあ、なんでも四文字に略すのは日本人の癖だからね。知ってるか？　女子高生はスケルトン・ロックをスケロクと呼ぶらしいぞ」

医師はからかうような笑みを浮かべて、

「それに、デカさんたちは隠語を使うのが好きなんじゃないかね」

「隠語を使いたがるのは、ノンキャリアの連中だけさ」

男は微笑を返した。

なぜこのふたりは古くからの友人のように親しげに話しているのだろうか。手を上げて待っているわたしの身にもなってほしい。

「なぜぼくが犯人だとわかった」

と、男が訊いた。

「最初からわかってたよ」

医師はいたずらっ子のような顔になって、

「樽宮由紀子の死体を発見したときからね」

「なんだって？」

男は思わず大声を出した。

わたしもそう叫びたかった。なんだって？

「きみは樽宮由紀子を殺し、罪を逃れるため、ハサミ男の犯行に見せかけようと考えた。そこで、彼女をビニール紐で絞め殺し、殺害後、ハサミをのどに突き刺した。みごとな偽装工作だったね。どう見ても、ハサミ男のしわざにしか見えない。なにしろ、死体を発見したとき、彼女自身が完璧だと感じたくらいだからね。これはハサミ男が殺したとしか思えない、と」

医師は声をあげて笑った。

「だが、きみはあまりにも完璧すぎた！　真犯人は、いったいどこからハサミ男の犯行の詳細を知ったんだ。ワイドショーを録画して研究したのか？　違うね。ワイドショーで報道されていることは、ほとんどが伝聞と憶測にすぎない。でたらめが横行してるよ。また、新聞にも週刊誌にも、そんな細かいことは書かれていない。それなら、真犯人は警察情報を知ることができるジャーナリストなのか？　これも違うな。ぼくらのところに取材に来た雑誌記者は、ありもしない〈ある種の性的暴行〉に興味津々だった」

医師はボールペンの先でこめかみをかきながら、

「だいたい警察がそこまで詳しい情報をマスコミに流すわけがない。そんなことをしたら、本物のハサミ男と模倣犯の区別がつかなくなるじゃないか。さらに、ハサミ男と目される容疑者が見つかったときのために、本物のハサミ男でなければ知っているはずのない情報を残しておかなければならない。核心の部分は極秘にしてあるはずだ。この場合は、おそらく意図的に性的暴行の有無を隠していたんだろう」

「きみの言うとおりだ」

と、男が苦々しそうな顔つきで答えた。

「われわれはマスコミに対しては、性的暴行があったかどうかについて、あいまいな態度を取りつづけてきた。それがハサミ男を特定する決め手になるはずだった」

「やはりな。そうだとしたら、真犯人はなぜ〈ある種の性的暴行〉の偽装をしようと思わなかったのか？　どういう行為だかわからないにせよ、少なくともスカートくらいはめくっておこうと考えるんじゃないかね。　でも、樽宮由紀子の着衣は整然としていた。何ひとつ乱れていない。これは何を意味するのか？　答えはひとつ。犯人が〈ある種の性的暴行〉なんて存在していないことを知っていたからだ。真犯人はハサミ男の犯行の真実を知りうる人物、すなわち警察関係者だ」

　医師は男の後頭部をじっと見すえて、

「そこまで推理するのは簡単だった。だが、真犯人を見つけ出すとなると、なかなか大変だ。幸いなことに、ぼくらは学芸大学駅前のファストフード店で樽宮由紀子と会っていた謎の男を目撃していた。もしその男が警察関係者なら、たぶん真犯人に違いない。しかし、警視庁に出向いていって、ハサミ男事件の捜査員全員の顔写真を見せてくれ、と言うわけにはいかないからね。まさにお手上げだった」

　医師は言葉のとおり、両手を上げてみせた。

「しかし、ぼくにはきみを引っかける鉤針《かぎばり》があった。彼女が公園の茂みにほうり捨てた、もう一丁のハサミだ」

男の眉間にしわがよった。

「きみの知らない、もう一丁のハサミだよ」

医師のにやにや笑いがさらに深まった。

「きみの完璧な偽装工作に入り込んだ謎のハサミさ。きみはもう一丁のハサミが発見されたことを知って、悩んだに違いない。なぜこんなハサミが現場に残されていたのか？　それもただのハサミじゃない。ハサミ男が先端を尖らせたハサミだ。まるでのどに刺さった魚の骨みたいに、もう一丁のハサミはきみの心に食い込んだだろう。夜も眠れなかったんじゃないかね。違うか？」

医師は人差指を男に向かって突き出した。男はわたしの顔を凝視していた。

「きみはやがて、もう一丁のハサミの意味に気づくだろう。すなわち、きみがハサミ男の犯行に見せかけた死体を、本物のハサミ男が発見したということに」

「そんな馬鹿なことがあるわけがない、と思ったよ」

男は肺から息をすべて吐き出すような声を出した。

「そんな偶然が起こる確率は、何万分の一だろう。現実に起こるはずがない」

「おやおや、これだから数学を知らない人は困るな」

医師はあざ笑うように言った。

「きみは優秀なプロファイラーで、頭の悪いオカルティストじゃないんだろう？　よくテレビのオカルト礼賛番組で、こんなことが偶然起こる確率は何百万分の一です、だから偶然ではありません、奇跡なのです、と言うやつがいる。馬鹿を言うな。何百万分の一だろうが、何億分の一だろうが、確率がゼロではないということは、偶然起こりうるということだ。小惑星が地球に衝突する確率は、何十万分の一か、何百万分の一かもしれない。しかし、それは実際に起こり、おかげで恐竜は絶滅した。それが現在の古生物学では定説になりつつある。そもそも、きみが何万分の一という確率を導き出した根拠はなんだね」

男はわたしに憎悪のこもった視線を投げかけた。にらむなら医師をにらめ、とわたしは内心ぼやいた。

「だが、きみの気持ちは理解できるよ。ぼくらだって、樽宮由紀子の死体ののどにハサミが突き刺さっているのを見たときは、びっくり仰天したからね。にわかに信じがたいのは無理もない。そこで、ぼくはもうひと押しすることにした」

そこまで話したところで、医師はわたしに目をやった。

「ぼくは彼女に真犯人を探すようにアドバイスした。だが、彼女の素人調査で、きみを見つけられるとは思っていなかった。ぼくの目的は別のところにあったんだ。彼女が何やら調べまわっていると、きみに知らせたかったのさ。遺体の第一発見者が被害者の関係者に話を聞いて歩いていることを、きみに気づいてもらいたかった。なぜ彼女がそんな調査をしているのだろう、と疑念をいだいてほしかった」

医師は効果的に間をおいて、

「この疑念ともう一丁のハサミが発見されたという事実をつきあわせれば、どんなに信じがたい偶然と感じられようが、きみは正しい結論に行き着くだろう。そして、その結論を確かめるために、ぼくらに会いに来るだろう。たぶんひとりきりで、ね。そう考えたのさ」

「この野郎、わたしを囮《おとり》に使ったな！」

わたしは思わず罵声をあげた。

「悪かったね」

医師の口調にはまったく悪びれた様子がなかった。

「でも、おかげでこうして真犯人と出会えたんだから、そのくらいいいだろう」

「このイニシャル入りのライターは？」

わたしはショルダーバッグからガスライターをつかみ出し、医師に見せた。

「ああ、それね。たぶん前から公園に落ちてたんじゃないかな。警察の鑑識はもっといろんなものを拾ったと思うよ」

「ちくしょう！」

わたしはガスライターを医師に向かって投げつけた。ガスライターが壁に当たって、むなしい音をたてた。

「まったく、きみは運が悪かったよ」

医師はわたしの怒りを完全に無視して、ふたたび男に話しかけはじめた。

「ぼくらが偶然、樽宮由紀子の遺体を発見しなければ、こんなことにはならなかった。もし、ぼくらが樽宮由紀子の死をテレビか新聞で知ったなら、どこかの馬鹿がハサミ男の真似をしたんだろう、と思うだけですんだはずだ。遺体の状況なんて詳しく報道されないからね。きみたち警察の情報操作を経たあとの報道を見聞きしても、きみのやった偽装工作の完璧さには気がつかない。しかし、幸か不幸か、ぼくらは遺体を発見してしまった。おかげで、彼女はほかならぬ樽宮由紀子をつけ狙っていたってわけさ」

「いや、不運じゃない。むしろ幸運だったよ」

男は銃口でわたしの胸元を指し示して、静かに言った。

「おかげで、ハサミ男を逮捕することができるんだからね」

25

「きみの推理はおおむね正しいよ」

男はわたしに拳銃の狙いをつけたまま、話しはじめた。

「確かに、由紀子を殺したのはぼくだ。ハサミ男の犯行に見せかけるため、偽装工作もした。そして、もう一丁のハサミの持つ意味にも気がついた。だが、残念ながら、きみの捜査は効を奏さなかったようだね」

「そうか？　ちゃんときみはやってきたじゃないか」

医師は首をひねった。

「きみが……いや、きみたちが、と言ったほうがいいかな」

男はほほえんで、

「きみたちが由紀子を殺した真犯人を調べまわっていることなんか、ぼくの耳にはひとつも入ってこなかった。たぶん、ほかの刑事たちも知らないんじゃないかな」

「彼女がうまく立ちまわりすぎたな」

医師は苦笑いして、

「実践的な策略はひどく上手なんだ。理論専門のぼくとは正反対だな。しかし、樽宮由紀子の告別式にも行ったし、友人や家族にまで面会したんだぜ。それでも伝わらなかったのか」

「告別式には日高も顔を出していた。所轄の刑事が目撃している。そいつは日高が怪しいと最初から言っていた」おかげで、ぼくまで惑わされた」

男は苦いものを吐き出すような口調で言った。

「なんていう刑事だい」

「イソベって若い刑事だよ」

「彼なら知ってる。一度、ぼくらのところにも来たから。なかなかハンサムな男だね」

「それを聞いたら、彼もさぞ喜ぶことだろう」

男はおもしろがっているように見えた。

「なにしろ、イソベくんはきみにひと目惚れしたらしいからね。いまや目黒西署刑事課の話題の的だ」

「それは光栄だな」

医師はそう答えると、何かに気づいたように目を光らせた。

「すると、きみは日高を尾行していたのか」

「そうだ。十月中旬に、日高が学芸大学駅前のハンバーガーショップで目撃されたという情報が入ってね。ぼくにはすぐにわかった。日高は由紀子に狙いをつけて、あとをつけていたんだ。そして、ぼくと由紀子が会っているところを見たに違いない。日高が本物のハサミ男であろうがなかろうが、ほうってはおけなかった。だから、今日、日高に会うつもりだったのさ」

そこまでしゃべって、男は顔をくもらせた。

「おかしいな。日高がハサミ男ではなく、もう一丁のハサミも捨てていないとしたら、なぜそんな目撃証言が見つかったんだ？　これもきみの言う偶然かね」

「さあね。でも、その後のきみの行動はわかるよ。きみがこのアパートまでやってくると、日高はちょうど出かけるところだった。きみは車で尾行した。すると、なんたることか、日高は第一発見者のうら若き女性を強引に車に乗せ、自分の部屋に連れ込んだではないか」

医師はいかにもおかしそうに笑い出した。

「きみはチャンスだと思ったんだろう。犯行の現場を押さえ、日高がハサミ男であることを証明するチャンスだとね。だからこそ、すぐに踏み込まずに、しばらく待ってから、ドアチャイムを鳴らした。ドアが開いて、ぼくらが平然と立ってるのを見たとき、びっくりした顔つきになったのも無理はない。きみはぼくらが殺されているか、少なくとも強姦されていることを期待していたんだから。きみもずいぶん人が悪いね！」

「なんとでも言えばいいさ」

男は唇を歪めて、そう言った。

「日高ときみを取り違えていたとはいえ、現場を押さえることには成功したよ。ハサミ男が殺人を犯した現場をね」

銃口を日高の死体のほうに振ってみせて、

「ぼくはハサミ男を逮捕することができたわけだ」

「たいした手柄だ。プロファイラー、得意の心理分析でみごとに殺人鬼を逮捕。タブロイド紙の見出しが目に浮かぶよ。きみは時の人になれるな。著書を出すときは印税を少しはよこせよ」

医師はからかうような目つきになって、

「だが、ぼくらは確かにふたりの少女を殺したが、樽宮由紀子は殺していない、真犯人はきみだ、と取り調べで言ったら、どうする？」

「シリアル・キラーにありがちな妄想だと説明するね」

男は冷静に答えた。

「証明できるかな。言っておくが、ぼくがこうして外にあらわれるのはまれなことでね。普段はしゃしゃり出てきたりしないよ。現実は嫌いなんだ」

「隠すことはできないよ。たいていは面談すればわかる。それでもわからないときは、薬物を使えばいい」

「スコポラミンか？」

「きみは博識だけど、医学知識は少々古びてるね」

男は皮肉な笑みを浮かべて、

「いまはもっといい薬があるよ」

「なるほどね。まあ、それもしかたがないことだ」

医師は天井を見上げて、ささやくように言った。

「樽宮由紀子は殺してないにせよ、ぼくらがふたりの少女を殺したことは事実だ。罪はつぐなわれなければならない」

「安心しろ。きみは死刑にもならないし、刑務所に入ることもないよ。ぼくがちゃんと証言してあげる。きみは病気なんだってね」

男はひどくやさしい声を出した。わたしは背筋が寒くなった。

「きみはとてもユニークな快楽殺人者だ。ＦＢＩが蓄積した膨大な事例のなかにも、きみみたいな症状を示すシリアル・キラーはいない。じつに貴重な症例だ。格好のサンプルになる」

「ぼくらが死んだら、脳をＦＢＩの犯罪心理研究所に献体しよう。どこにサインすればいいかな」

「ぜひとも、生きているうちに研究させてもらいたいね。いい病院を紹介してあげるよ」

「一生、病院に閉じ込められて、きみの研究材料になるわけか。まあ、それもよかろう。ぼくは真犯人を探し出したかっただけで、きみが罪に問われようが問われまいが、べつにどうでもいいんだ」

医師はわざとらしく、ため息をついてみせた。

「それに、人生はなるようにしかならない」

医師はようやく口をつぐんだ。

わたしはやっと男と話すことができた。

「最後にひとつだけ質問してもいいかな」

と、わたしは男に訊いた。

「なんだ」

「なぜ、樽宮由紀子を殺したんだ」

男はしばらく黙り込んだ。やがて苦しそうな表情になって、

「由紀子が妊娠していなかったからだ」

絞りだすような声で言った。

「普通、逆じゃないのか。子供ができたから、女を殺すというなら話はわかるが」

わたしは首をかしげた。

「女子高生を妊娠させたら、困るのはあなただろう。警察官だったら、なおさらだ」

「そうだな。警察を辞めなければならないだろう。ぼくはそれでもいいと思っていた」

男はどこか遠くを見つめるような目をして、語りはじめた。

「ぼくが由紀子と出会ったのは、半年前のことだった。場所は美術館だった。由紀子は髪をバンドで止め、スカイブルーのブラウスを着て、じっと絵に見入っていた。とても美しい女の子だ、と思った。いまでも、そのときの彼女の姿をはっきりと思い出せるよ」

わたしも同じ服装の樽宮由紀子を見かけたことがあった。『不思議の国のアリス』スタイル。ああいう服はけっこう男性に受けるんだな、と頭の片隅で思った。

「ぼくは由紀子に声をかけた。べつに変な下心があったわけじゃない。なにしろ相手はふたまわり近くも年下なんだ。ただ、ぼくも佐伯祐三《さえきゆうぞう》が好きだったから、話をしてみたいと思っただけだ」

サエキユーゾーとは誰だろう。だが、男の話をさえぎるのは思いとどまった。

「ぼくと由紀子は美術館のカフェテラスで会話を楽しみ、別れるときには次に会う約束をしていた。その後、ぼくらは何度かデートを重ね、やがて愛しあうようになった。少なくとも、ぼくのほうはそう思いこんでいた」

ほら、悲しい話が始まるぞ、と医師が小声でささやいた。

「二ヵ月ほど前だったか、由紀子が突然、妊娠した、とぼくに告げた。さびしそうな顔をして、中絶しなくちゃいけないでしょう、と言うんだ。正直いって、ぼくは悩んだよ。女子高生とつきあって、妊娠させたとあっては、ぼくのキャリアもだいなしだからね。でも、ぼくは由紀子を心の底から愛していたし、そのころには妻との仲も冷えきって、別居状態になっていた。何日か考え抜いたあげく、ぼくは由紀子にぼくの子供を生んでもらおうと決心した。警察を辞めることになってもかまわない。妻とも離婚しよう。そして、由紀子が高校を卒業するのを待って、結婚し、新しい生活を始めよう。そんな決心をしたんだ」

男は暗い顔つきになった。

「ぼくは由紀子と待ちあわせ、ハンバーガーショップでそんな話をした。きみが目撃したという光景だよ。ぼくは自分の思いを伝え、結婚しよう、と由紀子に言った。すると、由紀子は笑い出した」

わたしはファストフード店で見た樽宮由紀子の笑顔を思い出した。いかにも楽しそうに声をあげて笑う彼女を見たのは、最初で最後だった。

「そして、こう言った。妊娠したなんて嘘よ。警視庁の偉い人がどのくらいお金を出せるものか知りたかったから、試してみただけ。それに、悪いけど、あなたと結婚するつもりはないわ」

男の声に深い憎しみがにじみ出していた。

「ぼくをあざけるわけでも、からかうわけでもなく、ごくあたりまえのことのように、そう言いやがった」

「たぶん本当に試しただけなんだろう。金が欲しかったわけでもないと思うが」

わたしの言葉は男の耳に届かなかったようだ。

「そんな冷たく突きはなした言い方をされても、ぼくはまだ由紀子を愛していた。だが、由紀子は別れぎわに、もう会うのはやめましょう、とぼくに告げた。ぼくは禁を破って、彼女の家にも電話をしたが、由紀子の態度は冷淡だった」

男は大きく首を振って、

「そのうち、ぼくの愛は憎しみに変わり、殺意に変わったのさ」

たぶん樽宮由紀子の他の彼氏たちも、多かれ少なかれ、この男と似たような目にあったのだろう。

彼らは自分勝手な空想に耽り、樽宮由紀子を理解したと思い込んでいた。そして、手ひどいしっぺ返しをくらった。

おそらく樽宮由紀子に悪意はなかっただろう。善意もないが、悪意もない。愛してもいないが、憎んでもいない。ただ、たんに男たちに対して実験を試みていただけだ。亜矢子が言ったとおり。

しかし、この男は他の男たちのようにいさぎよく身を引くことをせず、自分の空想を暴走させて、樽宮由紀子を殺したのだ。

わたしは男の目を見て、静かに言った。

「たかがそんなことで人を殺すなんて、あなたは頭がおかしいんじゃないのか」

男は一瞬、あっけにとられたようにわたしを見つめた。

だが、すぐに表情が一変した。おだやかそうな容貌が憤怒に赤く染まっていた。男はわたしに歩みよると、いきなり銃把《じゅうは》で頬を殴りつけた。容赦ない殴り方だった。わたしは壁まで飛ばされ、床にくずれ落ちた。口のなかが血の味で苦く、ざらざらしていた。奥歯が何本か折れたに違いない。男は倒れたわたしに近づくと、靴の先で胸元を思いきり蹴りつけた。

「おまえこそ気が狂った殺人鬼だろうが！」

そう叫びながら、男は何度もわたしを蹴った。肋骨が折れる鈍い音がして、息が詰まった。

「わかってるのか？　おまえはふたりも女子高生を殺してるんだぞ！　そして罪もない男もな！」

男はわたしの髪をつかみ、床の上を引きずりまわした。頭の皮が剝がれそうになった。

「おまえのやったことを見ろ！」

男はわたしを日高の死体の膝に投げ出した。わたしはちょうど日高に膝枕される格好で、床に横たわった。

セーターに血がつかなければいいが、とわたしはぼんやり思った。

「おまえはたったいま、この男を殺したんだ。こんな無残な殺し方に、いったいどんな立派な理由があるって言うんだ！」

理由などない、と正直に答えようと思ったが、痛くて声が出なかった。

「見ろ！　この包丁でずたずたに切り刻んだんだ」

男は日高の下腹から包丁を引き抜き、血まみれの刃をわたしに見せつけた。

「こんなことをするやつが、偉そうな口をきくな！」

右手に拳銃、左手に包丁を持ったまま、男はわたしの腹を蹴りあげた。わたしはうめき、唇から血のまじった唾を飛ばした。

そのときだ。

玄関のドアを激しく叩く音がした。

26

今朝の新聞の星占いを読んでくればよかった。わたしの星座の欄にはきっと、今日は思わぬ来客が多いでしょう、と書かれてあったに違いない。

ドアを叩く音に驚いて、男は振り返った。

「開けろ！　早く開けるんだ！」

そんな声がドアの向こうから聞こえてきた。また、こぶしでドアを叩く音がした。

男は両手に拳銃と包丁を持ったまま、あわててキッチンから飛び出していった。

やがて、男が呆然とつぶやく声が聞こえてきた。

「なぜ彼がここに……」

「開けないとぶち破るぞ！」

ドアの向こうの誰かが怒声をあげた。

いったい誰だろう、とわたしは苦痛に耐えながら思った。わたしを助けに来た騎兵隊か、USＵＳ海兵隊か。

それとも白馬に乗った王子様だろうか。

男は覚悟を決めたらしい。鍵を回し、ドアを開く音がした。

「やあイソベくん、どうしたのかな」

男は誰かに話しかけているようだった。イソベ？　どこかで聞いたことのある名前だ。

「いったい、どうしてここに……」

男はなおも言ったが、返事はなかった。その代わりに、廊下を走る靴音が鳴り響いた。

キッチンに飛び込んできた青年の顔を見て、わたしはやっと思い出した。事情聴取にやってきた若い刑事だ。

イソベは日高の死体と、その膝の上に横たわるわたしを発見して、凍りついたように立ちつくした。刑事のくせに死体を見慣れていないのか、顔色がひどく青かった。

だが、なんとか自分を取りもどしたらしく、わたしにかがみこんで、

「だいじょうぶですか！」

と声をかけた。

だいじょうぶなわけないだろう、という声は出なかったので、わたしはしかめ面を浮かべてみせた。

「きみたちに知らせておかなかったのは悪いと思うよ。でも、あることがひらめいてね。その考えをぜひとも自分自身で確かめたかったんだ。思ったとおりだったよ。じつにすばらしい成果が……」

男はイソベの背中に話しかけながら、キッチンに戻ってきた。まだ包丁と拳銃を持ってい

る。

イソベはふたたび顔をこわばらせると、立ちあがって、上着の下から拳銃を抜いた。男に銃口を向けた。

「包丁と銃を捨ててください」

「なんのつもりだね。冗談はよせよ」

男は笑顔を見せようとしたが、失敗した。

「早く捨ててください、ホリノウチさん」

この男はホリノウチという名前らしい。

「これにはいろいろ事情があるんだ。いま説明するよ」

「早く捨てるんだ！」

イソベがそう叫ぶと、ホリノウチの顔色が変わった。

ホリノウチは包丁をテーブルに投げすてた。

だが、拳銃は右手に持ったままだった。

「警視正に向かって、その言い方はなんだ、イソベ巡査」

できるだけ威厳を保とうと苦心しながら、ホリノウチはゆっくりイソベのほうに近づいた。

「だめですよ、ホリノウチさん」

イソベは両手で拳銃をかまえたまま、そう言った。

両足がかすかに震えているのがわかった。たぶんホリノウチも気づいているだろう。

こんな頼りないやつで、だいじょうぶかな、とわたしは心配になってきた。イソベは人を撃つどころか、拳銃を持って現場に出たのも初めてではないかと思われた。右手にだらりと拳銃を下げたホリノウチのほうが、ずっと堂に入っている。

実際、イソベは気《け》おされて、じりじりと後ずさりしていた。

「もうすべてわかってるんです」

と、イソベが言った。声が震えていないのは感心だった。

「何がわかってるって？」

「あなたが奥さんと別居状態にあり、現在は目黒区鷹番近くのマンションにひとりで住んでいること。そして、この事件の被害者と何度も密会していて、非常に親密な関係にあったこと」

ホリノウチが目を大きく見開いた。

「目撃証言がたくさん集まっています。言い逃れはできない」

イソベはホリノウチの目をじっと見すえて、

「なぜ、最初から自分は被害者の知人だと言わなかったんですか。なぜ、そのことを秘密にしようとしたんですか」

「それは……」

ホリノウチが口ごもると、イソベはたたみかけるように、

「それは、あなたが彼女を殺したからだ。彼女を殺し、ハサミ男の犯行に見せかけようとした。なにしろ、ハサミ男のしわざかどうか判断するのはあなた自身だから、捜査を誤った方向に導くのは簡単だった」

ホリノウチは両目を見開いたまま、立ちつくしていた。

わたしはその右手の拳銃を見つめていた。

このままだと、ホリノウチとともにわたしも逮捕される。どうせ捕まるなら、その前に拳銃自殺を試してみるのも、悪くない。

ふたりが互いに注意を向けているすきに、痛みをこらえ、ゆっくり上半身を起こした。

「いや、待て。きみは勘違いしてる。この犯行は……」

ホリノウチはなおも言いわけする気らしかった。熱弁をふるおうとしたため、右手が上がった。

いまだ。

わたしは頬や胸に襲いかかる苦痛を無視して、ホリノウチに飛びかかった。

「おい、よせ！」

イソベが大声を出した。

ホリノウチの右手の拳銃をつかみ、銃口を自分の胸元に向けた。ホリノウチは必死になって、わたしの手を銃からもぎ離そうとしたが、すでに遅かった。

わたしはホリノウチに向かって、にっこりほほえんだ。

なぜだか知らないが、ホリノウチの顔が恐怖に歪んだ。

ホリノウチの人差指ごと、引き金を押した。

轟音が響き、わたしは床にほうり出された。

拳銃なら即死するかと思ったのだが、期待はずれだった。腹に焼けた鉄の棒を突き刺されたような激痛が走った。

「やれやれ、結局、セーターは血まみれか。残念だな」

医師がわたしの上にかがみ込んで、そう言った。白衣の腹に見る見る赤い染みがひろがっていった。医師は顔じゅうに大粒の汗を流していた。

「きみね、腹なんか撃ち抜いたって、痛いだけで即死なんかしないよ。映画なんかで、よく銃口をこめかみにあてて自殺するシーンがあるけど、あれもうまく死ねるとはかぎらないらしい。知ってるか？　正岡子規《まさおかしき》の従弟《いとこ》の藤野古白《ふじのこはく》は拳銃自殺したんだが、前頭部に一発、後頭部に一発撃ち込んだあと、四、五日ほど生きていたらしい。明治時代の医療技術でこれだから、現代なら生還できたかもしれないね」

わたしは両手で腹を押さえながら、うるさい、と怒鳴ろうとした。だが、口からあふれてきたのは血のかたまりだった。

「まあ、運がよければ、出血多量で死ねるよ。そのほうがぼくらにとってはいいかもしれないね」

「なんてことを」

イソベは苦悶するわたしから目を上げ、拳銃をぼんやり見つめるホリノウチをにらみつけた。

「あなたはなんて人だ。十六歳の少女を殺したうえ、何があったか知らないが、ふたりの遺体発見者まで手にかけようとするなんて……信じられない」

「ちょっと待て」

イソベの言葉を聞いて、ホリノウチはやっと、我に返ったようだ。顔を上げて、イソベのほうを見ると、

「ぼくが日高を殺して、この女も殺そうとしたと言うのか？」

「この状況を見たら、それ以外、考えられないでしょう。まだ言い逃れるつもりですか、ホリノウチさん」

ホリノウチは黙ったまま、イソベをじっと見ていた。

そして、天井を見上げると、大声で笑い出した。

笑い声は永遠につづくかと思えた。ホリノウチは涙を流しながら、心底おかしそうに笑っ

た。

「ああ、そのとおりだよ」

ホリノウチは手の甲で涙をぬぐうと、

「ぼくが由紀子を殺したんだ。そして、口封じのために日高を殺し、この女も殺そうとした。この女は罪もなき善良な一市民だよ！」

そう言いはなつと、ホリノウチは拳銃の先を口に突っ込んだ。あっ、とイソベが叫ぼうとした。

「そう、あれが最善の拳銃自殺法だ」

と、医師が解説した。

「銃口を口に入れて、引き金を引く。弾丸は延髄《えんずい》を吹き飛ばし、即死することができる」

銃声。

壁に赤黒い汚物を飛びちらして、ホリノウチは前のめりに床に倒れた。

イソベがあわててわたしに駆けよるのを見ているうちに、だんだん意識が薄れていった……。

第十二章

大きな花束をかかえたまま、磯部は洗面所の鏡に映る自分の姿を確認した。署から直接来たので、支給品の地味なスーツを着ているのはしかたがない。ひげは今朝剃《そ》ってきたばかり。後ろの髪が少し逆立っていたので、軽く手櫛を入れる。これでよし。

磯部は洗面所から廊下に歩み出て、安永知夏が入院している準集中治療室へ向かった。リノリウムの廊下が、行き交う医者や看護婦の姿をおぼろに反射していた。その上を進む磯部の足どりは軽かった。うきうきして、静粛が求められる病院構内でなかったら、口笛でも吹きたい気分だ。

堀之内の自殺に終わったあの夜から、すでに一週間が経過していた。

磯部の通報で、堀之内に腹部を撃たれた知夏は救急車で運ばれ、緊急手術を受けた。手術は一時間以上に及んだ。廊下のソファで待つ磯部にとっては、数時間、いや数日にも感じられた。

執刀医が手術室から出てきて、笑顔を見せたとき、磯部は初めて自分がひどく疲れていることに気がついた。

知夏はそれから一週間、集中治療室に入っていた。ようやく今朝になって、面会謝絶が解けたのだ。

準集中治療室の入口の前に来ると、磯部は立ち止まって、ふう、と息を吐いた。唇をひきしめ、気合いを入れる。

病室は六人部屋で、知夏はいちばん奥の窓際にいる、と受付で教えられた。磯部はカーテンで仕切られたベッドの間を通り抜けていった。

頭から右目にかけて包帯を巻いた中年女性がいた。うつろな視線で右腕につながった点滴のビニール袋を見上げている若い女性がいた。太った老婆が横たわるベッドの脇に腰かけて、眼鏡をかけた少女が何やら話しかけていた。

窓から差し込む冬の日ざしを受けながら、知夏はベッドに上半身を起こし、週刊誌を読んでいた。

思ったより元気そうだ。かすかに残った左頬の青あざと、病院の寝巻の襟元からのぞく白いギブスが痛々しかったが、それ以外はすっかり健康を取り戻したように見えた。

知夏は真剣な表情で週刊誌に読み耽っていた。磯部には気づいていないようだ。

磯部は声をかけずに、彼女の姿に見入った。

首筋のあたりまでのショートヘア。眉はくっきりと濃く、鋭角的に上がっている。やさしそうな両目。上唇が少しめくれ上がった口元。ふっくらした頰。

知夏はとても美しかった。

彼女に最初に会ったのは、遺体発見現場の鷹番西公園だった。知夏は遺体の第一発見者で、藤棚の下のベンチに坐って、進藤の質問を受けていた。そのときは顔を伏せていたので、磯部はほとんど注意を引かれなかった。

二度目の出会いは、被害者の告別式。磯部が村木とともに、訪れる会葬者を観察していたとき、黒のスリーピースのスーツを着た知夏がやってきた。ハイヒールに靴ずれでも起こしたのか、足を少し引きずっていた。磯部はしばし彼女に見とれ、喪服を着た女性はどうしてきれいに見えるのだろう、と思ったことをよく覚えている。

三度目の出会いは、日高光一の事情聴取に出かけた日曜日のことだった。

午前中に日高のアパートに出向き、首尾よく外に連れ出した。路上に停めた車のなかから、進藤が駐車場に立つ日高の写真を撮った。

近くの喫茶店で話を聞いたとき、村木がもう一丁のハサミについて質問すると、日高は少し動揺したように見えた。

「あいつ、やっぱり怪しいな」日高と別れた後、村木は腕組みしてそう言った。「どうやらハサミを捨てたのは日高のようだぜ。よし、もう一人の遺体発見者にも話を聞いておこう。もしかしたら、日高がハサミを捨てるのに気づいてたかもしれない」

そこで、昼食をすませた後、磯部と村木は知夏のワンルームマンションを訪れた。

部屋のドアが開き、知夏が顔を出した光景は忘れられない。

知夏は今まで眠っていたらしく、パジャマ姿で、不機嫌そうな表情を浮かべていた。そのパジャマのいちばん上のボタンがはずれていて、胸元がのぞいていた。磯部は目のやり場に困った。

しかも、彼女はその格好のまま、二人の男性を部屋に入れようとした！　磯部はもちろん、いつも冷静な村木までが柄にもなくうろたえて、「いえ、お部屋に上がるのはちょっと……」と口走ったほどだ。

服に着がえた知夏を喫茶店に誘い、話を聞くことにした。

村木が自分から、コーヒーをおごる、と言い出したのは、たぶん知夏が若くて魅力的な女性だったからだろう。日高のコーヒー代を払うときは、見るからに渋々だったのだから。しかし、その気持ちはよくわかった。なんなら自分が彼女の分を払ってもかまわない、と磯部は思ったものだ。

もう一丁のハサミについてだけ質問すると、こちらの意図を悟られるかもしれない。知夏はテレビや雑誌に独占スクープ情報を流すタイプには見えなかったが、磯部たちがもう一丁のハサミに関心をいだいていることは気づかれないほうがいい。

そこで、まずは遺体発見時の話をもう一度聞いた。

知夏が話している間じゅう、磯部は彼女のことが気になってしかたなかった。

もちろん、きれいな女性だから、という理由は大いにあった。

彼女の魅力は、意識してつくり出したのではなく、自然とにじみ出てくるものだった。それは服装を見てもわかる。知夏はセーターにジーンズというカジュアルないでたちだった。話し方もぶっきらぼうだった。二日酔いだと言っていたから、そのせいかもしれない。だいたい、男みたいなしゃべり方をする女性は今どき珍しくもない。きっと性格も男性的なのだろう。

知夏は化粧もしていなかったし、ダイエットにも関心がないらしく、ふっくらした健康的な体つきをしていた。磯部にとっては、むしろそのほうがよかった。髪を脱色して厚化粧を施し、過剰なダイエットで鶏がらのように痩せ細った、人工的な女性はどうも好きになれなかった。

しかし、磯部が知夏の顔を見つめていたのは、魅了されていたからだけではなかった。彼女をどこかで見かけたような気がしてならなかったのだ。

どこで会ったのかな、と考えながら、知夏の証言を聞いているうちに、磯部はふと、彼女はどうして夜中にあんな人気のない路地を歩いていたのだろう、と思った。若い女性の一人歩きは危険だ。特にハサミ男のような変質者が出没する場所は。

　磯部はつい口に出して、質問してしまった。

「あんな遅い時刻に、どうして鷹番にいらしたんですか？　それも、人通りの少ない路地に」

　村木が、なぜそんな関係のない質問をするんだ、という顔で磯部を見た。

　知夏は、知人の家に行っていた、と答えた。すると、今度は知人とは誰かが気になった。夜遅くに会いに行くということは、もしかしたら恋人だろうか？

「どういう関係の方ですか？」

　またもや質問が口をついて出た。

　知夏は明らかに不愉快そうに、それはプライベートなことだから、と答えた。そのとおりだった。磯部はよけいな質問をしたことを謝った。

　村木はあきれた顔で磯部を見ていたが、すぐに職務を思い出し、知夏にもう一丁のハサミについて訊ねた。

　知夏はもう一丁のハサミに気づかなかったようだ。日高が持っていたとか、あるいは捨てるところを見たという証言は得られなかった。

　生まれて初めて変死体を見たに違いないから、無理もなかった。実際、思い出すだけでも恐ろしいらしく、知夏は顔を伏せた。村木は彼女のそんな様子を見て、あっさり引き下がった。

　そのとき、磯部はどこで知夏を見かけたのか思い出した。被害者の告別式だ。喪服を着たきれいな女性。

「あの、あなた、被害者の告別式に来てましたよね」

と、磯部は思わず訊いてしまった。知夏は、なぜそんなことを訊くのか、と不審そうだった。磯部は頰が赤らむのを感じた。

　事情聴取を終え、知夏と別れると、村木がいきなり磯部の頭を叩いた。

「馬鹿、相手が美人だからって、個人的な質問するんじゃない」

　そして、車に乗り込むなり、カメラ・ケースを持って二人を待っていた進藤に、こう言ったものだ。

「いやあ、おもしろいもの見せてもらったよ」

「何かあったんですか？」進藤が訊いた。

「こいつ」村木は磯部を顎で指して、「証人にひと目惚れしやがった！」

「本当ですか、先輩？」進藤は目を丸くした。

「嘘だよ」磯部はあわてて答えた。

「嘘じゃない。この野郎、何度も何度も彼女の顔を見て、あげくの果てに、夜道の一人歩きは危険ですよ、とか、確か前に一度お会いしたことありますね、とか言い出すんだぜ」

「確かに、あの安永さんって、きれいな人ですからねえ」進藤は考え込むような顔つきで言った。

「最後は顔を真っ赤にしてやがる。見てるこっちが恥ずかしかったぞ」

村木は目黒西署に帰る途中、ずっと磯部をからかいつづけた。さらに、刑事課に戻ると、課員全員に話した。最後には、なんと、堀之内にまでしゃべった。

以来、磯部はずっとこの話題でからかわれた。

「第一発見者のところに個人的に事情聴取に行ったりするなよ」村木がにやつきながら言った。

「若い人はうらやましいね」松元が煙草の煙を吐きながら、しみじみつぶやいた。

「事情聴取でナンパするとは、とんでもない坊やだな」下川がわざと怒った顔つきをしてみせた。

まあ、いいさ、と磯部は目の前の知夏をながめながら思った。僕が彼女に魅かれているのは事実なんだから、しかたがない。

そのとき、知夏が週刊誌から顔を上げた。

磯部を見て、にっこりほほえむと、ナースコールを押した。

すぐに看護婦がやってきた。

「看護婦さん、また花瓶が必要みたいですよ」知夏は看護婦に言った。「そのうち病院中の花瓶をここに並べなくちゃいけないかもしれないな」

見ると、窓際に花瓶が二つ置かれ、花束が活けられていた。磯部は今日三人目の面会客のようだ。

「体のほうはどうですか、安永さん」

磯部はそう言いながら、知夏のベッドに近づいた。

「ああ、おかげさまで、だいぶよくなったみたいですよ。あなたが救急車を呼んでくれたんですってね？」

知夏は快活に言った。事情聴取のときとは雰囲気が違っていた。二日酔いでないときは、こういうしゃべり方なのだろうか。

「ええ」

磯部はベッド脇の丸椅子に腰かけて、そう答えた。

「実に適切な処置でしたよ。おかげで命拾いした。腹に銃創が残るだろうと担当医は言っていたが、まあ、しかたがない」

「そうなんですか」

彼女の体に傷痕を残してしまった。磯部の心は沈んだ。

「べつにあなたが落ち込むことはない。僕……いや、あたしはさほど気にしてないから」知夏は笑って、「それに、自業自得ですからね。拳銃を持った男に飛びかかるほうが悪い」

「いや、僕にも責任があります。あのままだったら、僕のほうが堀之内に撃たれていたかもしれない。いわば、あなたは僕の命の恩人です」

「命の恩人ですか。そんなふうに言われると、照れますね」

知夏は唇の一方の端をつり上げて笑った。

「花を持ってきたんですが、よけいだったかな」磯部は窓際の花瓶を振り返って、そう言った。

「いえ、うれしいですよ。退屈な入院患者の目を慰めてくれますから。ただ、来てほしくもない連中が押しかけてくるのは困る」

知夏は手前の花瓶を指さした。

「最初に来たのは黒梅夏絵という週刊誌記者です。週刊アルカナに独占インタビューを掲載させてくれと言ってきたが、一分で追い返した。まだ、そのへんでうろうろしてるんじゃないかな。恐ろしく悪趣味な服装だから、すぐわかりますよ」

人差指の先が次の花瓶に向いた。

「次に来たのは、アルバイト先の社員の佐々塚という男。ひどく心配そうな顔つきをして、元気づけてくれたのはありがたいが、手まで握ろうとしたんで、三分で追い返した」知夏はにこやかな笑顔を浮かべて、「あいつ、あたしに気があるんですよ」

磯部は自分の気持ちを見透かされたような気がした。

「僕は何分で追い返されるのかな。五分くらいですか？」

わざと軽い口調で言った。

「いや、あなたを追い返したりはしませんよ」

知夏は週刊誌をサイドテーブルに置くと、身を乗り出してきた。

「あなたにはおうかがいしたいことがありますからね」

「なんですか」

「あの夜、なぜあなたは日高光一のアパートにやってきたんですか。そして、なぜ、あの堀之内という男が樽宮由紀子殺しの真犯人だとわかったんです？」

知夏は目を輝かせながら、そう訊ねた。

第十三章

看護婦が色ガラスの花瓶を持ってきた。磯部が買ってきた花束が窓際を飾った。

「名探偵の推理をぜひ聞きたいんですよ」知夏は磯部の顔を見つめて、「ここは豪邸の書斎でもないし、事件関係者一同が集まっているわけでもないけど、話してくれませんか」

彼女もミステリを読むんだな、と磯部は思った。共通の趣味があるわけだ。

「僕は名探偵なんかじゃありませんよ」磯部は話しはじめた。「実を言うと、ぎりぎりまで堀之内が真犯人だなんて、思ってもいなかったんです。堀之内を疑い出したのは、僕じゃなくて、同僚の刑事なんです」

「あの村木とかいう人かな。彼は頭が切れそうだった」

「いえ、みんなが少しずつ怪しみはじめたんです。最初に気づいたのは、僕の上司の上井田警部でした」

「最初から堀之内が怪しいと思ったわけではありませんよ」

上井田警部がコップを手に持って、そう言った。

目黒区女子高生殺害事件が結末を迎えた後、目黒西署近くの居酒屋で、ささやかな慰労会が開かれた。上井田警部以下、村木、松元、下川、磯部、進藤と、刑事課全員が顔をそろえた。

「ただ、彼が第一回の捜査会議で話したとき、おかしいな、と思っただけです」

「何に気づいたんですか」磯部は訊いた。

「彼はいきなり『この事件がハサミ男の犯行である可能性は七十五パーセントだ』と断言しましたね。私は内心首をかしげました。どうしてそんな断定ができるのだろう？　堀之内はその日に目黒西署に出向になったばかりです。今日やってきて、現場も見ず、捜査会議の前に報告書を読んだだけで、なぜいきなり七十五パーセントなどという判断ができるのか。占い師ではないのですから、直感でわかったとは言えないでしょう」

「そう、堀之内は『捜査一課長は自分を易者と勘違いしている』とぼやいていた」村木が口をはさんだ。「黙って坐ればぴたりと当たる、とはいかないとね。その奴が、なぜかこの事件に関しては、調べもしないうちからハサミ男の犯行と決めつけようとした」

「さらにおかしいと思ったのは、自分は目黒西署の仮オフィスにこもって分析を進める、実際の捜査は磯部くんに任せたい、と言い出したときです」

　上井田警部はコップの烏龍茶《ウーロン》をすすった。警部は酒も煙草もたしなまなかった。

「自分の目で現場を見たり、証人に会ったりせずに、机上で犯人を見つけ出すなんて、そんな馬鹿な話はありません。捜査の基本は現場でしょう。事情聴取だって、話の内容だけが重要なのではない。相手がどんな表情をしていたか、どんなしゃべり方だったかを知らなければ、証言の真意はつかめません。プロファイラーだから現場に行かなくてもいいということはないはずです」

　プロファイラーの仕事は、犯人が現場やその周辺に残した痕跡をつなぎ合わせることだ、と堀之内自身が言っていた。そんな曖昧な痕跡をつかむには、自分の目と耳で現場を調べる必要があるはずだった。

「しかも、彼は捜査会議の席で、ハサミ男の第一の被害者の発見現場に行った、としゃべっていました。それなのに、なぜ今回の事件では、目黒西署の外に出たがらないのか。私は納得がいかなかった。だから、磯部くんに加えて、刑事課の人間をもう一人つけるよう主張したんです。堀之内の言う捜査とはどのようなものか、確かめるためにね」

「捜査なんて呼べる代物《しろもの》じゃなかった」下川が吐き捨てるように言った。「被害者が通ってた高校のまわりを歩いてこいなんて捜査があるもんか。磯部ならだまされるかもしれないが、俺たちの目はごまかせないよ」

「なるほどね」知夏が顎に手をやって、「上井田警部というのは、なかなか切れ者ですね」

「ええ、すばらしい人ですよ。そういうわけで、僕は刑事課の人間と一緒に、堀之内の命じる捜査に出かけることになりました。その前に、同僚の松元さんが堀之内に被害者についての捜査情報を伝えました」


「堀之内って人はすごいと思ったね」

炉端焼の煙で黒ずんだ居酒屋の天井をさらに紫煙でいぶしながら、松元が話しはじめた。

「私が書いた被害者に関する報告書を、すべて暗記しているようだった。こうでなくちゃ犯罪心理分析官なんて勤まらないんだろうな、と感心してたんだよ。最初はね」

松元はうまそうに熱燗の盃《さかずき》を飲み干すと、

「だが、磯部が『被害者はなぜ夜遅く帰ったのか』と訊いたときだ。私が『部活動で遅くなったんだ』と答えると、堀之内は間髪入れずに『弓道部の練習で遅くなった』と口をはさんだ。これにはびっくりしたよ。なぜって、そんなことは私も知らなかったからだ。私が知らないのに、報告書に書いてあるわけがない。念のために、刑事課室に戻った後、報告書に目を通してみたが、やはり書いてなかった。報告書に書いてないことを、なぜ堀之内は知っているんだろう？」

「奴は被害者をよく知っていたんだ」村木がコップをきつく握りしめた。「弓道部に入っていることも、寝物語か何かで聞いてたんだろう。だから、報告書に書いてあると錯覚したのさ」

「そうだ」松元がうなずいて、「私もそのとき、もしかしたら堀之内は被害者と知り合いだったんじゃないか、と思ったね」

「それで、あなたがたは堀之内を疑いはじめたわけですか」知夏が訊ねた。

「いや、ここまではまだ、上井田警部と松元さんがひそかに疑念を抱いていただけでした。刑事課全体には広がっていなかった。刑事課独自で堀之内を調べることになったのは、村木さんがきっかけでした」

「俺は磯部と被害者の告別式に行ったから、堀之内の命じる捜査がでたらめなことはわかっていた」

村木はそう言って、法被《はっぴ》姿の店員に焼酎のお湯割りをもう一杯頼んだ。

「だから、おかしいとは思っていたんだ。決定的な疑いを持ったのは、堀之内がプロファイリング報告書を出した日だった」

店員が持ってきたコップをつかみ、一口あおると、

「あの夜、俺は堀之内のプロファイリング報告書の欠点に気づき、腹が立ったんで、奴にもう一丁のハサミについて問いただそうと思い立った。覚えてるよな、磯部？」

「ええ。僕に電話をかけさせたんでしたね」磯部は答えた。

「俺は電話で堀之内と話した。すると、堀之内はもう一丁のハサミにひどく関心を持っていて、これから署まで行くと言い出した。あのひどい雨の中を、だ」

そう、あの夜は季節はずれの豪雨だった。テレビでは夜中じゅう大雨情報を流していた。

「堀之内は三十分であらわれた。三十分だぜ？」

村木はコップを振りかざし、

「あんなひどい雨が降る中、郊外の自宅からどうやって三十分で来られるんだ？　しかも、奴は磯部が電話をかけるまで寝ていたんだぜ。服を着がえて、顔くらい洗ったなら、十分や十五分はかかるだろう。すると、正味二十分だ。アクセルをべた踏みにして、時速三百キロで飛ばしてきたとでも言うのか？」

「そんなことをしたら、事故を起こしてるさ」松元が言った。「首都高速では雨のせいで玉突き事故が発生していた」

「そうだ。それに奴は自動車では来なかった。コートもズボンもびしょ濡れだったからな。駐車場から署に入るだけで、あんなに濡れるわけがない」村木はテーブルに身を乗り出した。「奴は目黒西署まで歩いてきたんだ」

「よっぽどもう一丁のハサミのことに気をとられてたんだろうな」下川が笑った。「いつもはちゃんと通勤時間を計算して、車でやってきてたってのに」

「奴は目黒西署に歩いてやってきた。大雨の中、正味二十分で」村木は繰り返した。「奴はこの近くに住んでいる。目黒西署の近く、そして犯行現場の近くにな。翌日、磯部から堀之内の電話番号を手に入れたら、携帯電話の番号だった。これからぐっすり眠ろうってときに、どうして携帯の電源を切らずに、枕元に置いておかなくちゃならないんだ。俺はますます怪しんだ。それで調べてみたら、思ったとおりだったよ。堀之内は鷹番のすぐ近くのマンションに住んでいた。奥さんとは別居中だ」

「近所の住民だってのに、署から出歩くのは嫌がる。現場の状況もほかの刑事から聞く」下川が言った。「おかしいじゃねえか」

「おかしすぎるよ。俺は上井田警部や松元さんにこのことを話した。そして、二人も堀之内に疑念を持っていることを知った」

村木はテーブルについた全員の顔を見渡して、

「そこで、俺は堀之内のことを調べようと決心した」

「そんなことができるんですか」知夏が首をかしげた。「所轄署の刑事が勝手に捜査したりはできないでしょう」

「そうです。詳しいんですね」磯部は感心して言った。

「何かの本で読みました」

「読書家なんですね」

　事情聴取に行ったとき、知夏の部屋の奥に本棚が見えた。壁一面に書架が組まれて、ぎっしり書物が並んでいた。磯部も本好きだが、蔵書量ではまるでかなわない。

「話の続きを」知夏が促した。

「あ、はい」磯部はどこまで話したか思い出し、「おっしゃるとおり、捜査本部の方針をはずれて、所轄の人間が勝手に捜査することはできません。でも、うまい抜け穴があったんです。つまり、僕が捜査本部ではなく、堀之内の命令で自由に動けることです」

「俺は堀之内に疑いを抱いていたが、真犯人だとまでは思っていなかった。たぶん、被害者と親密な関係にあることを内緒にしておきたかったんだろう、と想像していた。奴の言うとおり、日高光一ことハサミ男が殺したと考えるほうが自然だからな」

　村木は腕組みをして、考え込んだ。

「だが、署に閉じこもって、捜査に支障をきたしてまで隠そうとするのは、おかしすぎた。そこで、俺は両面作戦をとることにした。つまり、磯部と一緒に聞き込みに回るとき、日高と堀之内の両方を調べようってわけだ」

「それには顔写真が必要だ」松元が肉じゃがをつつきながら言った。「顔写真がなくちゃ、目撃者を見つけられないからね」

「まさか、ポートレートを一枚ください、と頼むわけにもいかない」村木は笑って、「そこで、日高のついでに、進藤に堀之内の写真も撮ってもらうことにした」

「安永さんの事情聴取から戻ってきたときですね」磯部は言った。

「そうだ。俺がうまく話を持っていくから、試し撮りするみたいな感じで堀之内の写真を撮れ、と進藤に言った」

村木は進藤をからかうような視線で見て、

「ところが、こいつ緊張して、ガチガチになりやがった」

「すみません」進藤は頭をかいた。「警視正の顔を隠し撮りしろと言われたから、つい……」

「おかげで、俺はしたくもないVサインまでする始末だ」村木は進藤をにらみつけたが、目は笑っていた。「だが、写真の出来は最高だったから、許してやる」

「ありがとうございます」進藤はおどけて頭を下げた。

「そして、翌日から俺たちは聞き込みに出かけたわけだ。日高と堀之内の写真を持ってね」

「すると、あなたがたは堀之内の命令という名目で、堀之内自身を調べていたわけか！」

知夏はくすくす笑った。

「こいつは傑作だな」

「そうです。でも、このことは僕には一切知らされなかったんです。僕は刑事課の中で、最も堀之内に近いところにいましたからね。彼に気づかれないようにという配慮からでした。僕はずっと、みんなが日高光一だけを調べていると思い込んでいました」


「おまえだけ仲間はずれにして、悪かったと思うよ」村木は磯部に謝った。「だが、所轄の平刑事が警視正を疑おうというんだ。途中でばれたら、とんでもないことになる。堀之内は全力をあげて俺たちを潰しに来るだろう。この捜査は絶対秘密にしなくちゃいけなかった」

「いいんですよ」磯部は笑って手を振った。「おかげで堀之内には知られなかった。事件も無事解決できた。それでいいじゃないですか」

「いや、おまえを信頼して、最初から話しておくべきだったよ。そうしたら、俺もあんな失敗はしなかった」

　下川がいつになく真面目な表情で言った。

「日高が殺され、安永というお嬢さんが怪我をしたのは、俺のせいかもしれない」

「そんなことはない」村木が慰めるように言った。「長さんが口をすべらせなかったとしても、いずれ堀之内は日高の口を封じに行ったさ。あんな残酷な殺し方ができる奴なんだぜ」

「あのときは、しくじったと思ったよ」

下川は磯部の顔を見て、

「おまえと学芸大学駅前に聞き込みに行ったときだ。日高の目撃証言は一つも得られなかった。だが、堀之内のほうは有力な証言が見つかった。駅前のハンバーガー屋の店員が、堀之内が深刻な顔で被害者と話しているのを見たと言うんだ。堀之内と被害者との接点が初めて出てきたものだから、俺は年甲斐もなく舞い上がった。それでおまえに、有力な証言があった、なんて漏らしてしまったんだ。おまえが裏の事情を知らないことを、うっかり忘れていたんだよ」

学芸大学駅前のそば屋で下川が言った有力な目撃証言とは、日高ではなく、堀之内に関するものだったのだ。磯部はそれを誤解して、ついに日高を目撃した人間があらわれたと思い込んだ。

実際には、日高の目撃証言は何一つ得られなかった。もし刑事課全員が考えているとおり、彼がハサミ男だったとしたら、恐ろしく用心深く行動していたに違いない。

「俺は話している途中で気がついて、なんとかごまかそうと思った」下川は続けた。「ところが、おまえは興奮して、署に帰るなり、堀之内に報告しに行った。俺は困り果てたよ。それでしかたなく、ハンバーガー屋で日高が目撃されたという話をでっちあげたんだ。それが堀之内にはショックだったらしい」

「そう、自分と被害者が会っているところを日高に見られたかもしれない、と堀之内は考えた」村木がため息をついた。「それで、日高に会いに行き、殺したわけだ。だが、長さんのせいじゃない。不可抗力だよ」

「日高はともかく、あのお嬢さんにはすまないことをした」下川は歯嚙みして、「抵抗できない女性を殴る蹴るするなんて、とんでもない野郎だ」

「俺は後で長さんからこのことを聞いて、これ以上おまえに隠しておくのはまずいと思いはじめた」村木は磯部のほうを向いて、「だから、堀之内に関する証言が十分集まったら、打ち明けるつもりだったんだよ」

「それがあの日だったんです」と、磯部は言った。「あなたが日高にアパートへ連れていかれた日です」

「あなたがたが堀之内の捜査を始めてから、まだ六日ほどしかたっていませんね。そんな短期間で十分な証言が集まったんですか」

「集まりました。なぜだかわかりませんが、堀之内は被害者と交際していることをまったく隠そうとしていなかったようなんです。実際の捜査に参加したがらなかったのも当然ですね。二人が親しげに話しているところを何人もの人間が目撃していましたし、被害者の親友だった女の子に堀之内の写真を見せたら、被害者の交際相手だと答えてくれました。半年ほど前からつきあいはじめた彼氏だ、とね」

知夏はじっと磯部の話に耳をすましていた。磯部は、まるで自分が本物の名探偵になったような気分になった。

「堀之内が殺人をハサミ男の犯行に見せかけ、捜査を誤った方向に進めようとしたのも、無理はありません。通常の殺人事件の定石どおり、被害者の交友関係を調べられたら、堀之内と被害者との関係はすぐわかってしまいますからね。彼としては、どんなことがあっても事件をハサミ男の犯行にしたてあげ、被害者の交友関係を調べる必要はない、と捜査本部に思わせなければならなかったんです。この事件は無動機殺人でなければならなかった。なぜなら、犯人が被害者を殺した動機を探られたら、すぐに堀之内に捜査の手が及んでしまうからです。そのために犯罪心理分析官という立場を最大限利用したわけです」

磯部は首をひねって、

「でも、どうしてあんなに堂々と密会していたのかが、不思議なんです。妻子ある警察官が女子高生と交際していることがわかれば、大問題になるはずなのに」

「たぶん、警察を辞めてもいいと思ってたんじゃないかな」知夏がつぶやくように言った。

「それだけ被害者に妄執を抱いていたんですよ。だからこそ、殺意まで抱くようになった」

「そうかもしれませんね。とにかく、堀之内と被害者が親密な関係にあったことは明らかでした。つい最近、犯行現場の鷹番西公園で堀之内を見かけたという目撃者もいました。堀之内への疑惑はますます深まったんです」

「夜中、堀之内が鷹番西公園から出てくるところを見かけたという証言があった」松元は焼鳥をかじりながら言った。「署にこもって分析しているはずの奴が現場を見に行ったわけだ。それも昼間に堂々と行けばいいのに、夜中に一人きりで、ね」

「たぶんもう一丁のハサミが発見された茂みの位置を確認しに行ったんだろう」村木が解釈を加えた。「日高が本当にハサミを捨てたかどうかを確かめたくて、夜中、自分のマンションから出かけていったんだな」

「その証言を聞いて、私は堀之内が怪しいと決定的に思うようになった」松元は磯部のほうを向いて、「だから、磯部にも証言の内容を伝えたんだ。そろそろ打ち明ける潮時だと思ってね」

「俺もそう思っていた」村木がうなずいた。

「それがあの日、土曜日の話ですね」

知夏がわくわくした表情になって、磯部に顔を近づけてきた。磯部は思わずどきりとした。

「いよいよクライマックスだ。それで、どうなったんです?」

「松元さんと聞き込みから帰ったら、村木さんが二枚のハサミの写真を見せてくれました」

磯部は知夏の瞳から視線をそらして、

「二枚の写真の比較から得られた結論は、僕にとっては信じがたいものでした。つまり、被害者はハサミ男ではない何者かによって殺され、偽装工作を施された。そして、その死体をほかならぬハサミ男が発見した、というわけです」

知夏がかすかに目を細くしたように思えた。なぜだろう、と磯部は思った。

第十四章

「そんな馬鹿な！」

あの日、十二月六日土曜日、二丁のハサミについての村木の推理を聞いて、磯部は思わずそう叫んでしまった。

「俺もそう言いたいよ」村木が言った。「だが、こいつはあり得ることだと思う。なぜなら、真犯人はおそらく堀之内だからだ」

「なんですって？」

磯部はすっかり混乱していた。村木から事情を説明され、数々の目撃証言を教えられて、ようやく納得することができた。

「と、いうわけなんだ」村木が説明を終えて、「俺だって、ハサミ男の犯行に偽装された死体をハサミ男本人が見つけた、なんて途方もない話をいきなり思いついたわけじゃない。堀之内への疑惑が深まるうちに、なぜ奴がもう一丁のハサミをあんなに気にするのか、不思議になってきたんだ。奴自身がもう一丁のハサミを落としたのなら、むしろ無視しようとするはずだ。しかし、奴はもう一丁のハサミに深い興味を抱いていた。大雨の夜、自分が近場に住んでいることを隠すのも忘れて、急いで署までやってくるほどに。それはなぜだろう、と思ったのさ」

村木は手にした写真をひらひら振ってみせた。

「そこで、俺はもう一丁のハサミを徹底的に調べ直すことにした。その結果、このことを発見したんだ」

「すばらしい発見だよ」松元が自分の席から言った。「日高が本当にハサミ男かどうかは別にして、今回の被害者を殺したのが本物のハサミ男ではないことを示唆しているからね。堀之内はますます怪しくなったわけだ」

松元は煙草を灰皿に押しつけて消した。

「さてと、犯罪心理分析官殿に今日の捜査の報告をしに行くか。あいかわらず日高の目撃証言は見つかりませんでした、とね」

磯部は松元とともに堀之内の仮オフィスに向かった。

「でも、いくら堀之内さんが怪しいといっても、まだ状況証拠しかありませんね」

廊下を歩きながら、磯部は緊張の面もちで言った。

「決定的な物証が見つかるでしょうか」

「今の段階で追及しても、堀之内は落ちるだろうな。彼は意外にもろいと思うよ」

松元は尋問の名人らしい感想を述べた。

「自信たっぷりで、人あたりがよくて、いつも堂々としているように見えるけど、本当は小心者だと思うな。彼が真犯人だとしたら、いくら偽装工作とはいえ、つきあっていた女の子を絞め殺して、のどにハサミを突き刺したわけだ。心安らかでいられるわけがない。痛いところを突いたら、逆上して思わぬことをしゃべり出すだろう。ああいう男は逆に扱いやすいんだ」

仮オフィスに着くと、堀之内は不在だった。照明が消され、ドアに鍵がかかっていた。

「もう帰ったのかな」松元はいぶかしむ顔つきになった。

堀之内は携帯電話の電源を切っていた。東京都郊外の自宅にも電話してみたが、堀之内はいなかった。堀之内の妻は、夫は三ヵ月近く家には帰っていません、と冷淡に答えた。

「変だぜ」刑事課室で村木が眉をひそめた。「奴は一体どこに行ったんだろう」

村木は堀之内の居場所を調べに行った。すぐにあわてた様子で戻ってきた。

「堀之内はハサミ男に関する捜査に行くと言い残して、一人で出ていったらしい」村木は顔色を変えていた。「しかも、署に保管してあった自分の拳銃を持って」

「何をする気だろう」松元が訊いた。

「拳銃を持たずには会えない相手に会いに行ったんだ。ハサミ男にな」村木が下唇を嚙みしめた。「奴は何がなんでも日高を犯人にする気だぜ。日高と直接会ってみて、ハサミ男だと確信を持ったら、俺たちを出し抜いて逮捕するつもりなんだ。奴はシリアル・キラーを扱うのには慣れている。うまく誘導して、樽宮由紀子殺しまで自供させるのは簡単だろう。適当な分析を言っておけば、捜査一課長は、さすが犯罪心理分析官だ、と納得するだろうな」

「私たちには、どうもご苦労様、で終わらせるつもりか」松元は困った顔つきになって、「まずいな」

「磯部、すぐに日高のアパートに行け」村木が命じた。「堀之内が文句を言ったら、警視正殿一人では危険すぎます、と言っておけ。いいか、絶対に堀之内と日高を二人きりにするんじゃないぞ。堀之内が日高に何を言うか、耳をすましておけ」

「わかりました」磯部は笑って、「捜査は二人一組が基本でしょう、と言ってやりますよ」

「おまえも拳銃を持っていけ」村木は真剣な表情になった。「日高がハサミ男だとしたら、万一ってことがあるからな」

このときは、村木も磯部も、まさか堀之内が日高を殺しているとは、想像もしていなかった。

磯部は車で日高のアパートへ向かった。

アパートの駐車場に車を停め、日高の部屋の前まで行くと、ドアの向こうから女性の悲鳴が聞こえてきた。何か重いものが床に倒れる音が続き、また悲鳴があがった。

磯部はあわててドアに耳を押しあてた。すると、何やらわめきちらしている男の声がした。

堀之内の声だと、すぐにはわからなかった。普段の堀之内とはまったく違う、感情を剝き出しにした罵声だったからだ。逆上しているらしく、何を言っているかわからないほどだった。

そして、ふたたび女性の悲鳴。

何が起こっているかわからないまま、磯部はドアを開けようとした。鍵がかかっていた。

「開けろ！　早く開けるんだ！」

磯部はドアをこぶしで叩きながら、叫んだ。

誰かが駆けよる足音が聞こえてきた。

「開けないとぶち破るぞ！」

そう怒声をあげると、ようやくドアが開いた。

そこに立っていたのは、わけがわからない、といった顔つきの堀之内だった。

磯部は自分の目を疑った。

堀之内は右手に拳銃を下げ、左手に血に染まった包丁を握りしめていた！

部屋の奥で女性のうめき声がした。堀之内が何か話しかけてきたが、磯部は廊下に駆け上がり、奥のキッチンに向かった。

そこに知夏がいた。

そして、日高も。

日高はテーブルの脚に後ろ手に縛り上げられた格好で息絶えていた。口とのどからあふれた血が服を赤く濡らしている。磯部は思わず目をそむけたくなった。

そんな無残な死体の膝に覆いかぶさるようにして、知夏が倒れていた。殴られたらしく、右頬が赤く腫《は》れ上がり、鼻孔と口から血が流れていた。知夏は荒い息をつき、両手でわき腹のあたりを押さえて、苦痛に顔を歪めていた。

「大丈夫ですか！」

そう声をかけると、知夏は薄目を開いて、安心したような笑みを浮かべた。

堀之内が何か話しながら、背後に近づいてきた。

磯部は拳銃を抜き、堀之内に銃口を向けた。

「包丁と銃を捨ててください」

そう言うと、堀之内は、冗談はよせよ、と笑った。冗談を言っているつもりはない。この状況から見て、堀之内が日高を殺し、知夏も殺そうとしたとしか思えなかった。

「早く捨てるんだ！」

そう大声を出すと、堀之内はようやく包丁を捨てた。だが、拳銃は右手に下げたままだった。

　堀之内は拳銃を持ったまま、じりじりと近づいてきた。

　なんとか堀之内を観念させようと、刑事課で調べた事実と推理をしゃべった。だが、堀之内の足は止まらなかったし、拳銃を手放す気配もなかった。磯部は後ずさりしていた。

　磯部は射撃訓練以外に拳銃を撃ったことがなかった。人間に銃口を向けることさえ初めてだった。堀之内はＦＢＩで研修を受けているから、磯部よりも銃の扱いに慣れているはずだ。人を撃ったこともあるかもしれない。磯部は足が震えるのを感じた。

「いや、待て。君は勘違いしてる。この犯行は……」

　突然、堀之内がそう言って、銃口を上げた。

　そのとき、知夏がいきなり堀之内に飛びかかったのだ。制止する暇もなく、知夏と堀之内はもみあい、銃声が響いた。

　知夏は腹を撃たれ、ふたたび床に倒れた。傷口を押さえた両手の指の間から血があふれ、チェック模様のセーターが赤くにじんでいった。

「なんてことを」

　磯部の心に怒りがわき起こった。拳銃を握り直して、堀之内をにらみつけた。

　どうやら堀之内は、磯部の目の前で知夏を撃ってしまったことで、覚悟を決めたらしい。

　だがそれは、おとなしく逮捕される覚悟ではなく、死を選ぶ覚悟だった。

堀之内は自らの犯行をすべて告白すると、銃口を口に入れて、引き金を引いた……。

「なるほど。あなたが騎兵隊よろしく救出にあらわれた理由がやっとわかりましたよ」

知夏は何度か軽くうなずいて、そう言った。

「僕のほうからも質問していいですか」と、磯部は訊いた。

「事情聴取ですか?」

「いいえ、事情聴取には、たぶん捜査一課の人間がそのうち来ると思います。ご迷惑でしょうが、ご協力をお願いします」

「もちろん」知夏は笑って、「警察にはできるだけ協力させていただきますよ。市民の義務ですから」

「僕のは、個人的な質問です」

「どんな質問かな?」

「あの夜、日高の部屋で何があったんですか」

知夏が日高や堀之内にどんな目にあったのか、磯部は気になっていた。

「ええとね」

知夏は天井を見上げて、あの夜のことを思い出している様子だった。

「あの日、あたしの部屋に日高が突然やってきたんですよ。話があると言ってね。話ならここで聞くと言ったんですが、彼は自分の部屋に来いと言って聞かなかった。あたしを脅すようにして、車に乗せたんです」

「それはわかっています。あなたのマンションの前で目撃証言が得られましたから。その後は？」

「日高はあたしを部屋に連れ込みました。で、何かよくわからない話をしてきた。そのうちにドアチャイムが鳴って、その堀之内とかいう男がやってきたんです」

知夏は額に手をあてて、

「その後のことは、正直いって、よく覚えていないんですよ。気がついたら、あなたがいて、堀之内とにらみあっていた。そして、堀之内が銃口を上げたので、思わず飛びかかったら、腹を撃ち抜かれた。そういうことですね」

「何かひどいことをされませんでしたか。堀之内はあなたを殴りつけ、靴を履いたまま何度も蹴ったようですが」

「覚えてないんですよ。たぶん、ショックが大きすぎたんでしょうね」

知夏はほほえんだ。本当に覚えていないのか、話したくないのかはわからなかった。堀之内が日高を惨殺するところを目《ま》のあたりにしたのなら、ショックで記憶が欠落したということも十分あり得る。それに、あまり詮索すべき話題でもない。

「わかりました。嫌なことを思い出させてしまって、申しわけありません」

「もう一つ訊いてもいいですか」知夏が言った。

「なんでしょう」

「この雑誌によると」

知夏はサイドテーブルの週刊誌を取り上げた。週刊アルカナの最新号だ。

「堀之内に殺された日高光一という男がハサミ男だった、とありますが、これは本当ですか」

磯部の頭に週刊アルカナの巻頭特集の見出しが浮かんだ。殺された男性はハサミ男だったのか？

「公式見解は、日高がハサミ男だったかどうかは不明、というものです」磯部は慎重に答えた。

「あなたの個人的な意見は？」

「たぶん、日高がハサミ男だったと思っています。だが、証拠はありません」

そう、証拠はなかった。村木の提言を受けて、日高のアパートが徹底的に捜索されたが、彼がハサミ男だったという確証は得られなかった。また、捜査本部総動員で日高の目撃証言を求めたが、こちらも何一つ出なかった。現在は過去の二つの事件にさかのぼって、日高の目撃情報を求めているところだ。

とにかく今のところは、堀之内の場合とは異なり、日高を被疑者死亡のまま起訴するわけにはいかなかった。このまま真相は明らかにならない可能性が強かった。

　そこで捜査一課長は、マスコミを利用することにしたのだ。証拠がないため、警察が公式に日高をハサミ男と名指すことはできない。だが、週刊誌が推測で記事を掲載することはできる。そうすれば、少なくとも人心は安定し、世論は落ち着きを取り戻すだろう、と考えたわけだ。

　それでなくても、現職の警視正が女子高生を殺害したことが明るみに出て、警察は激しい批判を浴びていた。ハサミ男事件のほうもある程度の片をつけておきたい、と上層部が思うのも無理はなかった。

　堀之内が犯罪心理分析官だったことが、事態をさらに悪化させていた。堀之内は樽宮由紀子ののどにハサミを突き刺し、日高を包丁で惨殺したのだ。連続殺人犯を逮捕する立場にある者が、連続殺人犯そっくりの残酷な殺人を犯したのだから、マスコミが飛びつかないわけがなかった。

　日高の遺体の状況は、さまざまな尾ひれをつけて、連日マスコミをにぎわせていた。日高は首を切断されていたと誤報したタブロイド紙まであったほどだ。

　ワイドショーでは、コメンテイターが寄ってたかって、堀之内の狂気を分析した。堀之内の知人と名のる人間が、モザイクに顔を隠しながら、彼の異常性を裏づける証言を語った。研修時代の取材をするために、各テレビ局はアメリカに特派員を送り込み、ＦＢＩに門前払いを食らった。

新聞や雑誌は犯罪心理分析官制度を批判する論陣を張った。連続殺人犯と面談するうちに、犯罪心理分析官本人が精神に異常をきたす危険性があると主張された。警視庁は制度の見直しを発表せざるを得なかった。

そして、マスコミは知夏にも狙いをつけている、と磯部は思った。

恐ろしい殺人現場から生還したうら若き女性、しかも魅力的な美人ときては、マスコミが興味を示さないわけがなかった。顔写真こそまだ伏せられていたが、彼女のことは連日報道されていた。磯部が来たときも、病院の玄関前には記者やレポーターが大勢集まっていた。

知夏はマスコミが思い描くヒロインにぴったりだったのだ。

恐ろしい殺人者に殺されかけながら、必死に闘って生きのびたサイコ・スリラー小説の美しきヒロイン。作者はディーン・クーンツがいい。あるいは、昔のジョン・カーペンター映画のジェイミー・リー・カーティスの役回り。

知夏が何か話していた。磯部は空想を打ち切って、知夏の声に聞き入った。

「あなたがた目黒西署の刑事さんは、たいした手柄を立てたわけですね。警視総監賞くらいもらえますか」

「まさか」磯部は苦笑した。「上井田警部は捜査一課長に叱られましたよ。捜査本部の方針を無視して勝手な行動をとった、と言ってね。なぜ自分に堀之内が怪しいと伝えなかったのか、そうしていたら事件はもっと早く、もっと穏便に解決していたはずだ、というわけです。僕らは処分を受けないだけ、ありがたいと思わなければいけないらしいですね」

「堀之内が怪しいと伝えて、捜査一課長は信じましたかね」

「ご本人が、信じたはずだ、とおっしゃるんだから、そうなんでしょう。犯罪心理分析官の警視正殿に殺人犯の疑いがある、と所轄署の刑事が提言しても、きちんと耳を傾けられるだけの柔軟な頭の持ち主らしいですからね」

「あのブルドッグが耳を貸したわけないだろうが」

村木は憤懣《ふんまん》やる方ないという表情で、焼鳥にかじりついた。串ごと噛み砕くのではないかと思うほどの勢いだった。

「よくやったの一言もなし」松元が肩をすくめて、「まあ、そんなもんだろうとは思ってたけどね」

「結局、得をしたのは磯部だけだ」村木がにやりと笑った。

「僕が？」磯部は驚いて言った。

「美人とおつきあいするきっかけを得た」

「やめてくださいよ」

「ちゃんと見舞いには行けよ」松元は湯呑みの日本茶をすすりながら、「命の恩人だからな」

「安永って子はそんなに美人なのか?」下川がうらやましそうに言った。「俺も事情聴取に行けばよかった」

「長さんには料理好きの奥さんがいるだろうが」村木は笑って、「進藤は最初に話を聞いたから、知ってるよな。なあ、進藤?」

「え?」進藤は顔を上げて、「ああ、そうですね。きれいな人でした。それに芯も強そうだった」

何か思い出したような顔つきになって、

「僕が話を聞いたときも、変死体を初めて見たせいか、顔は真っ青で、ぶるぶる震えていたのに、話はしっかりしていましたからね。口調だけは冷静で、内容も筋道立っていて……ちょっと薄気味悪かったな」

テーブルの全員が進藤を見つめていた。視線に気がついたのか、進藤は笑顔を浮かべて、

「たぶん安永さんは動揺してたんでしょう。無理もないですね」

「よし、もう一杯飲もう」下川が提案した。「飲まずに平刑事なんかやってられるか」

「結局、僕らメグロ・ストリート・イレギュラーズが得たものは、事件解決を祝うささやかな慰労会だけだったわけです」

磯部は話をそう締めくくった。

「メグロ・ストリート・イレギュラーズ？」知夏はおもしろがる顔つきになって、「自分たちをそう呼んでいたんですか。ベイカー・ストリート・イレギュラーズのもじりですね。延《のぶ》原謙《はらけん》はどう訳していたかな」

「あなたはミステリがお好きなんですか」磯部は訊いた。

「嫌いじゃないですね。ホームズも一応は読んでいます。ホームズほどすばらしい警官はいないから」

知夏は声をあげて笑ったが、何がおかしいのか、磯部にはわからなかった。

「ゼア・イズ・ノー・ポリース・ライク・ホームズ。『おうちがいちばん』という英語の慣用句のもじりですよ」知夏が説明した。

「そうですか」

「知ってますか？　現ミャンマー、昔のビルマにシュエウダウンという作家がいたそうでしてね」

知夏は右手を軽く握って、頭の横で動かした。まるでボールペンか何かで頭をかいているようなしぐさだった。

「二十世紀初頭に、シャーロック・ホームズをビルマ語に翻案したんですよ。登場人物はビルマ人、舞台もビルマに置き換えてね。『探偵マウン・サンシャー』というタイトルです」

「マウンというのは主人公の名前ですか」

「マウンさんじゃありません。ビルマ人には名前しかないんですよ。苗字やクリスチャン・ネームが存在しない。この場合、サンシャーが名前で、マウンは尊称です。ほら、昔の国連総長にウ・タントという人がいたでしょう？　彼の場合もタントだけが名前で、ウは尊称です。だから、彼はタントさんであって、ウさんではない」

　知夏は少し考えて、

「マウン・サンシャーを無理やり日本語に訳せば、『サンシャー大兄』かな」

「そのサンシャー大兄がホームズなんですね」

「そうです。この翻案は読者に熱狂的に受け入れられ、大反響を呼んだらしい。今でも読まれているというから、たいしたものです。よほどおもしろいんでしょうね。黒岩涙香《くろいわるいこう》の『巌窟王』とか、乱歩の『緑衣の鬼』みたいなものですかね」

「ビルマのホームズか」磯部は笑った。「確かにおもしろそうですね」

「でしょう？　一度読んでみたいと思ってるんですが、ビルマ語はさっぱりわからない。あの丸っこい文字を見ると頭痛がしそうだ」知夏は苦笑した。「誰か翻訳してくれとは言いませんが、どういうふうに翻案されているのか、是非知りたいですね。ドクター・ワトスンはなんていう名前なんだろう」

　磯部は想像をめぐらせた。『まだらの紐』なんか、ビルマを舞台に翻案するのに最適かもしれない。わざわざインドから沼毒蛇を連れてこなくても、ジャングルに足を踏み入れれば、すぐに何匹でも捕まえられそうな気がする。

　磯部は知夏にそんな空想を語った。

「なるほどね」知夏は顎に手をあてて、「しかし、ジャングルにうじゃうじゃ毒蛇がいるなら、名探偵にお出まし願わなくても、警察だけで事件を解決できそうですね。きっと毒蛇の被害も多いだろうから、令嬢が毒蛇に嚙まれたことはすぐにバレるでしょう」

　ほがらかに笑って、

「もしかしたら、スーレーパゴダ・ストリート・イレギュラーズが活躍する話もあるかもしれませんよ」

　看護婦が近づいてきて、そろそろ面会は終わりに、と告げた。磯部は知夏が重傷を負った入院患者であることを思い出した。

「長話してすみません」磯部は立ち上がった。

「いえいえ、おもしろかったですよ」知夏はふたたび週刊誌を膝の上に広げた。「また来てくださいよ。入院してると退屈なんでね。雑談をする相手もいない」

「わかりました」

　磯部はほほえんで、知夏のベッドを後にした。

「花はもういりませんよ」知夏が磯部の背中に声をかけた。

　磯部は準集中治療室から廊下に出た。

クリスマスまでに退院できたら一緒に食事しませんか、とはとうとう言えなかった。だが、これから機会はまだあるさ、と磯部は思った。

27

イソベとかいう刑事はやっと帰っていった。

窓際に立っていた医師となにやら会話していたが、こみ入った、ややこしい話だったので、わたしはほとんど聞いていなかった。ただ、話のあいだ、イソベがずっとわたしの顔を見つめているのが、じつに不愉快だった。

太った女を見るのが、そんなに珍しいのだろうか。

「これで警察の見解はだいたいわかった」

イソベが持ってきた花束をながめながら、医師が言った。

「捜査一課の刑事が事情聴取に来たときは、さっきぼくが話した線で証言しておけばいいだろう。ショックのあまり、記憶が欠落しているというのが、いちばんいいと思うね。まあ、この手の策略はきみのほうが得意だと思うけど」

「なぜあいつに、また来い、だなんて言ったんだ」

周囲の患者に気づかれないように、わたしは口のなかで小さくつぶやいた。

「刑事さんと親しくなっておくのもいいかと思って。それに、退屈してるのは本当だしね」

「馬鹿は嫌いじゃなかったのか。あいつはひどい勘違いをしてるぞ。とても頭が切れるとは思えない」

わたしは皮肉を言ってやった。

「たとえ馬鹿でも、本好きで二枚目ならいいさ」

医師は声を出して笑った。だが、その笑いは中断された。

「いかん、ライオス王のお出ましだ。ぼくはあいつが苦手でね。このへんで失礼するよ」

医師は自分の部屋へ帰っていった。

すると、不思議なことに、看護婦に連れられて、病室の入口からふたたび医師がやってきた。

いや、違う。医師にそっくりだが、医師とは別人だった。いくらか白いものが混じっているとはいえ、髪はまだ黒々としているし、黒眼鏡ではなく、普通の銀縁眼鏡をかけていた。皮肉なにやにや笑いではなく、心配そうな表情を浮かべているところも、医師とは大違いだった。

知夏、あまり親に心配をかけるものじゃない、と医師そっくりの男は言った。東京でひとり暮らしなんかつづけてるから、こんなことになるんだ。意地を張らずに、そろそろ家に戻ったらどうだ。おまえが母さんのことで、まだこだわりを持っているなら……。

ええ、パパ。はい、パパ。わかってるわ、パパ。心配しないで、パパ。そんなことはないわ、パパ。それはだめよ、パパ。

誰かが医師そっくりの男に返事をしていた。暗い洞窟の奥から響いてくるような、うつろな声だった。その声はわたしのものでも、医師のものでもなかった。

医師そっくりの男はため息をつき、ほんの十分足らずで帰ってしまった。彼は誰かさんのうつろな声に耐えられないのだ。

わたしはやっとひとりになれた。

これからどうしようか、とわたしは思った。ほんの短期間ではあろうが、わたしは有名人になってしまった。見舞いと称して取材申し込みに来た黒梅だけでなく、看護婦から聞いた話では、病院の周辺に数多くの記者やレポーターが押しよせているらしい。勝手に病室に入り込もうとする人もいて、もう大変、とぼやいていた。

新聞にも雑誌にも、わたしのことが書かれていた。まだ顔写真は報道されていないらしい。だが、それも時間の問題だろう。どこかのタブロイド紙や写真週刊誌なら、無断で掲載しかねない。

しかも、わたしには刑事のボーイフレンドができてしまったらしいのだ。

どうやら、わたしはハサミ男でありつづけるわけにはいかないようだった。

わたしは永遠にハサミ男でありつづけたいと願っていた。もちろん、永遠につづくものなど、ありはしない。いつかはハサミ男であることをやめ、安永知夏という、いやな名前で呼ばれなければならないとは覚悟していた。

しかし、それはわたしが逮捕されたときか、自殺に成功したときだと考えていた。こんな状況に追い込まれるとは、夢にも思っていなかった。

これからどうすればいいのだろう。

何か確実な方法を見つけて、自殺を成功させるか。

少女殺しをつづけて、今度こそ警察に逮捕されるのか。

医師そっくりの男が言っていたように、実家に帰って、家事手伝いをすることになるのか。

岡島部長の勧めに従って、氷室川出版の正社員として、キャリアウーマンの道を歩むのか。

それとも、頼りなさそうな刑事と恋愛して、警察官の妻におさまるのだろうか。

どれもありえないことのように思えた。

だが、その一方で、どれも十分ありうる未来のようにも感じられた。

まあ、どうでもいい。医師がいつか言っていたように、人生はなるようにしかならないのだから。

「あの……」

と、声がかかった。隣の老婆を見舞いに来ていた少女が、ほほえみながら、わたしに箱を差し出していた。

「クッキー、食べませんか」

「ありがとう」

わたしはひとつつまんで、口に入れた。

「よかったら、もっとたくさん取ってください。こんなもの置いておいたら、おばあちゃん、食べちゃうかもしれないから」

隣の老婆は胃潰瘍の手術を受けていた。手術は成功したのだが、糖尿病にもかかっていたため、傷がなかなかふさがらない。重湯《おもゆ》すら食べてはいけない状態なので、高カロリー輸液で生きながらえていた。そのことを知らず、クッキーを持参した馬鹿な見舞い客がいたらしい。

首に点滴の針を刺され、得体のしれない機械に接続されたまま、何も食べずに毎日をすごすというのは、いったいどういう気分なのだろう。わたしはふと思った。

「じゃあ、遠慮なく」

わたしはクッキーをふた袋ほどつかんで、サイドテーブルに置いた。

「このクッキー、なかなかおいしいよ。きみは食べないの？」

「さんざん食べました。太っちゃいそうなほど」

少女の笑みにつられて、わたしもほほえんだ。

彼女は十五、六歳くらいで、きっと老婆の孫なのだろう。髪を後ろで結んで、赤いセーターとキルトスカートがよく似合っていた。丸顔におとなしそうな微笑を浮かべている。

とても頭のよさそうな子だった。

「きみ、名前はなんていうの？」

と、わたしは訊ねた。

参考・引用文献

○レイモンド・チャンドラー『湖中の女』（清水俊二訳、ハヤカワ・ミステリ文庫）
○アーサー・コナン・ドイル『シャーロック・ホームズの冒険』（延原謙訳、新潮文庫）
○『ハイネ散文作品集』（松籟社）
○ジェイムズ・ジョイス『ダブリン市民』（安藤一郎訳、新潮文庫）
○ジェイムズ・ジョイス『フィネガンズ・ウェイクI・II』（柳瀬尚紀訳、河出書房新社）
○『歌舞伎十八番集』（郡司正勝校注、日本古典文学大系98、岩波書店）
○『北園克衛詩集』（現代詩文庫、思潮社）
○クリストファー・マーロウ『マルタ島のユダヤ人　フォースタス博士』（小田島雄志訳、エリザベス朝演劇集I、白水社）
○『子規全集』（講談社）
○ピエール＝ルイ・マチュ『象徴派世代』（窪田般彌訳、リブロポート）
○本宮輝薫『死の衝動と不死の欲望』（青弓社）
○尾瀉州造『お葬式がやってくる!!』（情報センター出版局）
○エラリー・クイーン『ギリシア棺の謎』（井上勇訳、創元推理文庫）

○『集英社世界文学大事典』（集英社）
○鶴見済『完全自殺マニュアル』（太田出版）
○カート・ヴォネガット・ジュニア『母なる夜』（飛田茂雄訳、ハヤカワ文庫ＳＦ）
○ジーン・ウェブスター『あしながおじさん』（谷川俊太郎訳、世界文学の玉手箱①、河出書房新社）
○結城昌治『公園には誰もいない』（講談社文庫）

＊引用は変形されている場合があり、必ずしも文献の記述に忠実ではありません。
＊本作品はフィクションです。現実の事件、人物、団体等とはいっさい関係ありません。

引用楽曲

○XTC "SCISSOR MAN"（Andy Partridge）
○XTC "COMPLICATED GAME"（Andy Partridge）
○XTC "THANKS FOR CHRISTMAS"（Kasper/Melchior/Balthazar）

＊歌詞の日本語訳は著者によるものです。

解説

小谷真理
（ＳＦ＆ファンタジー評論家）

本書に最初に出会った日のことを、今でも忘れることができない。
一九九九年の七月、書店配本より一足はやく、アメリカ文学者であるわたしの連れ合いに贈呈されてきた本書は、毎日大量の郵便物を整理していたわたしの手で、その日、書棚の所定の位置へ片づけられようとしていた。著者謹呈とあるが、見知らぬ名前の作者。「ミステリ、夫宛で分類」と、わたしは即座に決めつけた。しかし、そこで気になったのがこのタイトルだ。ファンタジーが大好きで、映画『シザーハンズ』のジョニー・デップの、哀れで滑稽《こっけい》な役作りをこよなく愛するわたしにとって、このタイトルには、ちょっと感じるものがあった。ちらりと中をのぞきこみ、「藍上雄」の献辞に気づく。某大学のＳＦ研究会で刊行されている某同人誌を見たなら、その名前はしょっちゅう目にしたことがあるはずだ。

そのまま何気なく最初のほうをちょろちょろ読み始めると、これまた驚くべき世界構築力を備え、よく引き締まった、どちらかというと硬質の文章が、歯切れよく繰り出されていた。確かに切れ味がよい文体だけれども、どこかロマンティックな印象があるところも、たいそう魅力的に思った。こういう文体だけで世界を感じさせる作者と言えば、昨今ではジェイムズ・エルロイくらいしか、思いつかない。で、そのままソファに腰掛けて、一気に読んでしまったわけ。めくるめく体験だった。二度読みなおして、呆然とし、新人とは思えぬその構築力に心底驚嘆した。とはいえ、途中、何度か「あれ、この景色、見たことのあるところだ」という妙な既視感にとらわれてしまったことも、事実なんだけど。けっこう身近な人間で過去に同じ景色を共有しただれかが、この小説を書いたことは明らかだ。しかしまた、いったいだれが？　この本の存在自体が、新本格ミステリの一部分みたいだった。

じっさいその時まで、古くからの知り合いが第13回メフィスト賞に応募してみごと受賞したなんて話は聞いていない。けれど、カバー裏に紹介されたごくごく簡単な略歴から、ほどなく夫とわたしは、ある知り合いの名前をどちらからともなく口にして、うなずきあったものである——「彼だろ」「彼だね」。

そして即座に、とある人物のところへ、一本の電話をかけた。『ハサミ男』では磯部龍彦《う》のモデルになっている人物である。すぐ電話に出てきた彼は、わたしの問い合わせを承け、何とも嬉しそうにこう答えたものである――「ええそうです、彼ですよ」。

本書『ハサミ男』は、殊能将之、すなわち、のちに書簡に、Mercy Snow（恵みの雪）とサインするマスコミにあまり姿をあらわさない「覆面作家」の、記念すべき第一長篇である。

語り手の「わたし」は、サイコな殺人犯。うら若き少女をふたり殺して、ちょうどこれから三人目の殺人計画を実行中。「わたし」の犯罪が、死体をハサミで凌辱《りょうじょく》するという、かなり異常かつ残虐なものであるところから、「わたし」は、マスコミから「ハサミ男」という結構なあだ名を頂戴している。

さて、次回の被害者がめでたく決まり、そろそろ殺人にかかろうかと少女のあとをつけていたその矢先、広域連続殺人犯エ十二号、通称「ハサミ男」による第三被害者（予定）の樽宮由紀子が、別のなにものかに殺害されてしまったのだ！

なんたることか。「ハサミ男」は、殺人するつもりでお出かけし、死体の第一発見者になりさがったというわけだ。しかも、どういう関連性があるのか、犯行の手口はまるでサイコな「ハサミ男」そっくりだったのである。

なんとギャグめいた事件だろうか。その昔サイコな殺人犯に憧れて、自らも猿マネ殺人をやってしまうというパンピーで傍迷惑な殺人鬼が出てくる『コピーキャット』という映画があったが、冗談抜きで、「ハサミ男」事件の由緒正しき（？）犯人たる当の「ハサミ男」に、このパロディ殺人の冤罪《えんざい》がかけられてしまったのである。

もうふたりも殺しているのだから、この際ひとりくらい増えてもいいんじゃない、などと、大雑把《おおざっぱ》なわたしなどはつい考えてしまうのだが、「ハサミ男」にとっては、冗談ではない。ふざけた大漁ぶりをまったく喜ばず、事件を調べ始める。「ハサミ男」にとって、殺人は量より質の問題なのだ。とはいえ、「オレのまねしやがって、バカヤロー」とか「オレの殺人は芸術、こいつのは単なる盗作」と自らのオリジナリティをパクられたことに怒りを感じる、いわゆる芸術家的気質から殺人を調べ始めたわけではないらしい。

自分の起こした殺人と、似て非なる殺人との間に明確な線引きを行おうとするこの殺人犯の心理を見ていると、少女連続殺人それ自体が「ハサミ男」自身のアイデンティティに関わる問題なんだなというのがわかってくる。とはいえ、自殺を試みては必ず無惨に失敗するスラップスティックじみた「ハサミ男」の奇妙な自殺嗜好症候群《じさつしこうしょうこうぐん》や、そうはいいながらも食事をこよなくエンジョイし黙々と仕事にうちこむ妙に真面目なライフスタイル、そして自殺未遂後にかならず「ハサミ男」の前に顕《あらわ》れる別人格・医師との会話など、残虐な殺人を引き起こす「サイコ」殺人者の心の迷宮が徐々に明かされていく展開は衝撃力にあふれるもので、わたしはこの新人作家の才能に心から驚かされた。もちろん、被害者たちと「ハサミ男」の間に一部融解しかかった境界線を許しつつも、本家「ハサミ男」がニセ「ハサミ男」の犯罪に対してだけは容赦なく断固境界線を引こうとする、その身勝手な潔癖さには、思わず笑ってしまったのだけれど。

本格ミステリとしてもおもしろいが、心理小説としての複雑な作りには、なんとも言えない知的な興奮をおぼえてしまう。そのせいか、この「ハサミ男」自体が、殺人犯や犯罪者であるにもかかわらず、びっくりするほど魅力的な主人公のように見えてきて、時折現実世界に投げ出された、異質な世界観を持つエイリアンの落とし子のような気がしたものである。


以後、殊能将之の活躍は、とどまるところを知らない。

『ハサミ男』は、発売されるやいなや、またたくまにその年の『このミステリがすごい！』の年間ベストテンの第九位にランクされたが、それに引き続き、『美濃牛』（二〇〇〇年）、『黒い仏』（二〇〇一年）、『鏡の中は日曜日』（二〇〇一年）、『樒《しきみ》／榁《むろ》』（二〇〇二年）と矢継ぎ早に発表された殊能作品は、どれも極上の味わいだ。硬質な文体、知的な教養、乾いたユーモア。どれをとってもまぎれもなく、品格にあふれた傑作ばかりである。

これらの作品は、ひとつの殺人事件が文脈を変えると、いかに変わって見えてしまうかというヘンな状況を書いている点では、あいかわらずだ。また、殺人事件と直接関係のないところで、けったいな謎かけをしたり、わざとハズしたりする悪戯《いたずら》癖も、これまた変わらない。聞くところによると、日常性の盲点をつくようなアイディアを次々提示しては、ミステリマニアを振り回して、そんなところがお茶目であるとかいって愛されているらしいが、昨今のミステリ事情に疎《うと》いわたしの目からみると、殊能作品の探偵たちが、そろいもそろって名探偵のキャノンからズレているところが、目を惹く。

本書においても、探偵役は殺人犯といきなりぶっとんでしまうわけだが、『美濃牛』以降、彼の作品に登場する私立探偵の石動戯作《いするぎぎさく》は、まったくの狂言回しの役回りだ。『鏡の中は日曜日』で知的で格好良くて水際立った正しい探偵がやっと現れたと喜んでいたら、まず小説内小説の主人公であるばかりか、とんだ真相が隠されていたりするといった具合。殊能作品というのは、探偵たちがことごとく「探偵らしくなさ」を強要されたまま踊りつづけなければならない受難の舞台なんだな、とちょっぴり気の毒に思ったりもする。

奇妙なことだが、そのようなちょっとハズした作品中の探偵たちに比べて、サイコーに知的な殊能氏自身は、まるで探偵小説に出てくる名探偵みたいなのだ。

かつて〈ユリイカ〉一九九九年十二月号のミステリ・ルネッサンス特集号で、一度インタビューさせていただいていたのだが、文学批評的な切り刻みかたで迫るわたしの質問に対して、自作を解説する氏は、まるで、殊能作品という「文学的事件」に、ホームズばりの名探偵が挑戦しているような感じで、不肖《ふしょう》ワトソン（わたしのことである）は、興奮したものである。

また、ネット上の公式ウェブページで、①料理が好き、というか息抜きは料理。②野球が好き。③ワイドショーをよく見ている。といった主婦顔負けの生活ぶりが披露されている。でも、このライフスタイルを読んでいると、実はハードボイルド小説の主人公みたいなんだよね。

名探偵の持つクールで鋭角的な知は、時折近づくモノすべてを切り刻んでしまう危険性をも秘めているものだけれど、その根底には案外、純粋で繊細な何ものかが隠れている場合が少なくない。自ら探偵のかっこよさを漂わせる作者だからこそ、アイロニカルな世界の根底にある「本当の正体」の怖さと美しさを抽出《ちゅうしゅつ》できたのではないかと考えながら、わたしはもう数十回目になろうかという本書再読を終えたところである。

本書は、一九九九年八月講談社ノベルスとして刊行されたものです。

著者付記――本作品は西暦二〇〇三年の東京を舞台にしていますが、執筆したのは一九九八年後半のことでした。したがって、現在の目から見ると、実状にそぐわない個所もいくつかありますが、現実に合わせた修正はあえておこないませんでした。個人的に最も予想外だったのは、「知ってるつもり⁉」が放送終了したことでありました。

|著者| 殊能将之　1964年、福井県生まれ。名古屋大学理学部中退。1999年、『ハサミ男』で第13回メフィスト賞を受賞しデビュー。著書に『美濃牛』『黒い仏』『鏡の中は日曜日』『キマイラの新しい城』『子どもの王様』などがある。2013年２月、逝去。

ハサミ男《おとこ》

殊能将之《しゅのうまさゆき》

2002年８月15日第１刷発行
2025年７月24日第79刷発行

発行者――篠木和久
発行所――株式会社　講談社
東京都文京区音羽2-12-21　〒112-8001
電話　出版（03）5395-3510
　　　販売（03）5395-5817
　　　業務（03）5395-3615

Printed in Japan

講談社文庫
定価はカバーに
表示してあります

KODANSHA

デザイン―菊地信義
製版―――株式会社KPSプロダクツ
印刷―――株式会社KPSプロダクツ
製本―――株式会社国宝社

ISBN4-06-273522-9

講談社文庫刊行の辞

二十一世紀の到来を目睫に望みながら、われわれはいま、人類史上かつて例を見ない巨大な転換期をむかえようとしている。

世界も、日本も、激動の予兆に対する期待とおののきを内に蔵して、未知の時代に歩み入ろうとしている。このときにあたり、創業の人野間清治の「ナショナル・エデュケイター」への志を現代に甦らせようと意図して、われわれはここに古今の文芸作品はいうまでもなく、ひろく人文・社会・自然の諸科学から東西の名著を網羅する、新しい綜合文庫の発刊を決意した。

激動の転換期はまた断絶の時代である。われわれは戦後二十五年間の出版文化のありかたへの深い反省をこめて、この断絶の時代にあえて人間的な持続を求めようとする。いたずらに浮薄な商業主義のあだ花を追い求めることなく、長期にわたって良書に生命をあたえようとつとめるところにしか、今後の出版文化の真の繁栄はあり得ないと信じるからである。

同時にわれわれはこの綜合文庫の刊行を通じて、人文・社会・自然の諸科学が、結局人間の学にほかならないことを立証しようと願っている。かつて知識とは、「汝自身を知る」ことにつきていた。現代社会の瑣末な情報の氾濫のなかから、力強い知識の源泉を掘り起し、技術文明のただなかに、生きた人間の姿を復活させること。それこそわれわれの切なる希求である。

われわれは権威に盲従せず、俗流に媚びることなく、渾然一体となって日本の「草の根」をかたちづくる若く新しい世代の人々に、心をこめてこの新しい綜合文庫をおくり届けたい。それは知識の泉であるとともに感受性のふるさとであり、もっとも有機的に組織され、社会に開かれた万人のための大学をめざしている。大方の支援と協力を衷心より切望してやまない。

一九七一年七月

野間省一

真保裕一　奪取 (上)(下)
真保裕一　防壁
真保裕一　密告
真保裕一　黄金の島 (上)(下)
真保裕一　発火点
真保裕一　夢の工房
真保裕一　灰色の北壁
真保裕一　覇王の番人 (上)(下)
真保裕一　デパートへ行こう!
真保裕一　アマルフィ〈外交官シリーズ〉
真保裕一　天使の報酬〈外交官シリーズ〉
真保裕一　アンダルシア〈外交官シリーズ〉
真保裕一　ダイスをころがせ! (上)(下)
真保裕一　天魔ゆく空 (上)(下)
真保裕一　ローカル線で行こう!
真保裕一　遊園地に行こう!
真保裕一　オリンピックへ行こう!
真保裕一　連鎖〈新装版〉
真保裕一　暗闇のアリア

真保裕一　ダーク・ブルー
真保裕一　真・慶安太平記
篠田節子　弥勒
篠田節子　転生
篠田節子　竜と流木
重松清　定年ゴジラ
重松清　半パン・デイズ
重松清　流星ワゴン
重松清　ニッポンの単身赴任
重松清　愛妻日記
重松清　青春夜明け前
重松清　カシオペアの丘で (上)(下)
重松清　永遠《とわ》を旅する者〈ロストオデッセイ　千年の夢〉
重松清　かあちゃん
重松清　十字架
重松清　峠うどん物語 (上)(下)
重松清　希望ヶ丘の人びと (上)(下)
重松清　赤ヘル1975
重松清　なぎさの媚薬 (上)(下)

重松清　さすらい猫ノアの伝説
重松清　ルビィ
重松清　どんまい
重松清　旧友再会
新野剛志　美しい家
新野剛志　明日の色
殊能将之　ハサミ男
殊能将之　鏡の中は日曜日
殊能将之　殊能将之　未発表短篇集
首藤瓜於　事故係生稲昇太の多感
首藤瓜於　脳男　新装版
首藤瓜於　ブックキーパー　脳男 (上)(下)
島本理生　シルエット
島本理生　リトル・バイ・リトル
島本理生　生まれる森
島本理生　七緒のために
島本理生　夜はおしまい
小路幸也　高く遠く空へ歌ううた
小路幸也　空へ向かう花

小説 小路幸也　原案 山田洋次　平松恵美子　家族はつらいよ
小説 小路幸也　原作・脚本 山田洋次　脚本 平松恵美子　家族はつらいよ2
島田律子　私はもう逃げない〈自閉症の弟から教えられたこと〉
辛酸なめ子　女修行
柴崎友香　ドリーマーズ
柴崎友香　パノララ
翔田寛　誘拐児
白石一文　この胸に深々と突き刺さる矢を抜け(上)(下)
白石一文　我が産声を聞きに
小説現代編　石田衣良他著　10分間の官能小説集
小説現代編　勝目梓他著　10分間の官能小説集2
小説現代編　乾くるみ他著　10分間の官能小説集3
柴村仁　プシュケの涙
塩田武士　盤上のアルファ
塩田武士　盤上に散る
塩田武士　女神のタクト
塩田武士　ともにがんばりましょう
塩田武士　罪の声
塩田武士　氷の仮面

塩田武士　歪んだ波紋
塩田武士　朱色の化身
芝村涼也　孤《こ》闘《とう》の寂《せき》〈素浪人半四郎百鬼夜行(六)〉
芝村涼也　追憶の輪《かん》〈素浪人半四郎百鬼夜行(拾遺)〉
真藤順丈　畦と銃
真藤順丈　宝島(上)(下)
柴崎竜人　三軒茶屋星座館1〈冬のオリオン〉
柴崎竜人　三軒茶屋星座館2〈夏のキグナス〉
柴崎竜人　三軒茶屋星座館3〈春のカリスト〉
柴崎竜人　三軒茶屋星座館4〈秋のアンドロメダ〉
周木律　眼球堂の殺人〈～The Book～〉
周木律　双孔堂の殺人〈～Double Torus～〉
周木律　五覚堂の殺人〈～Burning Ship～〉
周木律　伽藍堂の殺人〈～Banach-Tarski Paradox～〉
周木律　教会堂の殺人〈～Game Theory～〉
周木律　鏡面堂の殺人〈～Theory of Relativity～〉
周木律　大聖堂の殺人〈～The Books～〉
周木律　楽園のアダム
下村敦史　闇に香る嘘

下村敦史　生還者
下村敦史　叛《はん》徒《と》
下村敦史　失踪者
下村敦史　緑の窓口〈樹木トラブル解決します〉
下村敦史　白医
九把刀　阿井幸作／泉京鹿 訳　あの頃、君を追いかけた
神護かずみ　ノワールをまとう女
四戸俊成　芹沢政信　神在月のこども
篠原悠希　霊獣紀〈獲《かく》麟《りん》の書(上)〉
篠原悠希　霊獣紀〈獲《かく》麟《りん》の書(下)〉
篠原悠希　霊獣紀〈蛟《こう》龍《りゅう》の書(上)〉
篠原悠希　霊獣紀〈蛟《こう》龍《りゅう》の書(下)〉
篠原悠希　霊獣紀〈鳳《ほう》雛《すう》の書(上)〉
篠原悠希　霊獣紀〈鳳《ほう》雛《すう》の書(下)〉
篠原美季　古都妖異譚〈玉手箱～シール オブ ザ ゴッデス～〉
潮谷験　スイッチ〈悪意の実験〉
潮谷験　時空犯
潮谷験　エンドロール
潮谷験　あらゆる薔薇のために

高杉　良　新装版 バンダルの塔
高杉　良　第四権力〈巨大メディアの罪〉
高杉　良　巨大外資銀行
高杉　良　最強の経営者〈アサヒビールを再生させた男〉
高杉　良　リベンジ〈巨大外資銀行〉
高杉　良　新装版 会社蘇生
竹本健治　新装版 匣《はこ》の中の失楽
竹本健治　囲碁殺人事件
竹本健治　将棋殺人事件
竹本健治　トランプ殺人事件
竹本健治　狂い壁 狂い窓
竹本健治　涙《るい》香《こう》迷《めい》宮《きゅう》
竹本健治　新装版 ウロボロスの偽書(上)(下)
竹本健治　ウロボロスの基礎論(上)(下)
竹本健治　ウロボロスの純正音律(上)(下)
高橋源一郎　日本文学盛衰史
高橋源一郎　5と3/4時間目の授業
高橋克彦　総門谷
高橋克彦　炎《ほむら》立つ 壱 北の埋み火

高橋克彦　炎立つ 弐 燃える北天
高橋克彦　炎立つ 参 空への炎
高橋克彦　炎立つ 四 冥き稲妻
高橋克彦　炎立つ 伍 光彩楽土
高橋克彦　火怨〈北の燿星アテルイ〉(上)(下)
高橋克彦　水壁〈アテルイを継ぐ男〉
高橋克彦　天を衝く(1)～(3)
高橋克彦　風の陣 一 立志篇
高橋克彦　風の陣 二 大望篇
高橋克彦　風の陣 三 天命篇
高橋克彦　風の陣 四 風雲篇
高橋克彦　風の陣 五 裂心篇
高橋克彦　写楽殺人事件〈新装版〉
高橋克彦　北斎殺人事件〈新装版〉
髙樹のぶ子　オライオン飛行
田中芳樹　創竜伝1〈超能力四兄弟《ドラゴン》〉
田中芳樹　創竜伝2〈摩天楼の四兄弟《ドラゴン》〉
田中芳樹　創竜伝3〈逆襲の四兄弟《ドラゴン》〉
田中芳樹　創竜伝4〈四兄弟《ドラゴン》脱出行〉

田中芳樹　創竜伝5〈蜃気楼都市《ミラージュ・シティ》〉
田中芳樹　創竜伝6〈染血の夢《ブラッディ・ドリーム》〉
田中芳樹　創竜伝7〈黄土のドラゴン〉
田中芳樹　創竜伝8〈仙境のドラゴン〉
田中芳樹　創竜伝9〈妖世紀のドラゴン〉
田中芳樹　創竜伝10〈大英帝国最後の日〉
田中芳樹　創竜伝11〈銀月王伝奇〉
田中芳樹　創竜伝12〈竜王風雲録〉
田中芳樹　創竜伝13〈噴火列島〉
田中芳樹　創竜伝14〈月への門〉
田中芳樹　創竜伝15〈旅立つ日まで〉
田中芳樹　魔天楼〈薬師寺涼子の怪奇事件簿〉
田中芳樹　東京ナイトメア〈薬師寺涼子の怪奇事件簿〉
田中芳樹　巴里《パリ》・妖都変〈薬師寺涼子の怪奇事件簿〉
田中芳樹　クレオパトラの葬送〈薬師寺涼子の怪奇事件簿〉
田中芳樹　黒蜘蛛島《ブラックスパイダー・アイランド》〈薬師寺涼子の怪奇事件簿〉
田中芳樹　夜光曲〈薬師寺涼子の怪奇事件簿〉
田中芳樹　魔境の女王陛下〈薬師寺涼子の怪奇事件簿〉
田中芳樹　海から何かがやってくる〈薬師寺涼子の怪奇事件簿〉

高田崇史 カンナ 天草の神兵
高田崇史 カンナ 吉野の暗闘
高田崇史 カンナ 奥州の覇者
高田崇史 カンナ 戸隠の殺皆
高田崇史 カンナ 鎌倉の血陣
高田崇史 カンナ 天満の葬列
高田崇史 カンナ 出雲の顕在
高田崇史 カンナ 京都の霊前
高田崇史 軍神の血脈〈楠木正成秘伝〉
高田崇史 神の時空《とき》 鎌倉の地龍
高田崇史 神の時空 倭《やまと》の水霊
高田崇史 神の時空 貴船の沢鬼
高田崇史 神の時空 三輪《みわ》の山祇《やまつみ》
高田崇史 神の時空 嚴島《いつくしま》の烈風
高田崇史 神の時空 伏見稲荷の轟雷
高田崇史 神の時空 五色不動の猛火
高田崇史 神の時空 京の天命
高田崇史 神の時空 前紀〈女神の功罪〉
高田崇史 鬼棲む国、出雲〈古事記異聞〉
高田崇史 オロチの郷、奥出雲〈古事記異聞〉
高田崇史 京の怨霊、元出雲〈古事記異聞〉
高田崇史 鬼統べる国、大和出雲〈古事記異聞〉
高田崇史 陽昇る国、伊勢〈古事記異聞〉
高田崇史 源平の怨霊〈小余綾《こゆるぎ》俊輔の最終講義〉
高田崇史 試験に出ないQED異聞〈高田崇史短編集〉
高田崇史ほか 読んで旅する鎌倉時代
団 鬼六 悦楽王〈鬼プロ繁盛記〉
高野和明 13階段
高野和明 グレイヴディッガー
高野和明 6時間後に君は死ぬ
大道珠貴 ショッキングピンク
高木 徹 ドキュメント 戦争広告代理店〈情報操作とボスニア紛争〉
田中啓文 件《くだん》〈もの言う牛〉
田中啓文 誰が千姫を殺したか〈蛇身探偵豊臣秀頼〉
高嶋哲夫 メルトダウン
高嶋哲夫 命の遺伝子
高嶋哲夫 首都感染
高野秀行 西南シルクロードは密林に消える
高野秀行 アジア未知動物紀行 ベトナム・奄美・アフガニスタン
高野秀行 イスラム飲酒紀行
高野秀行 移民の宴〈日本に移り住んだ外国人の不思議な食生活〉
高野秀行 角幡唯介 地図のない場所で眠りたい
田牧大和 花合せ〈濱次お役者双六〉
田牧大和 質草破り〈濱次お役者双六 二ます目〉
田牧大和 翔ぶ梅〈濱次お役者双六 三ます目〉
田牧大和 半可心中〈濱次お役者双六〉
田牧大和 長屋狂言〈濱次お役者双六〉
田牧大和 錠前破り、銀太
田牧大和 錠前破り、銀太 紅蜆《べにしじみ》
田牧大和 錠前破り、銀太 首魁《しゅかい》
田牧大和 大福三つ巴〈宝来堂うまいもん番付〉
田中慎弥 完全犯罪の恋
高野史緒 カラマーゾフの妹
高野史緒 翼竜館の宝石商人
高野史緒 大天使はミモザの香り
瀧本哲史 僕は君たちに武器を配りたい〈エッセンシャル版〉
竹吉優輔 襲名犯

高田大介 図書館の魔女 第一巻
高田大介 図書館の魔女 第二巻
高田大介 図書館の魔女 第三巻
高田大介 図書館の魔女 第四巻
高田大介 図書館の魔女 烏《からす》の伝言《つてこと》(上)(下)
大門剛明 完全無罪
大門剛明 死刑評決〈「完全無罪」シリーズ〉
橘もも 著 沖田×華 原作 安達奈緒子 脚本 小説 透明なゆりかご(上)(下)
橘もも 著 ヤマシタトモコ 原作 相沢友子 脚本 さんかく窓の外側は夜〈映画版ノベライズ〉
橘もも 三木聡 脚本 大怪獣のあとしまつ〈映画ノベライズ〉
滝口悠生 高架線
髙山文彦 ふたり〈皇后美智子と石牟礼道子〉
高橋弘希 日曜日の人々
武田綾乃 青い春を数えて
武田綾乃 愛されなくても別に
谷口雅美 殿、恐れながらブラックでござる
谷口雅美 殿、恐れながらリモートでござる
武川佑 虎の牙
武内涼 謀聖 尼子経久伝〈青雲の章〉
武内涼 謀聖 尼子経久伝〈風雲の章〉
武内涼 謀聖 尼子経久伝〈瑞雲の章〉
武内涼 謀聖 尼子経久伝〈雷雲の章〉
立松和平 すらすら読める奥の細道
高梨ゆき子 大学病院の奈落
珠川こおり 檸檬先生
珠川こおり 私と弟のにじいろの幸せ
高原英理 不機嫌な姫とブルックナー団
竹田ダニエル 世界と私のA to Z
高瀬隼子 おいしいごはんが食べられますように
陳舜臣 中国五千年(上)(下)
陳舜臣 中国の歴史 全七冊
陳舜臣 小説十八史略 全六冊
千早茜 森の家
千野隆司 大店の暖簾《のれん》〈下り酒一番〉
千野隆司 分家の始末〈下り酒一番(二)〉
千野隆司 献上の祝酒〈下り酒一番(三)〉
千野隆司 大《おお》酒《ざけ》の合戦〈下り酒一番(四)〉
千野隆司 銘酒の真贋〈下り酒一番(五)〉
千野隆司 追跡
知《ち》野《の》みさき 江戸は浅草
知野みさき 江戸は浅草2〈盗人探し〉
知野みさき 江戸は浅草3〈桃と桜〉
知野みさき 江戸は浅草4〈冬青《そよご》灯籠《どうろう》〉
知野みさき 江戸は浅草5〈春の捕物〉
崔《チェ》実《シル》 ジニのパズル
崔実 pray《プレイ》 human《ヒューマン》
筒井康隆 創作の極意と掟
筒井康隆 読書の極意と掟
筒井康隆ほか12名 名探偵登場！
都筑道夫 なめくじに聞いてみろ〈新装版〉
辻村深月 冷たい校舎の時は止まる(上)(下)
辻村深月 子どもたちは夜と遊ぶ(上)(下)
辻村深月 凍りのくじら
辻村深月 ぼくのメジャースプーン
辻村深月 スロウハイツの神様(上)(下)
辻村深月 名前探しの放課後(上)(下)
辻村深月 ロードムービー
辻村深月 ゼロ、ハチ、ゼロ、ナナ。
辻村深月 V.T.R.

講談社文庫　目録

長島有里枝　背中の記憶
長浦　京　赤《セキ》刃《ジン》
長浦　京　リボルバー・リリー
長浦　京　マーダーズ
中脇初枝　世界の果てのこどもたち
中脇初枝　神の島のこどもたち
中村ふみ　天空の翼　地上の星
中村ふみ　砂の城　風の姫
中村ふみ　月の都　海の果て
中村ふみ　雪の王　光の剣
中村ふみ　永遠《とわ》の旅人　天地の理《ことわり》
中村ふみ　大地の宝玉　黒翼《こくよく》の夢
中村ふみ　異邦の使者　南天の神々
夏原エヰジ　Cocoon〈修羅の目覚め〉
夏原エヰジ　Cocoon2〈蠱惑の焔〉
夏原エヰジ　Cocoon3〈幽世の祈り〉
夏原エヰジ　Cocoon4〈宿縁の大樹〉
夏原エヰジ　Cocoon5〈瑠璃の浄土〉
夏原エヰジ　連理の宝〈Cocoon外伝〉
夏原エヰジ　Cocoon〈京都・不死篇―蠢《しゅん》―〉
夏原エヰジ　Cocoon〈京都・不死篇2―疼《とう》―〉
夏原エヰジ　Cocoon〈京都・不死篇3―愁《しゅう》―〉
夏原エヰジ　Cocoon〈京都・不死篇4―嗄《か》―〉
夏原エヰジ　Cocoon〈京都・不死篇5―巡《めぐる》―〉
長岡弘樹　夏の終わりの時間割
ナガノ　ちいかわノート
西村京太郎　華麗なる誘拐
西村京太郎　寝台特急「日本海」《メモリー・トレイン》殺人事件
西村京太郎　十津川警部　帰郷・会津若松
西村京太郎　特急「あずさ」《アリバイ・トレイン》殺人事件
西村京太郎　十津川警部の怒り
西村京太郎　宗谷本線殺人事件
西村京太郎　奥能登に吹く殺意の風
西村京太郎　特急「北斗1号」《スーサイド・トレイン》殺人事件
西村京太郎　十津川警部　湖北の幻想
西村京太郎　九州特急「ソニックにちりん」殺人事件
西村京太郎　東京・松島殺人ルート
西村京太郎　新装版　殺しの双曲線
西村京太郎　新装版　名探偵に乾杯
西村京太郎　南伊豆殺人事件
西村京太郎　十津川警部　青い国から来た殺人者
西村京太郎　新装版　天使の傷痕
西村京太郎　新装版　D機関情報
西村京太郎　十津川警部　猫と死体はタンゴ鉄道に乗って
西村京太郎　韓国新幹線を追え
西村京太郎　北リアス線の天使
西村京太郎　十津川警部　長野新幹線の奇妙な犯罪
西村京太郎　上野駅殺人事件
西村京太郎　京都駅殺人事件
西村京太郎　沖縄から愛をこめて
西村京太郎　十津川警部「幻覚」
西村京太郎　函館駅殺人事件
西村京太郎　内房線の猫たち〈異説里見八犬伝〉
西村京太郎　東京駅殺人事件
西村京太郎　長崎駅《ナガサキ・レディ》殺人事件
西村京太郎　十津川警部　愛と絶望の台湾新幹線
西村京太郎　西鹿児島駅殺人事件

2025年6月13日現在